# LES TABLES
# DU PROPHÈTE

Titre original : *The Moses stone*
© 2009 by James Becker

© Éditions First, 2009

ISBN : 978-2-7540-1545-5
Dépôt légal : 4e trimestre 2009

Imprimé en France par CPI Brodard & Taupin
N° d'impression : 55497

Correction : Monique Gruaz et Josiane Attucci-Jan
Mise en page : Stéphane Angot
Conception couverture : Leptosome

Éditions First
60, rue Mazarine
75006 Paris
Tél. : 01 45 49 60 00
Fax : 01 45 49 60 01
e-mail : firstinfo@efirst.com
Internet : www.editionsfirst.fr

# LES TABLES
# DU PROPHÈTE

## James Becker

Traduit de l'anglais par
Paul Benita et Gabriel Repettati

FIRST
Editions

# PROLOGUE

**Masada, Judée, 73 après J.-C.**

— Nous ne pouvons plus attendre.

Debout sur une lourde table en bois au centre de la forteresse, Èlazar Ben Ya'ir regardait les visages des hommes et des femmes levés vers lui.

À l'extérieur des épaisses murailles, un torrent de bruits – ordres criés, coups de pioche et pierres déferlant les unes après les autres – tapissait ses mots d'un fond sonore continuel. Ce vacarme était parfois ponctué d'un fracas, quand un des missiles expédiés par l'une des *ballistae*, les énormes engins employés par les Romains, venait s'écraser sur les remparts.

Ben Ya'ir était à la tête des sicaires juifs depuis sept ans, depuis qu'ils avaient arraché Masada à la garnison romaine qui y résidait. Les sicaires étaient des zélotes radicaux. Si radicaux, en fait, qu'ils tenaient désormais les zélotes eux-mêmes, ainsi que pratiquement tous les autres habitants de Judée, pour leurs ennemis. Depuis plus de deux ans, ils utilisaient la place forte comme base arrière de leurs raids aussi bien contre les implantations romaines que juives.

L'année précédente, Lucius Flavius Silva, le gouverneur romain de Judée, avait fini par perdre patience vis-à-vis de ces sicaires et attaqué Masada avec la légion Fretensis – quelque cinq

5

mille vétérans endurcis. Mais la citadelle était dure à prendre et toutes les tentatives initiales des Romains avaient échoué de façon lamentable. En dernier recours, ils avaient construit un mur d'encerclement – un *circumvallation* – autour d'une partie de la forteresse et s'étaient mis en devoir de bâtir une rampe assez haute pour utiliser un bélier contre les remparts.

— Vous avez tous vu la rampe qui touche presque nos murs à présent, dit Elazar Ben Ya'ir d'une voix forte mais teintée de résignation. Demain ou après-demain, les Romains les enfonceront. Nous ne pouvons plus les en empêcher et quand ils pénétreront, ils nous submergeront. Nous sommes moins d'un millier – femmes et enfants compris. Là-dehors, nos ennemis sont cinq fois plus nombreux. Ne vous y trompez pas, les Romains vaincront. Notre bravoure et notre férocité n'y changeront rien.

Il s'interrompit pour contempler encore une fois ceux qui l'entouraient. Sifflant au-dessus de leurs têtes, une nuée de flèches franchit les remparts, mais aucun, ou presque, des défenseurs rassemblés là ne leva un œil.

— Si nous combattons, continua Ben Ya'ir, la plupart d'entre nous – les plus chanceux – seront tués. Quant aux survivants, s'il y en a, ils seront probablement crucifiés ou vendus comme esclaves.

Un murmure de colère enfla dans la foule en réaction aux paroles de son chef. Les Romains avaient fait preuve d'un raffinement certain pour empêcher les sicaires de se défendre : ils avaient forcé des esclaves à construire la rampe et il était clair qu'ils les obligeraient à manipuler le bélier. Ils avaient utilisé des juifs pour attaquer une forteresse tenue par des juifs. Pour se protéger, les sicaires auraient dû tuer leurs propres compatriotes, un acte que même eux – qui n'étaient guère réputés pour leur compassion ou leur tolérance envers quiconque – trouvaient répugnant.

6

Voilà pourquoi ils n'avaient pu empêcher l'édification de cette rampe, et pourquoi ils ne pourraient rien faire pour arrêter le bélier.

— Notre choix est simple, conclut Ben Ya'ir. Si nous nous battons, et si nous ne sommes pas tués, nous finirons cloués à des croix dans la vallée ou alors nous deviendrons esclaves des Romains.

La foule le regardait. Les murmures cessèrent.

— Et si nous nous rendons ? demanda une voix furieuse.

— À toi de choisir, mon frère, répondit Elazar Ben Ya'ir en toisant le jeune homme qui venait de parler. Mais ce sera quand même la crucifixion ou l'esclavage.

— Alors que pouvons-nous faire si nous ne pouvons ni nous battre ni nous rendre ? Quel autre choix nous reste-t-il ?

— Il y a un moyen, dit Ben Ya'ir, et un seul, de remporter ici une victoire éclatante.

— Nous pouvons vaincre les Romains ?

— Nous pouvons les battre, mais pas comme tu l'imagines.

— Comment alors ?

Elazar dévisagea les hommes et les femmes dont, depuis sept ans, il partageait la vie entre ces murs. Puis il le leur dit.

Quand la nuit tomba, les échos des travaux de construction à l'extérieur des remparts s'éteignirent. Dans la citadelle, des équipes achevaient les préparatifs de ce qui allait être l'acte final du drame de Masada.

Elles empilèrent du bois et des outres d'huile inflammable dans les entrepôts situés au nord, à l'exception de certaines salles qu'Elazar Ben Ya'ir avait tout spécialement désignées. Puis, tandis que les derniers rayons de soleil disparaissaient derrière les pics des montagnes voisines, elles dressèrent un immense bûcher sur la place centrale et l'allumèrent. Finalement, elles mirent le feu aux réserves de bois.

Cela fait, Elazar Ben Ya'ir convoqua quatre hommes pour leur donner des instructions très précises.

L'édification de la rampe avait concentré l'attention des Romains sur le mur ouest: c'était là que la majorité des légionnaires était stationnée, se préparant pour l'assaut ultime. Il y avait bien des gardes postés partout ailleurs mais en nombre bien moins important que ces derniers jours et semaines.

La face est de Masada se dressait à quatre cents mètres au-dessus du sol désertique. Ce n'était pas un à-pic mais la descente était si difficile et dangereuse que les Romains n'avaient pas jugé bon d'y poster plus de quelques sentinelles, estimant que les sicaires n'auraient pas la témérité de la tenter. Jusqu'à ce soir, ils avaient eu raison.

Ben Ya'ir conduisit les quatre hommes au pied de la muraille qui gardait cette extrémité du plateau de Masada. Il leur tendit deux objets cylindriques, chacun enveloppé dans un tissu fermé par de la ficelle, et deux lourdes tablettes de pierre, elles aussi protégées par un linge. Puis il étreignit chacun d'entre eux pendant quelques instants avant de repartir. Tels des fantômes dans la nuit, les quatre escaladèrent le mur d'enceinte et s'évanouirent sans un bruit sur l'éboulis rocheux qui marquait le départ de la périlleuse pente.

Au centre de la citadelle, tous les autres sicaires, neuf cent trente-six hommes, femmes et enfants, s'agenouillèrent pour une prière dont ils savaient qu'elle serait la dernière, avant de s'aligner en file indienne devant une table adossée à la muraille. Quand chacun eut tiré sa paille, dix d'entre eux se séparèrent de la multitude et revinrent vers la table où Elazar Ben Ya'ir attendait. Il ordonna que les noms de ces dix soient enregistrés, ainsi que celui de leur chef, et un scribe s'acquitta consciencieusement de la tâche, les gravant sur onze tessons de poterie, un pour chacun.

Ben Ya'ir gagna ensuite le palais du Nord érigé par Hérode une centaine d'années plus tôt quand il avait été nommé roi des juifs par ses maîtres romains. Là, il ordonna que les tessons soient soigneusement enfouis, afin, plus tard, de servir de chronique de la fin du siège.

Finalement, il revint au centre de la forteresse et lança un ordre, un cri qui monta au-dessus des remparts.

Autour de lui, tous les combattants à l'exception des dix que le sort avait désignés, se débarrassèrent de leurs armes, épées et dagues et les jetèrent à terre. Le fracas causé par des centaines de lames s'entrechoquant sur le sol poussiéreux retentit, lui aussi, à l'extérieur des murs.

Ben Ya'ir cria à nouveau et les dix hommes se préparèrent, chacun se plaçant devant un de ses compagnons désarmés. Le chef regarda une des premières victimes s'avancer pour étreindre celui qui avait été choisi pour être son bourreau.

— Frappe vite et bien, mon frère, dit le premier en reculant d'un pas.

Deux de ses compagnons lui saisirent les bras pour éviter qu'il ne bouge. Le soldat armé dégaina son épée, s'avança, écarta doucement la tunique de la victime pour exposer sa poitrine, avant de prendre son élan.

— Va en paix, mon ami, dit-il, la voix légèrement tremblante, et il lui enfonça sa lame dans le cœur.

La victime grogna sous l'impact mais aucun cri de douleur ne franchit ses lèvres.

Délicatement, avec révérence, ses deux compagnons déposèrent son corps sans vie sur le sol.

Tout autour de la place, la même séquence se répéta parmi les divers groupes rassemblés devant les exécuteurs jusqu'à ce que dix des défenseurs gisent morts à terre.

Elazar Ben Ya'ir lança à nouveau son ordre et, encore une fois, les épées trouvèrent leurs cibles, l'une d'entre elles transperçant Ben Ya'ir lui-même.

Au bout d'une demi-heure, il ne restait plus que deux sicaires vivants. Solennellement, les deux camarades tirèrent à la courte paille et, une fois encore, un coup précis et décidé ôta une vie. Le guerrier survivant, le visage couvert de larmes, fit le tour de la citadelle, se penchant sur chaque corps pour s'assurer qu'aucun de ses compagnons ne vivait encore.

Il jeta un dernier regard autour de lui sur ce qui était désormais une nécropole. Il murmura une dernière prière, implorant son dieu de lui pardonner ce qu'il était sur le point d'accomplir, puis il retourna son épée, posa la pointe sur sa poitrine avant de se l'enfoncer dans la poitrine.

Le lendemain matin, le bélier entama sa besogne sur le rempart occidental de Masada, ne tardant pas à y percer une brèche. Les Romains se retrouvèrent aussitôt face à de nouvelles fortifications, édifiées à l'évidence par les sicaires dans une dernière tentative désespérée, et qu'ils détruisirent en quelques minutes. Enfin, les légionnaires se déversèrent dans la citadelle.

Moins d'une heure plus tard, Lucius Flavius Silva gravit la rampe entre deux rangées de ses soldats et franchit le trou béant dans les remparts. Une fois à l'intérieur, l'incrédulité le saisit.

Partout, gisaient des cadavres, hommes, femmes et enfants, la poitrine couverte d'un sang qui avait déjà séché et noirci. Les mouches grouillaient, se nourrissant avec avidité dans le soleil de l'après-midi. Des oiseaux charognards plantaient leurs becs dans les chairs et des rats couraient au milieu de ce charnier.

— Ils sont tous morts? demanda-t-il à un centurion.

— C'est ainsi que nous les avons trouvés, général. Mais il y avait sept survivants. Deux femmes et cinq enfants qui s'étaient cachés dans une citerne au sud du plateau.

— Ont-ils dit ce qui s'est passé ici? Ces fous se sont-ils suicidés?

— Pas exactement, général. Leur religion le leur interdit. Alors, ils ont tiré à la courte paille et ceux que le sort a désignés ont tué les autres. Le dernier survivant…

Il montra un homme gisant face contre terre, une lame émergeant de son dos.

— … s'est jeté contre son épée. Il est donc le seul à avoir véritablement commis un suicide.

— Mais pourquoi? demanda Silva, de façon purement rhétorique.

— Selon ces femmes, leur chef, Elazar Ben Ya'ir, a prétendu que s'ils s'ôtaient la vie, à l'heure et de la manière qu'ils choisiraient, ils nous priveraient de notre victoire.

Le centurion montra le nord de la citadelle avant d'enchaîner:

— Ils auraient pu continuer à se battre. Les provisions ne manquent pas dans les entrepôts qu'ils n'ont pas incendiés et les citernes regorgent d'eau fraîche.

— S'*ils* avaient gagné, cela aurait été une victoire bien étrange, grogna Silva, contemplant toujours les centaines de cadavres qui l'entouraient. Nous avons repris Masada, les maudits sicaires sont morts jusqu'au dernier et nous n'avons pas perdu un seul légionnaire au cours de l'assaut. J'aimerais connaître de nombreuses défaites comme celle-ci.

Le centurion sourit poliment.

— Les femmes et les enfants, général. Quels sont vos ordres?

— Qu'on emmène les enfants au marché aux esclaves le plus proche et qu'on donne les femmes à la troupe. Si elles sont encore vivantes quand les hommes en auront fini avec elles, qu'elles s'en aillent.

Non loin de Masada, à l'extérieur de l'enceinte, les quatre sicaires attendaient, cachés derrière des rochers, une centaine de mètres au-dessus du sol du désert. Quand les troupes romaines avaient franchi le mur, ordre avait été donné aux sentinelles en bas de quitter leurs postes. Même après le départ des légionnaires, les quatre hommes préférèrent attendre la nuit avant d'achever la descente.

Trois jours plus tard, ils atteignaient Ir-Tzadok B'Succaca, la communauté vivant dans les collines qui deviendrait célèbre deux mille ans plus tard sous le nom de Qumrān. Les quatre y restèrent une journée avant de reprendre leur voyage.

Ils suivirent la rive occidentale de la mer Morte sur à peu près huit kilomètres avant d'obliquer vers le nord. Ils traversèrent les villes de Cyprus, Taurus et Jéricho avant de s'arrêter pour la nuit à Phasaelis. Le deuxième jour, ils partirent en direction du nord-ouest et de Shiloh, mais le trajet devenant beaucoup plus difficile dès qu'ils quittèrent la ville pour longer les pentes orientales du mont Garizim, ils n'arrivèrent à Mahnayim qu'après la tombée de la nuit. Le lendemain, ils parvinrent jusqu'à Sychar où ils s'octroyèrent une nouvelle journée de repos, car la partie la plus ardue de leur voyage allait commencer : une marche de plus de quinze kilomètres sur un terrain très accidenté à l'ouest du mont Ebal, vers la ville de Bernesilis.

Cette portion leur prit toute la journée et ils se reposèrent encore vingt-quatre heures avant de repartir vers Ginae, au nord, qu'ils atteignirent près de deux semaines après avoir quitté la citadelle de Masada. Là, ils achetèrent des provisions supplémentaires en prévision de la dernière partie de leur expédition.

Ils partirent de bon matin, en direction du nord-ouest à travers les forêts de palmiers-dattiers qui tapissaient les terres fertiles s'étalant de la mer de Galilée jusqu'aux rives de la mer Morte, se dirigeant vers la plaine d'Esdrelon. La piste qu'ils suivaient serpentait pour éviter les obstacles et les montages qui les séparaient encore de leur destination. Leur progression s'en trouvait ralentie et d'autant plus épuisante en raison du soleil écrasant, leur compagnon permanent.

Ils découvrirent leur objectif en fin d'après-midi et ils atteignirent le pied de la colline au crépuscule. Plutôt que de grimper pour accomplir dans le noir la tâche qu'Elezar Ben Ya'ir leur avait confiée, ils décidèrent de camper pour la nuit.

Quand le soleil se leva le lendemain matin, les quatre se trouvaient déjà sur le plateau. Seul l'un d'entre eux était déjà venu ici par le passé. Il leur fallut plus de huit heures pour s'acquitter de leur besogne.

La nuit n'allait pas tarder à tomber quand ils dévalèrent à nouveau le chemin abrupt jusqu'à la plaine en contrebas. Il était près de minuit quand ils parvinrent à Naïn. Maintenant qu'ils ne portaient plus les deux objets cylindriques ni les tablettes de pierre, leur progression s'en trouvait facilitée.

Le lendemain, ils cherchèrent un potier. Ils lui offrirent juste assez d'or pour qu'il ne pose aucune question avant de prendre possession de son atelier pour le reste de la journée. Ils restèrent là, la porte bloquée par une barre jusqu'à tard dans la soirée, travaillant à la lumière incertaine de plusieurs lampes remplies de graisse animale.

Le jour suivant, les quatre sicaires se séparèrent, chacun ayant sa propre mission à remplir.

Ils ne se revirent jamais.

# PREMIÈRE PARTIE

*Maroc*

# 1

Margaret O'Connor aimait la médina et elle adorait le souk.

On lui avait expliqué que ce mot « médina » signifiait « cité » en arabe, mais qu'à Rabat, comme souvent au Maroc, il s'agissait d'un terme générique pour désigner la vieille ville, un labyrinthe de ruelles tortueuses, bien trop étroites pour qu'une voiture ose s'y risquer. De fait, dans beaucoup d'entre elles, deux personnes pouvaient à peine y marcher côte à côte. Dans le souk lui-même, même si on trouvait quelques vastes places foisonnantes d'étals et d'échoppes, certains passages étaient encore plus minuscules et, aux yeux de Margaret, d'un exotisme encore plus charmant. Les rues serpentaient autour de vieilles maisons dont le plâtre était craquelé par l'âge, la peinture écaillée et décolorée par le soleil.

À chaque fois que Ralph et elle visitaient l'endroit, ils se retrouvaient au sein d'une population follement grouillante. Au début, elle avait été légèrement déçue de constater la préférence des locaux pour les vêtements occidentaux – jeans et tee-shirts – en lieu et place des djellabas traditionnelles. Le guide qu'ils avaient acheté à la réception de leur hôtel en expliquait la raison.

Même si le Maroc était une nation islamique, un quart seulement de sa population était d'origine arabe, le reste se composant de Berbères, ou plus exactement d'Imazighen, les habitants originels d'Afrique du Nord. Ils avaient d'abord tenté de résister à l'invasion mais, avec le temps, s'étaient mis à parler l'arabe et s'étaient convertis à l'islam. Cette assimilation graduelle des Berbères avait donné naissance à un mélange coloré de vêtements, de coutumes et de langues, où l'arabe et la langue berbère – le tamazight – étaient tous deux largement utilisés tout comme le français, l'espagnol et même l'anglais.

Margaret O'Connor adorait les bruits, les odeurs et l'agitation. Elle s'accommodait même des gamins en nombre apparemment infini qui couraient dans les rues, mendiant et offrant de servir de guides aux touristes.

C'était sa première visite au Maroc avec son mari Ralph qui – disons-le – ne partageait pas du tout l'amour de son épouse pour ce pays. Les hordes d'autochtones dans le souk l'oppressaient et la myriade de senteurs bizarres le mettait mal à l'aise. Il préférait de beaucoup les complexes balnéaires – étrangers, certes, mais cependant beaucoup plus familiers – des *costas* espagnoles, leurs habituelles destinations de vacances. Mais, cette année, Margaret avait voulu quelque chose de différent, d'un peu plus excentrique, et le Maroc avait paru un bon compromis.

C'était sur un autre continent – l'Afrique – mais encore assez proche pour ne pas avoir à endurer un vol interminable. Ils avaient écarté Casablanca, car tout le monde leur avait dit que, comme beaucoup de ports, c'était un endroit bruyant et sale – très éloigné de l'image romantique créée par Hollywood. Ils avaient donc pris des places sur un vol *low cost* à destination de Casablanca puis avaient loué une voiture pour se rendre dans l'hôtel de Rabat pas trop cher où ils avaient réservé une chambre.

En ce début de soirée, leur dernière au Maroc, ils se promenaient une fois de plus dans le souk. Comme toujours, Margaret était excitée et Ralph résigné.

— Mais qu'espères-tu acheter ici ?

— Rien. Tout. Je ne sais pas, dit-elle avant de s'arrêter pour dévisager son mari. Pourquoi faut-il donc que tu sois toujours aussi rabat-joie ?

Ce n'était pas une question.

— Écoute, reprit-elle, nous partons demain et je veux juste me promener une dernière fois dans le souk pour prendre quelques photos qui nous aideront à nous souvenir de ces vacances. J'ai comme l'impression que nous ne reviendrons jamais ici.

— Pas si c'est moi qui décide, marmonna Ralph tandis qu'elle lui tournait le dos, mais pas assez *sotto voce* pour que sa femme ne l'entende pas.

— L'an prochain, nous retournerons en Espagne, d'accord ? Alors, arrête de te plaindre, souris et fais au moins semblant de t'amuser.

Comme à chaque fois depuis leur arrivée à Rabat, ils approchèrent de la médina par la casbah des Oudaïa car, selon Margaret, c'était la route la plus agréable et la plus pittoresque. La casbah elle-même était une forteresse du XIIe siècle dominant ce qui était à l'origine la ville pirate de Salé. L'endroit était splendide. Les maisons aux murs blanchis à la chaux arboraient toutes une bande de peinture bleu ciel qui courait autour de leur base jusqu'à une hauteur d'un mètre. Parfois, elles étaient même trois fois plus large. S'il était évident que ces motifs ne dataient pas d'hier, on n'en avait pas moins l'impression que les habitations venaient d'être repeintes.

C'était un décor curieusement agréable que ni Margaret ni son mari n'avaient jamais vu auparavant et dont personne ne semblait connaître l'origine. Leurs demandes répétées n'avaient provoqué que mines perplexes et haussements d'épaules. Les maisons de la casbah, semblait-il, avaient toujours été ainsi.

Après cela, leur trajet empruntait une vaste allée en pente brisée par des séries de trois marches, rendues obligatoires par l'inclinaison menant à la médina. Le fleuve coulait sur leur gauche, tandis que sur la droite s'ouvrait une assez vaste étendue herbeuse, un lieu fréquenté par ceux qui désiraient s'asseoir pour admirer la vue, ou simplement s'allonger tandis que le monde continuait sa course.

L'entrée de la médina paraissait sombre et peu engageante, en partie à cause de la brillance du soleil rasant mais surtout à cause de l'élégant toit semi-circulaire en fer ouvragé qui recouvrait toute cette partie de la vieille ville. D'aspect géométrique, les panneaux métalliques semblaient bloquer la lumière tout en conférant au ciel une iridescence opaque et scintillante, comme un voile de nacre.

Une fois à l'intérieur, les odeurs désormais familières se décuplaient dans la pénombre : fumée, poussière de métal, bois fraîchement coupé, herbes, épices et un relent étrange et entêtant que Margaret avait finalement identifié comme provenant des tanneries. Le niveau sonore enflait prodigieusement dès qu'on pénétrait dans le souk, les coups de marteau des artisans orfèvres formant un fond continuel à la rumeur des conversations, aux cris des vendeurs et aux marchandages.

Comme toujours, l'endroit grouillait de gens et de chats.

Lors de sa première visite, Margaret en avait été ébahie. Mais son inquiétude initiale n'avait pas tardé à disparaître quand elle avait remarqué à quel point les bêtes semblaient bien nourries et en bonne santé. Elle avait eu la surprise de constater qu'un peu partout on offrait à ces messieurs-dames les félins des assiettes débordant de nourriture. Elle présumait que les marchands appréciaient leur présence, car elle était un gage de contrôle de la propagation des rongeurs, même si, à voir certains matous obèses paressant au soleil, cela devait faire bien longtemps qu'ils ne chassaient plus leurs propres dîners.

L'éventail de produits et de talents offerts dans le souk était lui aussi stupéfiant : lampes de fer noir ouvragé, bouteilles en verre bleu ou vert qui pouvaient être modelées à la demande, objets en cuir de toutes sortes y compris des chaises, boîtes exquises en cèdre, chaussures, vêtements pendus à des perches tendues en travers des ruelles qui obligeaient les passants à se baisser, montres, horloges, épices vendues en vrac, tapis, couvertures sans oublier, bien sûr, les plateaux d'argent de toutes tailles. L'une des échoppes fascinait particulièrement Margaret et elle s'y arrêtait toujours pour observer les feuilles de métal qu'on martelait, façonnait, moulait et soudait pour fabriquer théières, plats et ustensiles.

Partout ailleurs, les étals proposaient de la nourriture qui, elle aussi, semblait d'une variété infinie comme ces sandwichs à l'agneau cuit dans les tajines traditionnels, ces plats en terre à la forme si particulière qui ressemblaient à des entonnoirs renversés. Lors de leur première expédition ici, elle avait voulu goûter la *fast food* locale mais Ralph l'en avait dissuadée.

— Regarde ces étalages, avait-il dit, le moindre de nos inspecteurs des services d'hygiène aurait une attaque rien qu'en les voyant. Ces gens ignorent ce qu'est la propreté.

Elle avait été tentée de lui faire remarquer à quel point « ces gens » semblaient en bonne santé grâce à leur régime qui n'incluait ni agents de saveur, ni colorants, ni conservateurs, ni aucun autre de ces composés chimiques si nécessaires désormais à la cuisine britannique, mais elle s'était retenue. Depuis leur arrivée, et de façon très prévisible, ils avaient donc pris tous leurs repas à l'hôtel. Certes, là aussi Ralph se méfiait de certains mets, mais il fallait bien manger quelque part et cela lui avait paru l'option la moins dangereuse.

Prendre des photos dans le souk s'était révélé une tâche beaucoup plus difficile que prévu, la plupart des marchands et vendeurs ne paraissant guère apprécier d'être immortalisés, y compris par une touriste. Elle avait espéré capturer quelques portraits saisissants des gens d'ici dans son Olympus de poche… c'était d'eux dont elle voulait se souvenir.

Quand une nouvelle fois, un autre Marocain en tenue traditionnelle s'esquiva alors qu'elle levait son appareil, elle marmonna avec irritation :

— Oh, bon sang de bon sang !

Elle baissa son appareil, le tenant à hauteur de poitrine où il se retrouva en partie dissimulé par son sac à main. Elle avait changé la longueur de la bandoulière afin de pouvoir le serrer contre elle quand ils passaient dans des zones où, selon leur guide, sévissaient des pickpockets. L'idée lui vint assez naturellement : elle poursuivrait sa mission photographique de façon plus furtive, appuyant sur le déclencheur sans se soucier de viser. C'était un des avantages des appareils numériques : la carte mémoire contenait des centaines de clichés. Elle n'aurait qu'à effacer les moins bons quand elle serait de retour chez eux dans le Kent et elle avait même une carte de rechange au cas où la première ne suffirait pas.

— Ralph, tu veux bien marcher à ma droite ? Ça m'aidera à cacher l'appareil. Je te propose que nous traversions une dernière fois le souk. Et ensuite, ajouta-t-elle, nous rentrerons à l'hôtel pour profiter de notre dernier dîner au Maroc.

— Bonne idée.

Soulagé à l'idée de quitter ce lieu pestilentiel une bonne fois pour toutes, Ralph O'Connor fit l'effort de se positionner selon les instructions de son épouse. Toujours poursuivis par une bande de gamins qui réclamaient leur attention, ils reprirent leur lente progression rythmée par les faibles clics déclenchés par Margaret.

À peu près à mi-chemin de la sortie, un brouhaha attira leur attention vers une échoppe se trouvant face à eux. Une demi-douzaine d'individus, tous vêtus de djellabas, se bousculaient et échangeaient des paroles fort peu sympathiques – du moins Margaret, malgré son incompréhension quasi totale de la langue, les jugea telles. L'objet de leur débat, un petit homme vêtu de haillons, se tenait à côté de l'étal. Les hommes semblaient l'accuser tout en multipliant les gestes vers les articles mis en vente, ce qui intrigua Margaret dans la mesure où il s'agissait essentiellement d'éclats de poterie et de tablettes d'argile crasseuses, le genre de camelote que l'on pouvait ramasser sur n'importe quel site un peu ancien au Maroc. Peut-être, se dit-elle, ces messieurs étaient-ils des officiels et certaines de ces marchandises avaient-elles été volées ou pillées lors de fouilles archéologiques. Quelle que soit la cause de la dispute, elle était plus virulente que tout ce à quoi ils avaient déjà assisté dans le souk.

Elle fit de son mieux pour viser la scène avec son appareil et pressa le bouton.

— Qu'est-ce que tu fais ? chuchota Ralph.

— J'essaie de saisir un peu de couleur locale, répondit-elle. C'est quand même plus intéressant que de photographier de vieux marchands vantant leurs cafetières en étain.

— On ferait mieux de partir, fit-il en la tirant par la manche afin de déguerpir au plus vite. Ces gens ne m'inspirent pas confiance.

— Bon sang, Ralph, parfois tu te comportes comme une véritable poule mouillée.

Mais là-bas, la dispute semblait vraiment mal tourner, aussi elle se contenta de prendre encore quelques clichés avant de se laisser entraîner vers la sortie du souk.

Ils avaient à peine fait cinquante mètres quand les cris et les insultes enflèrent soudain. Un bruit de course retentit, les pas approchant rapidement dans leur direction.

Ralph poussa aussitôt Margaret dans une des étroites ruelles adjacentes. À peine eurent-ils quitté l'allée principale qu'ils virent le petit homme mal habillé passer en courant. Quelques secondes plus tard, les autres, ceux qui braillaient si fort, apparurent à leur tour, invectivant le fuyard.

— Je me demande ce qu'il a fait, dit Margaret quand ils quittèrent leur cachette.

— Quoi que ce soit, ça ne nous regarde pas, dit Ralph. Je me sentirai beaucoup mieux quand nous serons de retour à l'hôtel.

Ils reprirent leur route à travers la foule mais avant d'atteindre la porte principale, alors qu'ils passaient devant un autre passage débouchant près d'un vendeur d'épices, ils entendirent de nouveaux cris. Peu après, le petit Arabe fonça vers eux, courant dans l'autre sens cette fois, le souffle court tandis qu'il cherchait désespérément un refuge. Derrière lui, Margaret aperçut ses poursuivants, bien plus proches qu'ils ne l'étaient la première fois.

Au moment où l'homme passait devant eux, un petit objet tomba d'une des poches de sa djellaba et aurait fini à terre si sa chute n'avait été interrompue par un immense sac contenant une poudre d'un jaune éclatant. L'objet y devint quasiment invisible, sa couleur se fondant avec celle du safran.

Ne s'étant rendu compte de rien, l'inconnu continuait à fuir. Quelques secondes plus tard, le groupe de chasse surgit, accélérant encore l'allure maintenant que sa proie semblait à sa portée.

Margaret jeta un coup d'œil vers le sac d'épice puis vers le vendeur qui contemplait la bande qui courait. Très vite, elle se baissa, rafla l'objet et le glissa dans sa poche.

— Qu'est-ce que tu fais ?

— Tais-toi, Ralph, chuchota-t-elle tandis que le vendeur se tournait vers eux.

Elle sourit avec grâce, glissa son bras sous celui de son mari et tourna les talons en direction de la sortie la plus proche.

— Ça ne t'appartient pas, marmonna Ralph quand ils quittèrent enfin l'enceinte du souk pour prendre le chemin de l'hôtel.

— Ce n'est qu'un vulgaire bout d'argile. Je doute qu'il ait la moindre valeur. De toute façon, je ne compte pas le voler. Nous connaissons l'échoppe de cet homme. Demain, j'irai le lui rendre.

— Tu ne sais même pas si cette échoppe est la sienne. Si ça se trouve, il était là par hasard. Tu n'aurais pas dû te mêler de ça.

— Je ne me suis *mêlée*, comme tu dis, de rien. Si je ne l'avais pas ramassé, quelqu'un d'autre l'aurait fait. Je le ramènerai demain, c'est tout. Je te le promets. Et ensuite, nous n'y repenserons plus jamais.

# 2

Ils le rattrapèrent sur l'esplanade qui s'étend entre les murs de Rabat et le site de Chella, l'ancienne nécropole devenue désormais, durant la journée, un coin à pique-nique très prisé par les touristes mais qui, le soir, est totalement désertée. Le fuyard avait plongé derrière un massif de fleurs sauvages. Malheureusement pour lui, un de ses poursuivants l'avait vu. Quelques secondes plus tard, il se retrouva plaqué contre un rocher.

Le reste de la bande se rassembla très vite autour du captif et un homme très grand et maigre au nez busqué se détacha du groupe. Il avait souffert d'une paralysie de Bell non traitée dans son enfance et la moitié droite de son visage était restée figée. La maladie l'avait aussi privé de l'usage de son œil droit dont la cornée d'un blanc laiteux contrastait de façon saisissante avec sa peau foncée.

— Où est-elle, Hassan ? demanda-t-il d'une voix calme et mesurée.

Le petit homme secoua la tête et fut récompensé par un coup de poing à l'estomac asséné par un de ceux qui le maintenaient. Il fut pris de violents hoquets.

— Je vais te le demander encore une fois. Où est-elle ?

— Dans ma poche, bredouilla Hassan Al-Qalaa.

Sur un signe de l'homme de haute taille, les deux gardes le laissèrent fouiller une de ses poches, puis une autre, le désespoir remplaçant l'épuisement et la douleur sur les traits d'Hassan tandis qu'il se rendait compte que l'objet qu'il avait serré contre lui pendant sa fuite éperdue n'était plus là.

— J'ai dû la faire tomber quelque part dans le souk, bafouilla-t-il.

L'œil encore valide le contempla, impassible.

— Fouillez-le.

Un des hommes cloua Hassan contre le rocher tandis que l'autre palpait ses vêtements.

— Rien, dit-il au bout d'un moment.

— Vous quatre, aboya le borgne, allez fouiller le souk. Suivez la route que nous avons prise, interrogez les marchands.

Les quatre hommes désignés quittèrent le groupe et repartirent au pas de course.

— Maintenant, Hassan, reprit leur chef en se penchant vers lui, tu l'as peut-être laissée tomber ou tu l'as peut-être donnée à quelqu'un, peu importe. Un jour ou l'autre, elle refera surface quelque part et alors je la récupérerai.

Il s'interrompit pour contempler l'homme immobilisé et s'approcha encore un peu plus.

— Sais-tu qui je suis ? fit-il d'une voix à peine audible.

Le prisonnier secoua la tête, hypnotisé par le visage atroce et l'œil aveugle et fixe.

— Alors, je vais te le dire, fit l'autre avant de lui murmurer quelques mots à l'oreille.

Aussitôt, le petit homme se mit à trembler, saisi d'effroi.

— Non, non, cria-t-il en se débattant de toutes ses forces. Ce n'était qu'une tablette d'argile. Je vous paierai. Tout ce que vous voudrez.

— Crétin ! L'argent n'a aucune importance et ce n'était pas *qu'une* tablette d'argile. Tu n'as pas la moindre idée de ce que tu tenais entre tes mains.

Le chef fit un autre geste et un de ses sbires arracha la djellaba du prisonnier pour exposer sa poitrine avant de lui enfoncer une boule de tissu dans la bouche. Ensuite, ils le plaquèrent plus violemment encore contre la roche, lui écartant les bras, tandis qu'il se tordait et gigotait en vain.

Il réussit à lancer un coup de pied qui atteignit le borgne à la cuisse.

— Pour ça, dit celui-ci, tu vas souffrir un peu plus longtemps.

Des profondeurs de sa robe, il dégaina une dague incurvée au double tranchant acéré. Remontant sa manche au-dessus du coude, pour éviter que le sang ne l'éclabousse, il posa doucement la pointe de la lame sur la poitrine d'Hassan, cherchant l'espace entre les côtes avant d'accroître lentement la pression sur le manche. Quand la peau céda, le cri du captif se transforma en grognement étouffé par son bâillon rudimentaire.

Son tortionnaire appuya plus fort et le tissu recouvrant encore la poitrine vira subitement au rouge tandis que le sang jaillissait de la blessure. Il enfonçait lentement son couteau, sans jamais quitter du regard le visage de sa victime. Quand il estima que la pointe était sur le point de toucher le cœur, il interrompit son geste pendant quelques secondes, changeant sa saisie sur la garde. Puis il poussa une dernière fois en effectuant une torsion sur la dague, tranchant les parois ventriculaires à l'intérieur de la cage thoracique.

— Voulez-vous que nous l'enterrions? Ou bien que nous le jetions simplement quelque part? demanda un de ses hommes tandis que le corps sans vie s'écroulait.

— Non, contentez-vous de le traîner là-bas, ordonna son chef en montrant un buisson plus épais que les autres avant de se baisser pour essuyer sa dague sur les vêtements du cadavre. Quelqu'un le trouvera demain ou après-demain.

« Faites passer le mot, reprit-il tandis qu'ils revenaient vers le souk. Que tout le monde sache pourquoi est mort Hassan

Al-Qalaa ; qu'ils sachent tous que s'ils parlent à la police, ils connaîtront le même sort. Et offrez une récompense pour la tablette. Il faut la retrouver, coûte que coûte.

# 3

Peu après dix heures le lendemain, Margaret retourna dans le souk avec la tablette d'argile dans son sac. Elle l'avait minutieusement étudiée dans leur chambre la veille et en avait pris plusieurs photos.

L'objet était remarquablement anodin : quinze centimètres par neuf environ, un peu plus d'un centimètre d'épaisseur, il était d'un gris-marron très pâle, presque beige. Le verso et les côtés étaient lisses et immaculés contrairement au recto recouvert d'une série de signes que Margaret présuma être une sorte d'écriture, mais aucune qu'elle ne connaissait. Ce n'était pas une langue européenne et cela ne ressemblait pas non plus aux caractères arabes qu'elle avait vus sur les pancartes et les journaux depuis leur arrivée au Maroc.

En échange de sa promesse qu'elle se contenterait de retourner à l'échoppe et d'y rendre la tablette, Ralph avait accepté de ne pas l'accompagner.

Mais quand elle fut de retour dans les ruelles tortueuses du souk, Margaret ne tarda pas à se retrouver face à un problème imprévu. Ni le petit Marocain, ni la collection de reliques qu'elle avait vus la veille ne se trouvaient là. Au lieu de cela, deux inconnus se tenaient derrière une table à tréteaux sur laquelle s'étalaient les habituels souvenirs pour touristes : cafetières en étain et en cuivre, boîtes en métal et autres bracelets.

Pendant quelques secondes, elle resta plantée là, ne sachant que faire. Puis elle s'avança et s'adressa aux hommes :

— Parlez-vous anglais ?

L'un d'eux acquiesça.

— Il y avait une autre échoppe ici hier, dit-elle, avec un petit homme.

Elle fit un geste pour indiquer sa taille approximative.

— Je suis intéressée par certains des objets qu'il vendait.

Les deux hommes la dévisagèrent un moment sans rien dire avant d'échanger à toute allure quelques phrases en arabe. Finalement, l'un d'eux se tourna vers elle.

— Aujourd'hui, il n'est pas ici. Vous achetez souvenirs à nous, oui ?

— Non. Non, merci.

Margaret secoua fermement la tête. Au moins, elle avait essayé, se dit-elle en s'éloignant, mais si l'homme qui avait perdu cet objet n'était pas là, ce n'était pas sa faute. Elle ramènerait la tablette dans le Kent, un souvenir original de son premier voyage hors d'Europe.

Elle ne remarqua pas, alors qu'elle s'en allait, que l'un des deux hommes sortait un téléphone portable de sa poche.

Margaret décida de se promener une dernière fois avant de rentrer à l'hôtel. Elle était certaine que Ralph ne voudrait jamais revenir au Maroc : il n'avait guère apprécié ces vacances à Rabat. C'était donc sa dernière chance d'admirer les lieux et de prendre encore quelques photos.

Elle erra dans le souk, son Olympus à la main, avant de quitter la médina. Elle n'était pas parvenue à convaincre Ralph de visiter le Chella et c'était l'occasion ou jamais de se promener dans ses jardins à défaut de visiter le sanctuaire lui-même.

Tandis qu'elle se dirigeait vers les antiques murailles de la nécropole, elle aperçut un attroupement : plusieurs agents de police maintenaient quelques curieux à l'écart. Pendant un instant, elle se demanda si elle n'allait pas renoncer une bonne fois pour toutes et rentrer.

Elle haussa les épaules. Après tout, quelle que soit la raison de cette agitation, cela ne la concernait en rien. Elle s'avança. La curiosité avait toujours été l'une de ses grandes qualités – ou, selon Ralph, l'un de ses grands défauts –, aussi quand elle passa devant le groupe, elle chercha à deviner ce qui se passait.

Au début, elle ne vit que des dos puis deux agents s'écartèrent et elle put enfin découvrir ce qu'ils contemplaient. Au pied d'un grand rocher, gisait une silhouette immobile dont la djellaba était maculée de sang. Cette scène était déjà assez choquante en elle-même, mais Margaret fut encore plus sidérée de reconnaître le visage du mort. Elle se figea sur place.

Soudain, elle sut pourquoi le petit Arabe ne se trouvait pas à son échoppe dans le souk. Elle devina aussi que la tablette d'argile qui se trouvait désormais dans son sac – l'objet qu'il avait laissé tomber lors de sa fuite – était peut-être beaucoup plus importante et avait beaucoup plus de valeur qu'elle ne l'avait cru jusqu'ici.

Un des policiers la remarqua, plantée là, la bouche ouverte, les yeux fixés sur le cadavre. Impatient, il lui fit signe de passer son chemin.

Perdue dans ses pensées, elle revint vers le souk. Elle n'allait pas suivre son plan initial et garder la tablette dans son sac pour prendre l'avion. Elle devait trouver un moyen de la faire sortir du Maroc sans attirer l'attention.

Et il y avait une façon évidente d'y parvenir.

# 4

— Je ne suis pas mécontent de rentrer, dit Ralph O'Connor alors qu'ils quittaient Rabat dans leur Mégane de location en direction de Casablanca et de leur vol pour Londres.

— Je sais, répliqua Margaret. J'ai très bien compris que tu ne comptes pas revisiter le Maroc de sitôt. Je suppose que l'an prochain nous retournerons à Benidorm ou Marbella ?

— Au moins, je me sens bien en Espagne. Ici, c'est trop différent, trop *étranger*... j'ai du mal à m'y faire. Et je continue à penser que tu aurais dû jeter ce maudit bout de caillasse que tu as ramassé.

— Écoute, j'ai fait au mieux au vu des circonstances et je refuse d'en discuter davantage.

Ils roulèrent en silence pendant quelques minutes. Elle ne lui avait pas avoué ce qu'elle avait vu près de Chella ce matin, mais elle avait envoyé un e-mail à sa fille juste avant de quitter l'hôtel.

Une dizaine de kilomètres plus loin, la circulation s'était considérablement réduite. La route leur appartenait, pour ainsi dire. Le seul véhicule que Ralph apercevait parfois dans ses rétroviseurs était un grand 4x4 sombre roulant à quelque distance derrière eux. Ils croisaient de moins en moins de voitures venant dans l'autre sens.

Quand ils atteignirent une portion de route côtière le long de l'Atlantique, le chauffeur du 4x4 accéléra. Ralph O'Connor était un conducteur prudent : il garda son attention sur la chaussée devant lui tout en surveillant le gros engin derrière qui les rattrapait rapidement.

Quand il vit une vieille Peugeot blanche arrivant à leur rencontre, il leva sensiblement le pied de l'accélérateur pour permettre au véhicule tout-terrain de le dépasser avant que la Peugeot les atteigne.

— Pourquoi ralentis-tu ? demanda Margaret.

— Il y a un gros 4x4 derrière qui arrive à toute allure et un virage serré devant. Je préfère qu'il nous double avant.

Mais le chauffeur parut se raviser. Arrivé à vingt mètres de la Renault des O'Connor, il calqua sa vitesse sur la leur.

Ensuite, tout se passa très rapidement. Comme ils approchaient du virage, la Peugeot se déporta soudain vers eux. Ralph écrasa le frein et regarda à sa gauche. Le 4x4, un Toyota Land Cruiser aux fenêtres teintées doté d'un immense pare-buffle à l'avant, se trouvait quasiment à sa hauteur.

Le conducteur du Toyota ne semblait toujours pas décidé à doubler. Il se contentait de faire rouler son engin à leur côté. Ralph ralentit encore. C'est alors que le Toyota braqua brusquement vers la droite, son pare-buffle percutant la Renault. Le choc fut terrifiant et Ralph sentit la voiture sauter de côté.

— Bon Dieu !

Il freina de plus belle.

Les pneus hurlèrent et fumèrent, laissant des traces de dérapage sur la chaussée. Ses roues ne tournant plus, la Mégane dérivait vers la droite, vers l'angle du virage.

Les efforts de Ralph étaient inutiles. Leur élan et la puissance du Toyota deux fois plus lourd les poussaient inexorablement vers le bas-côté.

— Ralph ! hurla Margaret tandis que leur voiture glissait vers le fossé vertigineux qui s'ouvrait à droite de la route.

Le Toyota les heurta à nouveau. Cette fois, l'impact déclencha l'Airbag de Ralph, l'obligeant à lâcher le volant.

Il était désormais complètement impuissant. La Renault heurta la rambarde cimentée au bord de la route.

Tandis que Margaret poussait un cri de terreur, le côté gauche de la Mégane se souleva et commença à basculer. La voiture exécuta un tonneau qui la propulsa par-dessus la rambarde pour une chute de près de dix mètres vers la rivière à sec en contrebas. Le bruit réconfortant du moteur fut aussitôt remplacé par un vacarme hallucinant tandis que la Mégane rebondissait sur la pente.

En proie à une terreur d'autant plus atroce qu'elle ne pouvait rien faire, Margaret hurla à nouveau tandis que le monde tourbillonnait devant ses yeux. Ralph écrasait toujours la pédale de frein et avait réussi à saisir à nouveau le volant, deux gestes à la fois instinctifs et inutiles.

Leurs derniers instants furent un maelström de bruit et de fureur. Leurs corps étaient ballottés dans les sièges tandis que les vitres éclataient et que la carrosserie s'enfonçait sous les impacts répétés. Les ceintures les maintinrent et les autres Airbag se déployèrent, mais ni les unes ni les autres ne servirent à rien.

Margaret chercha la main de Ralph qu'elle ne trouva pas. Elle ouvrit la bouche pour hurler encore quand, soudain, dans un dernier choc insensé, tout s'arrêta. Elle sentit un coup d'une violence inouïe sur le sommet de son crâne, une douleur abominable, juste avant que les ténèbres ne l'engloutissent.

Sur la route, le Toyota et la Peugeot s'immobilisèrent et les chauffeurs descendirent. Ils revinrent vers le bord de la route pour examiner le *wadi*[1].

Hochant la tête d'un air satisfait, le conducteur du Toyota enfila une paire de gants en latex et dévala la pente vers ce

---

1. Terme arabe : cours d'eau, généralement à sec, capable de charrier d'importantes masses d'eau à l'occasion de pluies violentes.

qui n'était plus qu'une épave. Le coffre de la Renault s'étant ouvert, les bagages jonchaient le sol. Il ouvrit les valises, fouilla leur contenu. Puis il se dirigea vers le siège passager, s'age-nouilla et s'empara du sac à main de Margaret O'Connor. Il en sortit un petit appareil numérique qu'il fourra dans l'une de ses poches avant de continuer ses recherches. Ses doigts se refermèrent sur un petit sachet en plastique contenant une carte mémoire et un petit lecteur USB. Il les empocha eux aussi.

Mais il cherchait visiblement autre chose, autre chose qu'il ne trouvait pas. L'air de plus en plus irrité, il explora à nouveau les valises, puis le sac à main et enfin, le nez plissé de dégoût, les poches des O'Connor. La boîte à gants s'était refermée et coincée : un couteau à cran d'arrêt ne tarda pas à débloquer la serrure. Le compartiment était vide.

L'homme claqua le couvercle de la boîte à gants, flanqua un coup de pied dans la carrosserie pour faire bonne mesure et regrimpa sur la route.

Là, il parla brièvement à son acolyte avant de passer un coup de fil sur son portable. Il descendit à nouveau dans le lit asséché de la rivière, retourna auprès de la Renault, sortit le sac de Margaret des débris et examina son contenu une fois de plus avant de mettre la main sur son permis de conduire. Puis il jeta le sac dans l'habitacle et remonta sur la route.

Trois minutes plus tard, le Toyota filait en direction de Rabat tandis que la vieille Peugeot blanche restait garée là, sur la route tout près du lieu de l'accident. Le chauffeur, tranquillement adossé à la portière, composait le numéro des services d'urgence sur son téléphone.

# 5

— Qu'attendez-vous de moi au juste ? s'enquit Chris Bronson sans se soucier de cacher son irritation.

Il avait été convoqué dans le bureau de son supérieur au poste de police de Maidstone dès sa prise de service ce matin.

— Et pourquoi faut-il que ce soit *moi* qui y aille ? enchaîna-t-il. Pour une affaire pareille, vous devriez être en train de briefer un inspecteur principal.

L'inspecteur divisionnaire Reginald « Dickie » Byrd soupira.

— Il y a d'autres facteurs à considérer, pas simplement le rang de l'officier que nous envoyons là-bas. Nous avons été chargés de cette affaire parce que la famille de ce couple accidenté vit ici dans le Kent et je vous ai choisi, vous, car vous avez un talent que ne possède aucun de mes inspecteurs principaux : vous parlez français.

— Je parle italien, rétorqua Bronson, et je me débrouille en français, mais je ne le parle pas couramment. N'avez-vous pas dit que les Marocains fournissaient un interprète ?

— Oui, mais vous savez aussi bien que moi ce que l'on perd à la traduction. Je veux sur place un homme capable de comprendre ce qu'ils disent vraiment et qui ne se contentera pas de la version édulcorée d'un traducteur quelconque. Tout ce que vous avez à faire, c'est vous assurer que ce qu'ils racontent est exact, revenir ici et tout mettre par écrit.

— Qu'est-ce qui vous fait penser que leur rapport *pourrait* ne pas être exact ?

Byrd ferma les yeux.

— Rien. Selon moi, nous avons affaire à un de ces satanés chauffards anglais qui a encore oublié de quel côté de la route il faut rouler. Mais j'ai besoin que vous me le confirmiez et que vous vous assuriez qu'il n'y avait aucun facteur aggravant : un défaut dans la voiture de location, un problème quelconque de freins ou de direction... sans parler de l'implication possible d'un autre véhicule dont les autorités marocaines préféreraient oublier de mentionner l'existence.

« La famille habite Canterbury. La fille et son mari ont appris l'accident à la première heure ce matin et les autorités locales m'ont prévenu qu'ils comptaient se rendre à Casablanca pour veiller au rapatriement des corps. J'aimerais que vous soyez là-bas avant eux et que vous effectuiez ces quelques vérifications. S'ils ne sont pas encore partis à votre retour, j'aimerais aussi que vous alliez les voir, juste pour répondre aux questions qu'ils auront sans doute. Je sais que c'est un boulot de merde mais...

— ... faut bien que quelqu'un s'en charge.

Bronson consulta sa montre et se leva, tout en se fourrant les doigts dans sa tignasse brune, signe chez lui d'un profond agacement.

— Bon, dit-il, je dois repasser chez moi prendre une chemise de rechange et donner quelques coups de fil.

En fait, il n'avait qu'un seul appel à passer. Le dîner qu'il avait proposé à son ex-femme, Angela – un événement reporté à deux reprises déjà à cause de son travail –, venait encore une fois de tomber à l'eau.

Byrd fit glisser le dossier sur son bureau.

— Tous les vols pour Rabat étant complets, le billet est pour Casablanca... et vous voyagez en classe économique.

Une pause.
— Vous pouvez toujours essayer votre sourire sur la fille à l'enregistrement, Chris. Elle vous surclassera peut-être.

# 6

— C'est ça ? demanda David Philips en contemplant l'image sur l'ordinateur portable de sa femme.

Ils étaient assis côte à côte dans la chambre-bureau de leur modeste maison de Canterbury.

Kirsty hocha la tête. Ses yeux étaient rouges et des traînées de larmes maculaient ses joues.

— Ce truc n'a rien d'extraordinaire. Tu es sûre que c'est ce que ta mère a ramassé ?

Sa femme acquiesça à nouveau, mais cette fois, elle parvint à lui répondre :

— C'est bien ce qu'elle a trouvé dans le souk, ce que cet homme a perdu.

— On dirait un vulgaire débris.

— Écoute, David, je te dis ce qu'elle m'a écrit. Cet objet est tombé de la poche de cet homme pendant sa fuite.

Philips se redressa pour réfléchir un moment. Puis il inséra un CD vierge dans l'ordinateur et cliqua à plusieurs reprises.

— Que fais-tu ? demanda Kirsty.

— Il y a un moyen facile de découvrir ce qu'est cette tablette, dit Philips. Je vais donner une copie de cette photo à Richard en lui racontant ce qui s'est passé là-bas. S'il publie un article, on devrait vite apprendre quelque chose.

— Tu es sûr que c'est une bonne idée, David ? Nous devons nous rendre à Rabat demain matin et je n'ai même pas commencé les bagages.

—Je l'appelle tout de suite, insista Philips. Et il ne me faudra pas plus de dix minutes pour déposer le CD à son bureau. J'en profiterai pour acheter quelque chose à manger. Ça nous laisse largement le temps de nous préparer. De toute manière, on ne devrait pas y rester plus d'un ou deux jours. Un bagage cabine devrait suffire, non ?

Kirsty se tamponna les yeux avec un mouchoir en papier et son mari la prit dans ses bras.

—Écoute, mon amour, dit-il. J'en ai pour vingt minutes au grand maximum. Ensuite, on déjeune et on fait les bagages ensemble. Demain, nous serons à Rabat et nous nous occuperons des formalités. Mais si tu préfères rester ici, je peux très bien y aller sans toi. Je sais à quel point c'est dur pour toi.

Elle secoua la tête.

—Non. Je ne veux pas rester ici toute seule. Et je ne tiens pas non plus à aller au Maroc... mais il faut que j'y aille.

Elle s'interrompit et les larmes emplirent à nouveau ses yeux.

—Je n'arrive pas à croire que je ne les reverrai jamais. Maman semblait si heureuse dans son e-mail et tellement excitée par sa trouvaille. Et voilà qu'ils leur arrivent ce... ce... Comment tout cela a-t-il pu arriver si vite ?

# 7

— J'aimerais voir le véhicule, s'il vous plaît, et l'endroit où s'est produit l'accident.

Bronson regardait les deux hommes installés face à lui de l'autre côté de la table. Il avait parlé lentement, en anglais, et maintenant attendait que l'interprète de la police traduise sa requête en français.

Il était assis sur une chaise assez inconfortable dans une petite salle d'interrogatoire d'un commissariat de Rabat. Le bâtiment carré, peint en blanc, ne se distinguait de ses voisins que par le vaste parking pour véhicules de police se trouvant à l'arrière et par les inscriptions – en arabe et en français – qui ornaient sa façade. Bronson était arrivé en ville une heure plus tôt, après avoir loué une voiture à l'aéroport de Casablanca. Il avait juste pris le temps de déposer son maigre bagage à son hôtel avant de venir ici.

La capitale du Maroc était plus petite qu'il ne s'y attendait, avec beaucoup de places élégantes et d'esplanades donnant sur de larges boulevards flanqués de majestueux palmiers. Il y régnait une atmosphère de sophistication cosmopolite et de prospérité convenable, presque plus européenne que marocaine. Il y faisait aussi chaud, très chaud : une chaleur sèche, étouffante et charriant les senteurs étranges de l'Afrique.

Bronson avait décidé de faire comme si Byrd avait raison, à savoir que la police marocaine tentait de cacher quelque chose à propos de cet accident fatal. Le meilleur moyen de la prendre sur le fait était de prétendre ne pas comprendre le français et écouter ce que ces flics racontaient.

Pour l'instant, ce plan brillant avait superbement fonctionné, sauf que les policiers locaux avaient répondu à toutes ses questions sans la moindre hésitation. Pour autant qu'il pouvait en juger, les traductions avaient été d'une exactitude pointilleuse. Il avait eu de la chance que tous les officiers rencontrés jusqu'à présent aient tendance à parler français. Son stratagème aurait échoué de façon lamentable s'ils avaient décidé de s'en tenir à l'arabe, la langue officielle.

— Nous nous attendions à cela, sergent Bronson, répondit l'officier de police supérieur – un rang équivalent à celui d'un inspecteur britannique, estimait Bronson –, Jalal Talabani, un homme grand et mince, à la peau sombre, aux cheveux noirs et aux yeux marron, qui arborait un impeccable costume sombre. Nous avons fait transférer le véhicule dans un de nos garages ici à Rabat et nous pourrons vous conduire sur le lieu de l'accident dès que vous le désirerez.

— Merci. Peut-être pourrions-nous commencer tout de suite par la voiture ?

— Si vous le souhaitez.

Talabani se leva et renvoya l'interprète d'un geste.

— Je crois que nous pourrons nous débrouiller sans lui, ajouta-t-il tandis que l'homme quittait la pièce.

Son anglais était impeccable et il s'exprimait avec un léger accent américain.

— *Ou si vous voulez, nous pouvons continuer en français,* enchaîna-t-il dans cette langue avec un mince sourire. J'ai comme l'impression que vous le comprenez parfaitement, sergent Bronson.

Jalal Talabani n'était visiblement pas né d'hier.

— Je parle en effet un peu français, admit Bronson. C'est pour cette raison qu'on m'a envoyé ici.

43

— Je m'en étais rendu compte. Vous sembliez capable de suivre notre conversation avant que l'interprète ne la traduise. On sent généralement quand quelqu'un comprend ce qui se dit. Cela dit, nous pouvons nous en tenir à l'anglais.

Cinq minutes plus tard, Bronson et Talabani étaient assis à l'arrière d'une voiture de patrouille de la police marocaine qui fonçait dans le trafic assez réduit de ce milieu d'après-midi, sirène hurlante et gyrophare tourbillonnant. Pour Bronson, accoutumé aux usages plus discrets de la police anglaise, cette débauche d'effets semblait assez peu nécessaire. Après tout, ils se rendaient dans un garage pour examiner une voiture impliquée dans un accident fatal, une mission que l'on pouvait difficilement qualifier d'urgente.

— Je ne suis pas si pressé, dit-il, souriant.

Talabani se tourna vers lui.

— Vous peut-être pas, mais *nous* avons une enquête de meurtre sur les bras et j'ai beaucoup à faire.

— Que s'est-il passé ? demanda Bronson, curieux.

— Un couple de touristes a trouvé un cadavre dans les jardins du Chella – une nécropole antique qui se trouve juste devant les murs de la ville. L'homme a été poignardé. Aucun témoin, pas de mobile apparent, même si le vol paraît tout à fait envisageable. Pour le moment, nous n'avons que ce corps dont nous ignorons l'identité. Mes supérieurs me mettent la pression. Les touristes, ajouta-t-il tandis que la voiture quittait la chaussée pour pénétrer dans un garage, hésitent à visiter des villes où les affaires de meurtre ne sont pas résolues.

Le rugissement de la sirène s'éteignit.

Dans un coin du parking bétonné, se trouvait une Renault Mégane, ou du moins ce qu'il en restait. Pour Bronson, cette identification n'était possible que grâce à la plaque indiquant la marque et le modèle encore accrochée à l'arrière. Le toit

44

de la voiture avait été enfoncé au niveau du coffre. Il était évident qu'il n'y avait pu y avoir aucun survivant.

— Comme je vous l'ai dit, la voiture allait trop vite en abordant le virage, expliqua Talabani. Elle a dérapé, heurté une rambarde sur le bas-côté avant de basculer dans le fossé. Elle a effectué plusieurs tonneaux dans la pente jusqu'au lit d'une rivière à sec dix mètres plus bas où elle a atterri sur le toit. Le conducteur et sa passagère ont été tués sur le coup.

Bronson jeta un coup d'œil à l'intérieur de l'habitacle. Le pare-brise et toutes les autres vitres avaient éclaté et le volant n'avait plus rien de circulaire. Les Airbag en partie dégonflés obstruaient la vue. Il les écarta. Les taches de sang sur les sièges avant et sur la garniture du plafond étaient éloquentes. Les deux portières avant avaient été arrachées, sans doute par les secours afin de pouvoir extraire les corps, et par la suite jetées sur les sièges arrière. Elles étaient en piteux état.

Talabani se pencha de l'autre côté.

— Les deux personnes présentes dans le véhicule étaient mortes bien avant l'arrivée de l'ambulance sur les lieux, dit-il, mais nous les avons cependant conduites à l'hôpital. Leurs corps y sont toujours, à la morgue. Savez-vous qui s'occupera des formalités de rapatriement ?

Bronson acquiesça.

— On m'a dit que la fille et le gendre des O'Connor devraient effectuer toutes les démarches avec notre ambassade. Qu'en est-il de leurs effets ?

— Nous n'avons rien trouvé dans leur chambre d'hôtel qu'ils avaient déjà quittée, mais nous avons récupéré deux valises et un petit bagage à main sur la scène de l'accident. Le coffre de la voiture s'est ouvert sous l'impact et les valises ont été éjectées. Les serrures ayant cédé, le contenu s'est éparpillé sur le sol, mais nous avons tout récupéré. Nous avons aussi trouvé le sac à main de la passagère dans la voiture. Il était couvert de sang dont nous présumons qu'il était celui de Mme O'Connor. Nous gardons tous ces objets au commissariat à disposition d'un proche. Vous pourrez les examiner si vous le souhaitez. Nous avons déjà établi un inventaire complet à votre intention.

— Merci, j'en aurai besoin. Rien de particulier dans leurs bagages ?

Talabani secoua la tête.

— Rien qu'on ne s'attendrait à trouver dans les bagages d'un couple d'âge mûr en vacances. Des vêtements et deux nécessaires de toilette, plus deux romans et un assortiment assez conséquent de médicaments de voyage, la plupart encore intacts. Dans les poches des vêtements qu'ils portaient et dans le sac de la femme, nous avons trouvé leurs passeports, les documents de location de la voiture, leurs billets d'avion, un permis de conduire international au nom du mari et les habituelles cartes de crédit ainsi que de l'argent. Vous vous attendiez à autre chose ?

— Non, pas vraiment.

Bronson soupira, convaincu qu'il était en train de perdre son temps. Tout ce qu'il avait vu et entendu jusqu'à présent confirmait que Ralph O'Connor avait fait preuve d'une incompétence fatale et avait perdu le contrôle d'une voiture qui ne lui était pas familière sur une route qu'il n'avait jamais empruntée. Il était impatient de rentrer à Londres pour reprogrammer ce dîner trop souvent reporté avec Angela. Ils avaient passé un peu de temps ensemble ces derniers temps et il nourrissait l'espoir qu'ils pourraient donner une deuxième chance à leur relation. Il n'était pas du tout sûr que son ex-femme partageait cette envie.

Il se redressa.

— Merci pour tout, Jalal, dit-il. Je vais jeter un œil aux effets des O'Connor, si vous le permettez, et à l'endroit où s'est produit l'accident et ensuite je vous laisserai tranquille.

# 8

Bronson se tenait sur le bas-côté poussiéreux de la route à une quinzaine de kilomètres de Rabat.

Là-haut, le soleil crevait un ciel d'un bleu uniforme, sans le moindre nuage. L'air était lourd, la chaleur brutale après la climatisation de la voiture de patrouille, maintenant garée à une vingtaine de mètres. Il avait enlevé sa veste mais sentait déjà la sueur ruisseler sous sa chemise, une sensation ni familière ni agréable. Il ne tenait pas à rester ici plus longtemps que le strict nécessaire.

C'était, se dit-il en contemplant la route de part et d'autre, un endroit bien désolé pour rencontrer son créateur. Le ruban de macadam s'étirait comme un arc dans les deux directions à partir du virage au bord du *wadi*. Le paysage était désertique. Le sol sableux, parsemé de rochers, s'étalait en vagues inégales dépourvues de toute végétation à l'exception de quelques buissons rachitiques. Le lit étroit de la rivière asséchée dix mètres plus bas semblait ne pas avoir abrité la moindre goutte d'eau depuis quelques siècles.

Accablé par la chaleur, Bronson était irrité, mais il était aussi perplexe. Même si le virage était assez serré, il n'y avait rien là qu'un conducteur même médiocre n'aurait pu négocier. En dépit de la courbure, la visibilité restait excellente et il était facile de l'anticiper. Mais les deux traces parallèles sur la chaussée qui fonçaient droit vers l'endroit où la Renault avait quitté la route montraient clairement que Ralph O'Connor n'en avait pas été capable.

Dans le fossé, on devinait sans mal l'endroit où la chute de la Mégane avait brutalement pris fin. Des éclats de verre et de plastique et des bouts de métal disloqués jonchaient le sol autour d'une zone vaguement circulaire de sable décoloré.

Rien de tout cela n'était vraiment différent des douzaines de sites d'accident sur lesquels Bronson s'était rendu depuis des années, un triste rappel de la façon dont un moment d'inattention pouvait réduire un véhicule en parfait état de fonctionnement en tas de ferraille compressée. Pourtant, quelque chose ici lui paraissait bizarre.

Il se pencha pour examiner la rambarde – en fait des rochers cimentés tant bien que mal les uns aux autres – que, selon Talabani, la voiture des O'Connor avait heurtée. La Renault, il l'avait noté au garage, était gris métallisé et il distingua nettement des taches et des éraflures grises sur les pierres. Deux d'entre elles avaient été délogées de leur base en béton, sans doute lors de l'impact.

Tout cela semblait parfaitement normal – mais alors pour quelle raison l'accident s'était-il produit ? Ralph O'Connor était-il ivre ? S'était-il endormi au volant ? C'était un virage serré, nota à nouveau Bronson en observant la route, mais pas *si* serré.

— Vous m'avez donné votre hypothèse sur ce qui s'est passé ici…, dit-il à Talabani mais l'officier de police marocain l'interrompit.

— Non, sergent Bronson. Ce n'est pas une hypothèse. Nous savons *exactement* ce qu'il s'est passé. Il y a eu un témoin.

— Vraiment ? Qui ?

— Quelqu'un qui roulait sur cette route dans le sens opposé, vers Rabat. Cet homme a vu la Renault surgir du virage, beaucoup trop vite, mais il était trop loin pour avoir été mêlé à l'accident. Il a donc été le premier sur les lieux et c'est lui qui a appelé les secours avec son téléphone portable.

— Pourrais-je lui parler ?

— Bien sûr. Il habite Rabat. Nous avons son adresse. Nous allons lui demander de passer ce soir au commissariat.

— Merci. Son témoignage pourrait m'aider quand je devrai expliquer l'accident à la famille.

Annoncer une telle nouvelle, Bronson le savait d'expérience, était une des tâches les plus pénibles pour un fonctionnaire de police.

Il regarda encore la rambarde puis la route et remarqua autre chose. Oui, là... quelques écailles de peinture noire sur la chaussée, à peine visibles sur le goudron sombre.

Il jeta un coup d'œil autour de lui, mais Talabani s'entretenait à nouveau avec le chauffeur de la voiture de patrouille et tous deux lui tournaient le dos. S'agenouillant, il ramassa deux de ces éclats et les glissa dans un sachet en plastique servant à collecter les preuves.

— Vous avez trouvé quelque chose ? demanda Talabani en revenant vers lui.

— Non, répondit Bronson qui avait glissé le sachet dans sa poche avant de se redresser. Rien d'important.

De retour à Rabat et contemplant ce qu'il restait de la Mégane dans le garage de la police, Bronson se disait qu'il était en train d'imaginer des choses qui n'existaient pas.

Il avait demandé à Talabani de le déposer afin de prendre des photos du véhicule accidenté et le Marocain avait accepté sans la moindre difficulté. À l'aide d'un appareil numérique, il effectua une douzaine de clichés, se concentrant sur l'arrière côté gauche et la portière côté conducteur, qu'il extirpa de la voiture pour la photographier séparément.

L'impact sur le sol rocailleux avait été si effroyable qu'aucun élément de carrosserie n'était intact : les flancs notamment étaient tordus, défoncés et présentaient d'énormes éraflures provoquées soit par l'accident lui-même, soit par l'opération de récupération subséquente.

Talabani lui avait expliqué comment elle s'était déroulée. Comme il était évident que les deux occupants de la voiture n'avaient pas survécu, l'officier de police dépêché sur les lieux avait ordonné aux ambulanciers d'attendre tandis que ses hommes et lui examinaient le véhicule et la route et qu'un photographe enregistrait la scène avec son Nikon numérique. Talabani avait déjà fourni des copies de ces clichés à Bronson.

Une fois que les cadavres avaient été extraits des débris, la récupération elle-même avait commencé. En l'absence de grue disponible à ce moment-là, ils avaient dû utiliser un camion de remorquage qu'ils avaient garé tout au bord de la route, le *wadi* étant inaccessible aux véhicules. Ils s'étaient ensuite servis de son câble et de son treuil pour remettre la voiture sur ses roues, puis ils avaient tiré la Renault le long de la pente abrupte avant de la hisser sur le plateau arrière du camion.

Bronson était incapable de faire la différence entre les dégâts infligés par l'accident et ceux causés par cette opération. Sans l'examen d'un expert – ce qui impliquait d'expédier la voiture dans un laboratoire spécialisé en Angleterre, Dieu sait combien cela coûterait et le temps que cela prendrait – il ne pouvait être certain de ses conclusions. Mais plusieurs bosses sur la portière gauche de la Renault et à l'arrière lui paraissaient suspectes, comme si elles avaient été causées par des impacts latéraux, ce qui ne correspondait pas à la version des faits donnée par Talabani, ni à la déclaration du témoin.

De sa poche, il sortit le sachet contenant les écailles de peinture sombre qu'il avait ramassées dans le virage sur la route. Elles semblaient récentes mais cela ne voulait rien dire : elles pouvaient être dues à un autre accrochage sur cette route. En Angleterre, la pluie les aurait lavées en quelques jours, pour ne pas dire en quelques heures, mais ici, au Maroc, ce genre de phénomène météorologique était assez rare.

Il trouva cependant une éraflure bleu foncé ou noire sur la portière de la Renault.

Bronson rentrait à pied à son hôtel quand il reçut un appel sur son portable.

— Vous avez un fax là-bas ? demanda Byrd, d'une voix forte et irritée.

— À l'hôtel, sans doute. Raccrochez, je vous envoie le numéro.

Dix minutes plus tard, il contemplait un fax de mauvaise qualité reproduisant un article daté de la veille paru dans un journal local. Avant qu'il ne puisse le lire, son téléphone sonna à nouveau.

— Vous l'avez ? fit Byrd. C'est un agent de Canterbury qui l'a repéré.

Bronson relut le titre : « Tués pour un bout d'argile ? » Sous les caractères en capitales s'étalaient deux photos. La première montrait Ralph et Margaret O'Connor souriant devant l'objectif lors d'une réception quelconque. La seconde était un cliché un peu flou d'un objet oblong et beige couvert d'incisions.

— Vous savez un truc quelconque à ce sujet ? s'enquit Byrd.

Bronson poussa un soupir.

— Non. Que dit cet article, au juste ?

— Vous le lirez vous-même et ensuite vous irez demander à Kirsty Philips à quel petit jeu elle joue avec son mari.

— Vous voulez dire quand je rentrerai en Angleterre ?

— Non, je veux dire à Rabat, aujourd'hui ou demain. Ils ont dû arriver à peu près en même temps que vous. J'ai leur numéro de portable. Je vous le donne.

Byrd mit terme à la conversation de façon aussi abrupte qu'il l'avait commencée et Bronson put enfin lire l'article.

Les O'Connor, affirmait le journaliste, avaient été témoins d'une violente dispute dans le souk de la capitale du Maroc. Peu après, Margaret O'Connor avait ramassé une petite tablette d'argile perdue par un homme que plusieurs autres pourchassaient dans les ruelles tortueuses. Le lendemain, alors qu'ils retournaient à Casablanca prendre leur avion, le couple était tombé dans une embuscade sur la route près de Rabat et avait été tué.

« Ce n'est pas un accident, déclarait David Philips. Mes beaux-parents ont été traqués et assassinés par une bande de criminels impitoyables qui voulaient récupérer une relique de grande valeur. » Alors, demandait l'article en conclusion, que comptaient faire les polices britannique et marocaine?

— Pas grand-chose, probablement, marmonna Bronson avant de composer le numéro de Kirsty Philips.

Et comment diable savaient-ils que cette tablette avait la moindre valeur?

# 9

Le flic de Canterbury n'avait pas été le seul à lire avec intérêt ce bref article. Dès qu'il avait vu la photo de la tablette d'argile, un jeune homme blond s'était aussitôt emparé d'une paire de ciseaux. Après l'avoir soigneusement découpée, il mit la coupure de côté et porta son attention sur le reste du journal. À côté de lui dans son modeste appartement d'Enfield, se trouvait une pile impressionnante de publications : il y avait là tous les quotidiens nationaux britanniques, une sélection de magazines et la plupart des journaux de province à large diffusion.

Passer en revue chacun d'entre eux et extraire tous les articles intéressants – une tâche qu'il accomplissait tous les jours – lui prit toute la matinée et une partie de l'après-midi après son déjeuner, mais son travail n'était pas encore terminé. Il rassembla les journaux et magazines mutilés dans un sac-poubelle, avant d'emporter la pile de coupures sélectionnées près d'un scanner A3 relié à un puissant ordinateur de bureau.

Il les plaça l'une après l'autre sur le plateau du scanner afin de les copier sur le disque dur de l'ordinateur, s'assurant que chaque image était accompagnée du nom de la publication dans laquelle elle était parue et les rassemblant dans un fichier portant la date du jour.

Quand il eut terminé, il jeta les coupures dans le sac-poubelle rempli de journaux avant de préparer un e-mail sans aucun texte mais auquel il joignit les copies des images scannées. Parfois, le nombre et la taille des documents joints l'obligeaient à les diviser en deux ou trois messages. L'adresse du destinataire était une adresse Web numérique Yahoo! qui ne donnait pas la moindre indication quant à l'identité de son propriétaire. Quand le compte avait été ouvert, cinq adresses différentes avaient été créées afin de former une chaîne qui obscurcirait l'identité de l'e-mail d'origine. Une fois que le compte s'était mis à fonctionner, ces cinq adresses avaient été annulées, rendant impossible toute éventuelle recherche de la source.

Bien sûr, il savait qui était le destinataire. Ou, pour être absolument exact, il savait *où* son message serait lu, mais pas par *qui*.

Il était en poste en Grande-Bretagne depuis près de deux ans, se forgeant consciencieusement un nom en tant que correspondant de presse étranger. Il pouvait même produire des copies de divers journaux du continent où figuraient des articles qu'il avait écrits... ou qui étaient, en tout cas, signés de son nom. Si quelqu'un s'était donné la peine de vérifier les exemplaires originaux, il y aurait effectivement trouvé ces mêmes articles, identiques au mot près, mais avec des signatures différentes. En fait, ces copies conformes avaient été réalisées dans le sous-sol sécurisé d'un bâtiment anonyme tout aussi sécurisé d'une ville nommée Glilot en Israël, à la sortie de Tel-Aviv, dans le seul but d'établir sa couverture.

Le jeune homme n'était pas un espion – en tout cas, pas encore – mais il était bien employé par le Mossad, le service de renseignements israélien. Une de ses tâches consistait à repérer le moindre article ayant un rapport, même très lointain, avec le gouvernement britannique et toutes les branches de ses forces armées, y compris les sections spéciales, ainsi qu'avec les agences d'espionnage et de contre-espionnage de Sa Majesté. Comme tous les agents du Mossad, il s'était aussi vu confier une liste de sujets qui n'avaient absolument aucun lien avec le précédent. Des tablettes antiques, qu'elles fussent en argile ou en quoi que ce soit d'autre, étaient considérées comme des éléments de très haute priorité.

Après avoir envoyé son e-mail, il n'avait généralement plus grand-chose à faire jusqu'au lendemain, mais ce jour-là, quelques minutes à peine s'écoulèrent avant que son ordinateur émette une double tonalité signalant l'arrivée d'un message. Quand il ouvrit sa boîte, le nom codé de l'expéditeur lui sauta aux yeux, tout comme l'indication d'un message de la plus haute priorité. Il lut le message. Puis le relut.

Quelle que soit l'importance de cette vieille tablette d'argile, l'article qu'il avait envoyé semblait avoir semé la panique dans un nid de frelons et ses nouvelles instructions étaient on ne peut plus claires. Il consulta sa montre, réfléchit, puis attrapa sa veste accrochée dans le couloir et dévala l'escalier menant au petit parking se trouvant derrière l'immeuble.

Avec un peu de chance, il serait à Canterbury d'ici une heure.

# 10

— Je vous présente Hafez Aziz, dit Talabani en anglais. C'est lui qui a vu l'accident. Il ne parle que le tamazight, je vais donc servir d'interprète.

Bronson se trouvait dans une autre salle d'interrogatoire du commissariat de Rabat. De l'autre côté de la table, était assis un petit Marocain assez maigre, vêtu d'un jean délavé et d'une chemise blanche.

Pendant les quelques minutes qui suivirent, Jalal Talabani traduisit, phrase par phrase, les propos d'Aziz et au bout du compte Bronson ne s'en trouva pas plus avancé. Aziz répéta patiemment l'histoire que Talabani lui avait déjà racontée et qui sonnait, aux oreilles de Bronson, comme la déposition d'un honnête homme.

Il avait vu la Renault approcher du virage, roulant à très vive allure. La voiture avait commencé à négocier la courbe avant de déraper et de heurter la rambarde. Là, elle avait littéralement décollé en se retournant avant de disparaître dans le fossé. Il s'était arrêté et avait appelé la police, puis il était descendu dans le *wadi* pour tenter d'apporter aide et assistance aux malheureux, mais il était déjà trop tard.

Il n'y avait qu'une seule question que Bronson voulait réellement poser mais il préféra la boucler, se contentant de remercier Aziz d'être venu jusqu'ici.

Quand il eut quitté la pièce, Bronson se tourna vers Talabani.

— Je vous suis très reconnaissant pour votre aide, dit-il, et pour avoir permis cet entretien. Il reste une dernière chose, les valises et les effets que vous avez récupérés en même temps que la voiture. Si je me souviens bien, vous disiez avoir préparé un inventaire ?

Talabani acquiesça et se leva.

— Ne bougez pas, je vous fais amener tout cela ici, dit-il en se dirigeant vers la porte.

Vingt minutes plus tard, Bronson dut reconnaître que le policier marocain avait raison. Il n'y avait rien d'extraordinaire dans les bagages des O'Connor. Non pas qu'il s'attendait au contraire. En fait, la seule chose inhabituelle sur cette liste, ce n'était pas ce qui s'y trouvait, mais ce qui n'y figurait pas. Par exemple, un appareil photo.

— Une dernière chose, Jalal, dit-il. Vous n'avez vu nulle part dans la voiture une vieille tablette en argile ?

Le Marocain prit un air perplexe.

— Une tablette en argile ? répéta-t-il. Non, pas que je me souvienne. Pourquoi ?

— Un détail. Peu importe. Merci pour tout. Je vous rappellerai en cas de besoin.

La dernière tâche de Bronson à Rabat était le rendez-vous prévu le lendemain matin avec la fille des O'Connor et son mari à leur hôtel. Il plia l'inventaire dactylographié, le glissa dans sa poche et consulta sa montre. Avec un peu de chance, il y aurait un vol à Casablanca demain et il pourrait être de retour en Angleterre dans la soirée.

Quand Jalal Talabani quitta le commissariat ce soir-là, il n'alla pas, comme d'habitude, chercher sa voiture au parking pour rentrer chez lui dans les faubourgs nord de Rabat. Au lieu de cela, il se rendit dans un café voisin où il prit un repas léger et une boisson. Puis, il suivit une route sinueuse dans les rues alentour, variant son allure et s'arrêtant fréquemment pour regarder derrière lui. Quand il fut certain de ne pas être observé, il décrocha un téléphone public et composa de mémoire un numéro.

— J'ai des informations qui pourraient vous être utiles.

— Je vous écoute.

— Un officier de police anglais nommé Bronson se trouve ici à Rabat. Il enquête sur la mort des O'Connor. Il s'intéresse aussi à une tablette d'argile. Cela vous dit-il quelque chose ?

— Peut-être, répondit l'homme au bout du fil. Où réside-t-il ?

Talabani lui donna le nom de l'hôtel de Bronson.

— Merci, je m'occupe de lui, dit l'autre avant de raccrocher.

## 11

Tôt ce matin-là, dans la salle de réunion d'un des nombreux immeubles gouvernementaux situés près du centre de Jérusalem, trois hommes se retrouvèrent. Aucune secrétaire n'était présente, aucune note ne fut prise.

En face de chacun étaient étalées deux photographies, l'une en couleurs et l'autre monochrome, représentant avec une extraordinaire précision une tablette en argile gris-brun. Il y avait aussi une photocopie de l'article du journal régional britannique, ainsi que sa traduction en hébreu.

— Ceci a été publié hier dans un quotidien anglais, commença Eli Nahman.

Il était âgé, mince et voûté, avec une barbe blanche et une crinière de cheveux blancs couronnés par une kippa brodée. Ses yeux perçants d'un bleu très clair brillaient d'intelligence. Professeur émérite au Israel Museum de Jérusalem, il faisait autorité sur les reliques préchrétiennes.

— Cet article a été repéré par un agent local du Mossad et envoyé à Glilot, continua-t-il avec un geste vers l'homme plus jeune se tenant en bout de table.

Levi Barak approchait la quarantaine. Cheveux noirs, le teint mat, des traits réguliers dominés par un grand nez qui empêcherait à jamais qu'on le qualifie de beau, il portait un costume beige dont il avait pendu la veste au dossier de sa chaise, révélant le holster sous son aisselle gauche d'où saillait la crosse noire d'un semi-automatique.

— Comme vous le savez, nous avons pour instruction d'informer le professeur Nahman dès que nous recevons ce genre de rapports, dit-il. Voilà tout ce dont nous disposons pour le moment. Nous avons demandé à notre agent de surveiller la presse britannique pour toute information concernant ce sujet. Nous lui avons aussi ordonné de se rendre à Canterbury – la ville du Kent où habitaient ces gens – afin de se procurer les autres journaux locaux. Il nous fera parvenir tout ce qu'il pourra trouver.

Barak s'interrompit et jeta un coup d'œil aux deux autres.

— Notre problème, reprit-il, c'est le manque de données. En fait, nous savons juste qu'un couple d'Anglais d'âge mûr a péri dans un accident de la route au Maroc et que, avant cela, ces touristes étaient entrés en possession d'une vieille tablette d'argile. Ce que nous devons décider aujourd'hui, c'est si nous devons entreprendre une action et laquelle.

— Je suis d'accord, renchérit Nahman. La première étape, à l'évidence, est de décider si cette tablette fait partie du lot, et cela ne va pas être facile. La photo publiée dans ce journal est si floue qu'elle en est presque inutilisable et l'article ne donne aucune indication quant à l'endroit où se trouverait maintenant cette tablette. Pour nous aider à prendre une décision, j'ai apporté des clichés de celle que nous possédons déjà, de façon à pouvoir au moins nous livrer à une comparaison.

Il s'arrêta pour dévisager le jeune homme qui lui faisait face.

— Alors, Yosef, quelle est ton opinion ?

Yosef Ben Halevi étudia la photocopie de l'article avant de répondre.

— Il n'y a pas grand-chose sur quoi se baser. Sans la présence d'une règle ou d'un autre étalon sur le cliché pour fournir une échelle, nous ignorons sa taille. C'est le premier problème. Pour déterminer si celle-ci fait partie du lot, la taille est un élément crucial. Y a-t-il un moyen de connaître les dimensions de cette relique ?

— Aucun à ma connaissance, dit Nahman. L'article décrit l'objet comme une « petite tablette d'argile », donc je dirais qu'il doit faire dans les dix, quinze centimètres de long. S'il avait été plus grand, je doute qu'on aurait employé le mot « petit ». Bien sûr, cela correspondrait à la taille adéquate.

Ben Halevi hocha la tête.

— Deuxième point de comparaison : les inscriptions. En regardant les clichés de ces deux reliques, il me semble de prime abord qu'elles sont similaires et on distingue sur chacune cette marque diagonale dans un coin. Les lignes de caractères sont de longueurs différentes et ce n'est pas une caractéristique normale de l'écriture araméenne, mais la photo du journal est trop mauvaise pour je puisse traduire plus de deux mots.

Comme Nahman, Ben Halevi travaillait au Israel Museum de Jérusalem. C'était un spécialiste des langues anciennes et de l'histoire juive.

— Lesquels ? demanda Nahman.

Ben Halevi montra l'article.

— Ici, sur la ligne du bas. Celui-ci pourrait être « autel » et je pense que le deuxième mot en partant de la droite est « rouleau » ou peut-être « rouleaux » au pluriel. Mais l'image est vraiment trop floue.

Nahman considéra son ami et collègue avec attention.

— Tu t'es quand même fait une idée, n'est-ce pas ?

— Vous voulez savoir si je crois que cette tablette fait partie des quatre ? J'évalue la probabilité à soixante ou soixante-dix pour cent, pas plus. Il faudrait voir une photo en haute définition de l'inscription ou, mieux encore, récupérer la tablette. Alors, seulement, nous aurons une certitude.

— C'est exactement ce que je pense aussi, dit Eli Nahman. Nous devons récupérer cette tablette.

Levi Barak dévisagea les deux scientifiques.

— Est-ce vraiment *si* important ?

Nahman hocha la tête.

— Si c'est bien ce que nous croyons, alors c'est vital. Ne vous y trompez pas, Levi. Ce qui est écrit sur cette tablette pourrait être le dernier indice qui nous permettrait de localiser le Témoignage. Ce qui signifierait la fin d'une quête qui dure depuis deux millénaires. Dites cela à vos chefs à Glilot et assurez-vous qu'ils comprennent à quel point c'est sérieux.

— Ça ne va pas être facile et il se pourrait que ce ne soit pas possible, fit remarquer Barak. Même pour le Mossad.

— Écoutez, cette tablette existe et il nous faut simplement la retrouver avant que d'autres nous devancent.

— D'autres, comme qui ?

— N'importe qui. Des chasseurs de trésor, par exemple, même s'il est toujours possible de traiter avec des gens dont l'argent est la seule motivation. Non, ce qui m'inquiète surtout, ce sont ceux qui voudraient à tout prix retrouver cette relique afin de la détruire.

— Des musulmans ? suggéra Barak.

— Oui et peut-être aussi des chrétiens radicaux. Nous avons toujours été une minorité persécutée, mais si nous pouvions produire le Témoignage perdu, cela validerait notre religion d'une façon irréfutable. C'est la raison pour laquelle nous *devons* retrouver cette tablette d'argile et déchiffrer son texte.

— Nous avons des agents à Rabat et à Casablanca, marmonna Barak. Je vais leur ordonner de commencer les recherches.

— Pas simplement au Maroc, insista Nahman. Le couple qui l'a trouvée était anglais, il faut donc chercher aussi là-bas. Déployez vos antennes au maximum. Grâce à ce journal, des tas de gens sont maintenant au courant de l'existence de cette tablette. Vos hommes vont sans doute se rendre compte qu'ils ne sont pas les seuls sur sa piste.

— Mes hommes savent se défendre.

— Sans doute. Mais assurez-vous qu'ils sauront aussi défendre la tablette. Quoi qu'il arrive, elle ne doit être ni abîmée, ni endommagée de quelque manière que ce soit.

# 12

— Merci de venir nous voir ici, dit Kirsty Philips en serrant la main de Bronson.

Ils se trouvaient dans le bar de l'hôtel à Rabat où son mari et elle séjournaient. Les yeux de la jeune femme étaient encore rouges, sa chevelure sombre en désordre, mais elle semblait maîtriser ses émotions. Plus ou moins.

— David est parti à l'ambassade régler certains détails, enchaîna-t-elle. Il ne devrait plus tarder. Asseyez-vous, j'ai commandé du café.

— Merci, dit Bronson qui n'avait pas vraiment envie de boire quoi que ce soit.

Peu après, un serveur apparut avec tasses, sous-tasses, cafetière, lait et sucre.

— Je vous présente toutes mes condoléances, commença Bronson après son départ.

Kirsty hocha la tête, sa lèvre inférieure frémissant légèrement.

— J'ai parlé avec la police locale, continua-t-il, et il semble qu'il s'agisse malheureusement d'un simple et tragique accident. Je sais que cela ne peut guère vous consoler, mais vos parents sont morts sur le coup. Ils n'ont pas souffert.

Il s'interrompit quelques secondes, dévisageant la jeune femme séduisante qui lui faisait face.

— Voulez-vous que je vous explique comment cela s'est passé ? s'enquit-il avec douceur.

Elle acquiesça.

— J'aimerais autant savoir, dit-elle, un sanglot dans la voix, sinon je me poserai toujours la question.

Il lui fit un résumé rapide des circonstances. Quand il eut terminé, elle secoua la tête.

— Je ne comprends pas, dit-elle. Papa était bon conducteur. Il était toujours très prudent. Pour autant que je sache, il n'a jamais eu la moindre contravention, même pas pour stationnement interdit.

— Mais il conduisait un modèle qu'il ne connaissait guère sur une route étrangère, suggéra Bronson. Nous pensons qu'il a mal anticipé la courbure du virage et, malheureusement, la rambarde qui n'était pas assez haute ne les a pas empêchés de basculer dans le fossé.

Au moment où il prononçait cette phrase, il se rendait compte qu'il n'y croyait pas lui-même.

— Voici, dit-il en ouvrant sa mallette, une copie de l'inventaire des affaires de vos parents.

Il lui tendit les feuilles agrafées par la police marocaine.

Kirsty les posa sur la table en leur jetant à peine un regard. Elle but une nouvelle gorgée de café avant de le dévisager.

— Quel gâchis! dit-elle. Ils venaient à peine de se décider à prendre de vraies vacances, de commencer à s'amuser vraiment. D'habitude, ils partent deux semaines en Espagne. C'est la première fois qu'ils tentent quelque chose d'un peu différent, d'un peu plus… aventureux. Et voilà ce qui…

Sa voix se brisa et des larmes coulèrent sur ses joues.

— Ils prenaient du bon temps ici, continua-t-elle au bout d'un moment en se forçant à utiliser le passé. En tout cas, ma mère. Je ne pense pas que papa aimait tant que ça le Maroc, mais maman était ravie.

— Elle vous a envoyé des cartes postales, je suppose? demanda Bronson.

Le journal de Canterbury avait imprimé une photo de la tablette, ce qui impliquait que soit Margaret, soit Ralph avait un appareil photo et avait expédié par mail une copie du cliché à leur fille. Pourtant, aucun appareil n'était répertorié dans l'inventaire que la police lui avait fourni. Et il n'en avait vu aucun parmi les effets personnels des O'Connor.

Selon Talabani, les valises s'étaient ouvertes dans l'accident : l'appareil avait peut-être été projeté si loin que la police ne l'avait pas retrouvé. Autre possibilité : Aziz ou quelqu'un d'autre présent sur les lieux l'avait ramassé et avait décidé de le garder. D'un autre côté, les engins numériques modernes étant de petite taille et coûtant assez cher, il était aussi plausible d'imaginer que Margaret O'Connor l'avait gardé dans son sac à main ou alors dans une de ses poches.

Kirsty secoua la tête.

— Non. Ma mère a appris à se servir des ordinateurs avant de prendre sa retraite, et elle adorait ça : Internet, les e-mails… Leur hôtel avait un accès Internet et tous les soirs elle m'envoyait un message pour me raconter leur journée. Je les ai tous ici sur mon portable, dit-elle en tapotant une sacoche noire posée à terre près de sa chaise. Je voulais lui faire une sorte de journal de leur voyage et les imprimer pour les lui donner à son retour en y ajoutant des copies des meilleures photos qu'elle m'avait envoyées.

Bronson se redressa légèrement.

— A-t-elle pris beaucoup de photos ?

— Oui. Elle avait un petit appareil digital, un modèle très récent, et un de ces lecteurs USB pour lire les cartes mémoire. Elle devait le brancher sur un des ordinateurs de l'hôtel.

— Pourrais-je voir les photos que votre mère vous a envoyées ? En fait, accepteriez-vous de m'en faire une copie ? Sur un CD, peut-être ?

— Oui, bien sûr, dit Kirsty.

66

Elle sortit un Compaq de son sac et le brancha. Une fois le système opérationnel, elle inséra un CD vierge, choisit l'application adéquate et démarra le processus de copie.

Tandis que la gravure s'effectuait, Bronson déplaça sa chaise pour se placer à ses côtés et contempler l'écran où elle faisait défiler quelques images. Il comprit sur-le-champ que Margaret O'Connor n'avait eu aucun talent pour la photographie. Elle braquait simplement son viseur sur tout ce qui bougeait, et surtout sur ce qui ne bougeait pas, et appuyait sur le bouton. C'étaient les images typiques de vacances : Ralph à l'aéroport, attendant leurs valises près du carrousel, Margaret debout devant leur voiture de location, la vue à travers le pare-brise tandis qu'ils quittaient Casablanca et ainsi de suite, mais les clichés étaient assez nets, la bonne qualité de l'appareil compensant la maladresse de la personne qui l'utilisait.

— Voici le souk ici à Rabat, annonça Kirsty en éjectant le CD maintenant que la copie était terminée.

Elle le glissa dans une pochette en plastique avant de le donner à Bronson.

— Maman adorait y aller, poursuivit-elle. C'était un de ses endroits préférés. Elle disait que les odeurs étaient enivrantes et qu'on avait peine à imaginer tout ce qui s'y vendait.

Elle cliquait, faisant défiler les photos. Soudain, une nouvelle série assez différente des précédentes apparut. Les clichés semblaient avoir été pris n'importe comment et étaient particulièrement mal cadrés.

— Que s'est-il passé avec celles-là ? s'enquit Bronson.

Kirsty esquissa un maigre sourire.

— C'était la veille de leur départ. D'après ce qu'elle m'a dit, les marchands n'apprécient guère d'être photographiés. Alors, elle a décidé de les prendre à leur insu… en « caméra cachée ».

— Et ça, qu'est-ce que c'est? demanda Bronson en montrant une des images.

— Ils ont assisté à une dispute dans le souk et maman a littéralement mitraillé la scène.

— Ah, oui. L'article dans le journal de Canterbury. J'aurais préféré que vous en parliez à quelqu'un avant d'aller trouver la presse, madame Philips.

Les joues de Kirsty se colorèrent et elle expliqua que c'était son mari, David, qui avait demandé à un ami journaliste de publier cet article.

Tandis qu'elle lui racontait ce qui s'était passé, Bronson se rendit compte que non seulement l'appareil photo et la tablette d'argile avaient disparu – dont la découverte avait fait l'objet d'un récit haletant dans le dernier e-mail de Margaret O'Connor à sa fille – mais aussi la carte mémoire de rechange ainsi que le lecteur USB.

— Mon mari est convaincu qu'il ne s'agit pas d'un simple accident de la route, conclut Kirsty. Bien sûr, si on a retrouvé cette tablette d'argile dans la voiture après l'accident, cela veut dire qu'il se trompe du tout au tout.

Elle fixa Bronson avant d'enchaîner:

— L'a-t-on retrouvée?

— Non, admit-il en montrant l'inventaire posé sur la table devant elle. J'ai moi-même interrogé l'officier en charge de l'enquête à ce sujet. Je dois ajouter que l'appareil photo de votre mère ainsi qu'un ou deux autres accessoires ont eux aussi disparu. Mais ils pourraient avoir été volés par un pickpocket lors de leur dernière journée ici, et elle avait peut-être décidé de ne pas ramener la tablette avec elle. Nous ne sommes pas forcément face à une conspiration.

— Je sais, dit Kirsty Philips d'un air résigné, mais David est têtu... Oh, il se peut que la presse ne s'en tienne pas là. Son ami journaliste a raconté l'histoire à un de ses collègues du *Daily Mail* qui nous a appelés hier soir. Je pense qu'il va publier quelque chose dans l'édition d'aujourd'hui.

À cet instant, un grand jeune homme bien bâti, aux cheveux bruns bouclés, fit son entrée dans la salle et se dirigea droit vers eux.

Kirsty se leva pour effectuer les présentations.

— David, voici le sergent Bronson.

La poignée de main fut énergique, pour ne pas dire tendue.

— Laissez-moi deviner, sergent, dit Philips d'une voix sourde et coléreuse en prenant un siège. Un accident de la circulation, c'est ça ? Encore un ? Un chauffard anglais dans un pays étranger qui somnolait au volant avant d'aborder un simple virage ? Ou peut-être qu'il se baladait du mauvais côté de la route ?

— David, s'il te plaît, arrête.

Kirsty semblait au bord des larmes.

— Le virage n'était, à vrai dire, pas si simple, répondit Bronson. Il était assez serré et se trouvait sur une route que votre beau-père ne connaissait probablement pas.

— Vous y êtes allé, n'est-ce pas ? Vous avez vu l'endroit où s'est produit l'accident ? demanda Philips.

Bronson acquiesça.

— Eh bien, moi aussi. Pensez-vous que *vous* auriez été capable de négocier ce virage sans vous flanquer dans le fossé ?

— Oui, bien sûr.

— Alors, pourquoi supposez-vous que mon beau-père, qui n'avait jamais eu le moindre accrochage, qui était membre d'une association prônant la sécurité routière, et qui, selon moi, était le conducteur le plus prudent et le plus compétent que j'aie jamais connu, n'aurait pas su en faire autant ?

Bronson se sentait écartelé. Il était d'accord avec David : les circonstances de l'accident lui paraissaient pour le moins curieuses. Mais il savait aussi qu'il ne devait pas s'écarter de la ligne officielle.

— Le fait est, dit-il, que nous avons un témoin qui a assisté à toute la scène. Il a vu la voiture quitter la route et heurter des rochers avant de verser dans le fossé. Son témoignage a été confirmé par la police marocaine. Je comprends vos doutes, mais il n'existe pas le moindre début de preuve suggérant que ce qu'il a décrit n'est pas ce qui s'est passé.

— Eh bien, je n'en crois pas un mot. Je sais que vous faites juste votre travail, mais il se passe quelque chose de bizarre ici. Je *sais* que mes beaux-parents ne sont pas morts dans un simple accident de la route. Et rien de ce que vous direz ne me convaincra du contraire.

# 13

Quand Bronson quitta l'hôtel des Philips, il s'arrêta à la terrasse d'un café une centaine de mètres plus loin pour réfléchir à la suite des opérations. S'il appelait Byrd en lui annonçant que, selon lui, les O'Connor étaient bien morts dans un accident de la route, l'enquête en resterait là et il pourrait retourner en Angleterre. Mais s'il formulait ses soupçons – qui n'étaient rien de plus – il y avait de fortes chances qu'il reste coincé à Rabat pour un bon moment encore.

Non que la ville soit déplaisante... loin de là, en fait. Il porta la tasse à ses lèvres en regardant autour de lui. Les tables et chaises s'étalaient sous l'ombre de palmiers plantés sur un trottoir immense. La plupart d'entre elles étaient occupées et Bronson entendait les sons, étrangers pour lui, de conversations en arabe auxquels se mêlaient les accents plus familiers du français. Non, le temps magnifique et le mode de vie détendu de Rabat étaient à l'évidence séduisants... ou l'auraient été si Angela avait été ici avec lui. Cette idée suffit à emporter la décision.

— Au diable tout ça, maugréa-t-il pour lui-même. Je rentre.

Il termina son café et quitta la table avant de se rendre compte qu'il oubliait sa mallette. Il se retourna... et se retrouva face à deux hommes en djellabas traditionnelles qui venaient de se lever à l'autre bout de la terrasse et qui le fixaient.

71

Il était assez normal qu'on dévisage un étranger mais il eut le sentiment déplaisant que ces hommes ne le contemplaient pas simplement pour satisfaire une vague curiosité. Quelque chose dans leur attitude le troubla. Mais il resta impassible, ne laissant pas paraître qu'il les avait remarqués. Il se contenta de ramasser son attaché-case et s'en fut.

Cinquante mètres plus loin, il s'arrêta à un carrefour, attendant pour traverser et regardant des deux côtés. Il ne fut pas tout à fait surpris de voir du coin de l'œil les deux hommes marcher lentement dans sa direction. Deux cents mètres plus loin, il savait avec certitude qu'ils le suivaient, l'un d'entre eux parlant dans un téléphone portable. En revanche, il ne savait pas quel comportement adopter.

Moins d'une minute plus tard, il n'eut plus le choix. En plus des deux individus qui se rapprochaient derrière lui, Bronson en remarqua soudain trois autres venant à sa rencontre.

Ils auraient pu être trois passants innocents se baladant par un bel après-midi mais il en doutait et il ne comptait pas rester planté là à attendre de savoir ce qu'il en était. S'engageant dans une rue transversale, il se mit à courir, évitant les piétons qui grouillaient sur le trottoir. Entendant des cris et des bruits de course derrière lui, il comprit que son instinct ne l'avait pas trompé.

Il bifurqua à gauche puis à droite, accélérant l'allure. Il risqua un bref regard par-dessus son épaule. À une cinquantaine de mètres, les deux types du café couraient à toutes jambes. Derrière eux, il aperçut une autre silhouette en train de sprinter.

Bronson tourna au prochain coin de rue et découvrit deux hommes approchant sur sa gauche, comme s'ils avaient deviné quelle route il emprunterait. Il était clair qu'ils cherchaient à l'intercepter.

Au lieu de fuir, il fonça droit vers eux. Il les vit hésiter et, soudain, il fut sur eux. L'un d'eux fouillait dans sa djellaba, peut-être à la recherche d'une arme, mais Bronson ne lui en laissa pas le temps. Il lui flanqua un coup de mallette dans la poitrine, le projetant violemment à terre, avant de se tourner vers son comparse au moment où celui-ci lui décochait un coup de poing. Il l'esquiva en passant sous son bras et frappa à l'estomac.

Il n'attendit pas de voir son assaillant s'écrouler ; déjà, il entendait des hurlements annonçant l'arrivée de leurs acolytes. Deux de moins – pour le moment, en tout cas – il n'en restait plus que trois.

Sans un regard derrière lui, il reprit ses jambes à son cou, le souffle court. Il savait qu'il devait en finir et vite. Il avait l'habitude de courir mais pas par une chaleur pareille et une telle humidité. Il n'allait pas tarder à fatiguer.

Il tourna à droite puis à gauche, sentant ses poursuivants qui gagnaient du terrain. Arrivant sur une rue passante, il ralentit légèrement, étudiant la circulation. Puis il repartit de plus belle, traversant la chaussée, slalomant entre les voitures et les camions roulant à faible allure.

À une centaine de mètres devant lui, un taxi venait de déposer deux passagers. À l'instant où le chauffeur allait redémarrer, Bronson ouvrit la portière arrière et se jeta dans l'habitacle. Il croisa le regard du conducteur dans le rétroviseur.

— À l'aéroport ! s'exclama-t-il. Vite !

Pour faire bonne mesure, il répéta sa demande en français.

Le chauffeur appuya sur l'accélérateur et Bronson se laissa aller contre le dossier du siège, reprenant son souffle avec difficulté avant de se tourner vers la lunette arrière. À une quarantaine de mètres, deux silhouettes couraient toujours sur le trottoir mais ralentissaient à mesure que le taxi prenait de la vitesse.

Puis elles accélérèrent à nouveau. Bronson se retourna et vit un embouteillage bloquant la chaussée devant eux. Si la voiture s'arrêtait, ces types le rattraperaient.

— Prenez la prochaine à gauche, dit-il en tendant le doigt.

Le chauffeur le fixa.

— Ce n'est pas la route de l'aéroport, dit-il dans un anglais correct mais teinté d'un lourd accent.

— J'ai changé d'avis.

Le taxi tourna. Grâce au ciel, cette rue était pratiquement déserte et ils purent prendre de la vitesse. Bronson vit ses poursuivants apparaître au coin de la rue puis s'immobiliser en fixant le véhicule qui s'éloignait.

Dix minutes plus tard, il se faisait déposer non loin de son hôtel. Il paya la course, y ajoutant un généreux pourboire.

Une heure et demie plus tard, en sécurité dans la chambre d'un autre hôtel de Rabat – il avait décidé de déménager par précaution –, il appela le poste de police de Maidstone sur son portable.

— Qu'avez-vous découvert, Chris ? demanda Byrd dès qu'il fut en ligne.

— Je viens d'échapper de justesse à une bande de sales types qui m'avaient pris en chasse.

— Quoi ? Pourquoi ?

— Je n'en sais rien mais ce n'était sûrement pas pour me demander mon autographe. Je dirais aussi que l'accident des O'Connor n'était peut-être pas aussi accidentel que nous le pensions.

— Oh, merde, fit Byrd. Il ne manquait plus que ça.

Rapidement, Bronson le mit au courant de ses doutes quant à la sortie de route de la Mégane avant d'expliquer l'usage intensif que Margaret O'Connor faisait de son appareil numérique.

— Kirsty Philips m'a donné des copies de tous les clichés pris par sa mère ici et je viens de passer une bonne heure à les examiner. Ce qui m'inquiète vraiment, c'est que l'un des hommes photographiés dans le souk n'est autre que le seul témoin oculaire de l'accident. Par ailleurs, et toujours selon Kirsty, un autre protagoniste figurant sur cette même photo a été retrouvé mort non loin de la médina. Un coup de poignard en pleine poitrine. Il semble bien que Margaret O'Connor ait photographié une altercation dans le souk, laquelle a conduit à ce meurtre. Ce qui signifie que le tueur se trouve certainement sur un des clichés qu'elle a pris.

Il laissa passer un moment avant de conclure :

— Et ça, c'est un sacré bon mobile pour éliminer deux témoins gênants et leur voler leur appareil photo.

# 14

« LE MYSTÈRE DE LA TABLETTE DISPARUE » était le titre du bref article en page treize du *Daily Mail*. Bronson put le lire grâce à Dickie Byrd et au fax du poste de Maidstone. Dans le chapeau, le journaliste posait cette question : « Ce couple de touristes britanniques a-t-il été tué à cause d'un objet de grande valeur ? »

L'article était une redite plus ou moins identique de celui paru la veille dans le quotidien local, mais on y avait ajouté un détail afin de lui conférer un peu plus de mystère. Vers la fin du papier, après avoir évoqué la tablette d'argile, le reporter affirmait qu'un « expert du British Museum » n'avait livré aucun commentaire, sous-entendant par là qu'il s'agissait d'un comportement suspect, comme si l'« expert », sachant très précisément ce qu'était cette tablette, avait, pour une raison ou pour une autre, refusé de divulguer la moindre information à son sujet.

Eh bien, c'était un point que lui, Bronson, pouvait tirer au clair sur-le-champ, tout en lui offrant un excellent prétexte de joindre Angela. Sur son portable, il composa le numéro de sa ligne directe au British Museum où elle travaillait comme restauratrice de céramiques. Elle lui répondit aussitôt.

— C'est moi, dit-il. Écoute, je suis vraiment navré pour l'autre soir… je n'avais aucune envie d'aller au Maroc, mais on ne m'a pas laissé le choix.

— Je sais, Chris, ce n'est pas un problème. Tu m'as déjà tout expliqué.

— N'empêche… je suis quand même désolé. Tu es occupée, en ce moment ?

Elle éclata de rire.

— Je suis *toujours* occupée et tu le sais. Il est onze heures et demie, ça fait quatre heures que je bosse sans interruption et on vient tout juste de déposer trois autres cartons remplis de tessons de poterie sur mon bureau. Je n'ai même pas eu le temps de prendre un café, alors si tu m'appelles juste pour passer le temps, tu tombes plutôt mal. Mais mon petit doigt me dit que tu as quelque chose à me demander.

— Juste la réponse à une question, en fait. Il y a un article en page treize du *Daily Mail* aujourd'hui à propos d'une tablette d'argile. Tu l'as lu ?

— Il se trouve que oui. En venant au travail ce matin. Il m'a fait beaucoup rire, car c'est *moi* le fameux expert qui n'a livré aucun commentaire. Ce type a appelé le musée hier après-midi et on l'a renvoyé sur mon bureau. Les tablettes d'argile ne sont pas vraiment mon domaine, mais la standardiste a dû se dire que ça ressemblait à des céramiques. Quoi qu'il en soit, j'étais sortie prendre une tasse de thé et quand je suis revenue, le correspondant du *Mail* avait déjà raccroché. Donc, il a raison de dire que je n'ai « livré aucun commentaire », pour la bonne raison que je ne lui ai pas dit un mot. Les journalistes !

— C'est bien ce que je pensais, dit Bronson. Mais se pourrait-il qu'il ait raison ? Que cette tablette ait réellement de la valeur ?

— Ça me paraît assez improbable. Tu sais, de nos jours, il suffit de retourner une vieille pierre pour dénicher une tablette de ce genre… et j'exagère à peine. On en trouve un peu partout, le plus souvent sous forme de fragments, mais les tablettes intactes ne sont pas rares. Pour te donner une idée, il y en a un demi-million répertoriées dans les réserves de différents musées à travers le monde et la plupart n'ont pas encore été étudiées ou déchiffrées, ni même simplement examinées. C'est un chiffre assez considérable. Elles servaient autrefois d'archives à court terme et elles évoquent à peu près tous les aspects de la vie quotidienne : ce sont aussi bien des titres de propriété que des recettes de cuisine. Il en existe avec des inscriptions en latin, en grec, en copte, en hébreu, en araméen, mais la majorité sont des cunéiformes.

— C'est-à-dire ?

— C'est une des plus anciennes langues du monde dont les lettres sont en forme de clou, d'où… cunéiforme. Cela les rendait particulièrement faciles à graver avec des stylets sur de l'argile humide. Ces tablettes sont surtout des curiosités qui nous aident à mieux comprendre la vie de l'époque. Elles ont une vraie valeur, c'est exact, mais essentiellement pour les chercheurs, les archéologues, les historiens… et les spécialistes des musées.

— Je vois, dit Bronson. Mais deux personnes ont été tuées ici au Maroc et la tablette ramassée par cette femme a disparu, ainsi que son appareil photo. De plus, j'ai été pris en chasse dans les rues de Rabat par une bande de types qui…

— Quoi ? l'interrompit-elle. Tu veux dire des voyous ?

— Je n'en ai aucune idée, admit-il. Et je n'ai pas pris le temps de leur demander ce qu'ils voulaient. Mais si la tablette en elle-même n'a pas de valeur, est-il possible que l'inscription qui y figure soit importante ?

Angela resta silencieuse pendant quelques secondes.

— C'est possible mais je n'y crois pas trop, ne serait-ce qu'en raison de son âge – la plupart d'entre elles ont entre deux mille et cinq mille ans. Mais ce qui t'est arrivé est inquiétant, Chris, car si ce que tu dis est vrai, si l'inscription sur la tablette a une importance quelconque, alors tous ceux qui l'ont vue sont en danger.

— J'en ai quelques photos ici mais je n'ai pas la moindre idée de ce que signifient ces inscriptions. Je ne sais même pas dans quelle langue elles sont écrites.

— Là, je peux t'aider. Envoie-moi les photos par mail et je demanderai à un de nos spécialistes en langues antiques d'y jeter un œil. Ça nous permettra au moins de savoir ce que raconte cette tablette et si tu as raison à propos de cette inscription.

C'était exactement ce qu'il avait espéré.

— Bonne idée. Je m'en occupe sur-le-champ. Regarde ta boîte courrier dans cinq minutes.

# 15

Un quart d'heure plus tard, Angela vérifia ses messages et repéra aussitôt celui envoyé par son ex-mari. Elle ouvrit les quatre clichés sur l'écran de son portable et imprima une copie monochrome de chacun, la définition étant un peu meilleure en noir et blanc qu'en couleurs. Puis elle se laissa aller contre le dossier de sa chaise pivotante et étudia les images.

Angela travaillait dans ce bureau depuis son arrivée au musée. C'était une petite pièce carrée et bien organisée, dominée par un grand bureau en L, sur la partie la plus courte duquel se trouvaient son ordinateur et son imprimante laser. Au centre du plateau principal, étaient étalés plusieurs morceaux de poterie – une partie de son travail du jour – ainsi que des dossiers et des cahiers de notes. Un établi en bois occupait un des coins : c'était là qu'elle réalisait les travaux de restauration à l'aide de tout un attirail d'outils de précision en acier inoxydable, de produits de nettoyage, de différentes sortes de colles et autres composés chimiques. Sur le même mur, s'étirait une rangée de placards à dossiers surmontés d'étagères surchargées de livres de référence.

Le British Museum est un endroit immense qui abrite les mille personnes employées à plein temps et reçoit cinq millions de visiteurs chaque année. Le bâtiment couvre soixante-quinze mille mètres carrés – quatre fois plus que le Colisée de Rome, soit l'équivalent de neuf terrains de foot – et contient trois mille cinq cents portes. Il est un des plus spectaculaires bâtiments publics de Londres, pour ne pas dire du monde.

Angela fit la moue en contemplant les épreuves imprimées. La qualité des images était loin de ce qu'elle espérait ou attendait. Il s'agissait bien d'une sorte de tablette d'argile et elle était assez certaine de pouvoir identifier le langage utilisé, mais traduire l'inscription allait s'avérer difficile, car les clichés étaient exécrables.

Au bout d'une minute, elle les reposa sur son bureau. Regarder ces images l'avait inévitablement conduite à penser à Chris, ce qui, comme d'habitude, avait ravivé toute la confusion et l'incertitude qu'elle éprouvait à son égard. Leur mariage avait été bref mais pas tout à fait un échec. Ils étaient, au moins, restés amis, ce qui était déjà beaucoup mieux que pour la plupart des couples divorcés. Leur problème avait toujours été la troisième personne qui avait hanté leur histoire – cette chère Jackie Hampton, épouse du meilleur ami de Bronson. « Hanté » étant bien le mot qui convenait, se dit Angela avec un petit sourire amer.

Bronson avait toujours éprouvé du désir pour Jackie, un désir qu'il n'avait jamais exprimé, Angela en était certaine et dont, Dieu merci, Jackie ignorait tout. Bronson n'avait jamais envisagé de lui être infidèle – il était bien trop loyal et honnête pour cela – et, d'une certaine façon, l'échec de leur mariage reposait entièrement sur les épaules d'Angela. Quand enfin elle avait compris les sentiments de son mari, elle avait du même coup découvert qu'elle ne pouvait plus se contenter de jouer les seconds rôles.

Mais maintenant Jackie était morte et les sentiments de Bronson avaient inévitablement changé. Ces derniers temps, il avait tenté – c'était un euphémisme de le dire – de se rapprocher d'elle, de passer plus de temps avec elle et, jusqu'à maintenant, elle avait fait de son mieux pour le tenir à distance. Avant de lui permettre de revenir dans sa vie, elle voulait être absolument certaine que ce qui s'était passé ne se reproduirait plus jamais, avec personne. Pour l'instant, c'était une certitude qu'elle n'avait pas.

Elle secoua la tête et se pencha à nouveau sur les photos.

— J'avais raison, marmonna-t-elle, c'est bien de l'araméen.

Angela en connaissait des bribes mais il y avait au musée des gens bien plus qualifiés qu'elle pour traduire ce texte. Tony Baverstock, par exemple, grand spécialiste des langues anciennes et, par ailleurs, personnage assez odieux. Il ne comptait pas, loin s'en fallait, parmi ses collègues préférés. Avec un soupir, elle ramassa deux photos et quitta son bureau pour traverser tout le couloir.

— Que voulez-vous? demanda Baverstock dès qu'il la vit dans son bureau.

C'était un individu râblé, mal rasé, proche de la cinquantaine, avec cette allure vaguement débraillée qui contamine la plupart des célibataires sur cette Terre.

— Oui, bonjour à vous aussi, Tony, répondit Angela. J'aimerais que vous jetiez un œil à ces deux photos.

— Pourquoi? Qu'est-ce que c'est? J'ai du travail.

— Cela ne vous prendra que quelques minutes. Il s'agit de deux clichés de mauvaise qualité d'une tablette d'argile. On ne distingue par très bien le texte – qui est en araméen – et je crains qu'il soit impossible de le traduire. Tout ce dont j'aurais besoin, c'est d'une indication quant à sa teneur. Et si vous pouviez aussi vous risquer à me donner une date, je vous en serais très reconnaissante.

Elle posa les photos sur le bureau. Quand Baverstock y jeta un regard, elle crut détecter un changement dans son attitude.

— Vous connaissez cette tablette? s'enquit-elle, surprise.

— Non, aboya-t-il en levant les yeux vers elle avant de les reporter très vite sur les photos. Vous avez raison, admit-il à contrecœur, c'est bien de l'araméen. Laissez-les-moi. Je verrai ce que je peux faire.

Angela acquiesça et quitta la pièce.

Pendant quelques minutes, Baverstock resta assis là à contempler les deux clichés. Puis il consulta sa montre, ouvrit un tiroir verrouillé pour en sortir un petit carnet noir qu'il glissa dans sa poche. Quelques instants plus tard, il quittait le British Museum pour descendre Great Russell Street. Il pénétra dans une cabine téléphonique publique.

On lui répondit à la cinquième sonnerie.

— C'est Tony, dit Baverstock. Une autre tablette a fait surface.

# 16

Alexander Dexter lisait l'article d'un magazine sur les horloges anciennes et ne se soucia pas de regarder son téléphone quand le texto arriva. Quand il se décida enfin à le faire, il marmonna un juron. Le texte disait : «CH DM P13 appelez-moi TOUT DE SUITE.»

Il nota le numéro de l'appelant, prit les clés de sa voiture, verrouilla la porte de la boutique et fit tourner le disque jusqu'à ce qu'apparaisse le mot FERMÉ. Puis il récupéra le téléphone à carte prépayée et sa batterie – il l'enlevait toujours quand il ne s'en servait pas – dans le tiroir de son bureau et sortit par-derrière.

Dexter s'occupait d'un magasin d'antiquités tout à fait respectable, l'un des nombreux que comptait la petite ville de Petworth dans le Surrey qui était devenue La Mecque des collectionneurs d'objets anciens. Il s'était spécialisé dans les premières horloges et chronomètres, ainsi que dans certaines pièces de petit mobilier, mais il était néanmoins prêt à acheter n'importe quoi pouvant s'avérer source d'un bon bénéfice. Son chiffre d'affaires était chaque année scrupuleusement déclaré aux services compétents. Ses déclarations de TVA étaient tout aussi exactes et il tenait ses comptes avec rigueur, enregistrant la moindre transaction. Il résultait de cette méticuleuse attention qu'il n'avait jamais eu à subir le moindre redressement fiscal, ni la moindre enquête des services des impôts, n'avait reçu qu'une seule visite d'un contrôleur de la TVA et ne comptait pas en recevoir une autre de sitôt.

Mais Dexter avait un second travail, un travail dont la plupart de ses clients – et, assurément, la police et les services fiscaux – ignoraient tout. Il avait dressé avec assiduité une impressionnante liste d'acheteurs fortunés toujours à l'affût d'objets « spéciaux » et qui ne se souciaient ni de leur prix, ni de leur provenance. Ces clients-là payaient toujours en liquide et ne s'attendaient pas à recevoir une facture.

Il s'était attribué le titre de « dénicheur », celui de receleur aurait mieux convenu. Certes, il s'agissait toujours d'objets issus du pillage de tombeaux non répertoriés ou d'autres sources d'antiquités en Égypte, Afrique, Asie ou Amérique du Sud, plutôt que dérobés à des collectionneurs privés ou à des musées. Cela étant, si de telles occasions se présentaient, Dexter ne voyait aucun inconvénient à traiter aussi de telles marchandises, à condition que le prix soit bon et le risque faible.

Il contourna l'immeuble, grimpa dans sa BMW série 3 et démarra. Il fit le plein dans un garage à la sortie de Petworth et acheta le *Daily Mail,* avant de rouler une bonne quinzaine de kilomètres en pleine campagne pour s'arrêter à nouveau sur une aire de stationnement.

Il alla directement à la page treize du journal. Après avoir jeté un coup d'œil à la photo floue, il lut l'article. Les tablettes d'argile n'étaient ni très rares, ni très recherchées, mais cela ne l'empêcha pas de parcourir le papier du journaliste avec une excitation croissante.

Sa lecture terminée, il secoua la tête. Il était clair que la famille du couple décédé avait été mal informée – ou, plus probablement, pas informée du tout – à propos de la valeur probable de l'artefact. Mais ceci laissait une question très évidente : si la théorie suggérée par David Philips – le gendre

– était correcte et si le mobile de l'assassinat du couple était bien le vol, pourquoi avoir dédaigné des objets aussi précieux que l'agent liquide et les cartes de crédit, pour se contenter de dérober une vieille tablette d'argile ? Il semblait bien, se dit Dexter, que son client – un certain Charlie Hoxton, un violent gangster de l'East End, doté d'un goût étrangement sûr pour les antiquités et qui avait littéralement terrifié Dexter lors de leur première rencontre – n'avait pas été le seul à discerner la possible importance de cette tablette.

Il mit la batterie en place, brancha le portable et composa le numéro qu'il avait noté.

— Vous avez pris votre temps.

— Désolé, répliqua Dexter assez sèchement. Que voulez-vous que je fasse ?

— Vous avez lu l'article ? demanda Hoxton.

— Oui.

— Alors, ce devrait être évident. Récupérez-moi cette tablette.

— Cela risque d'être difficile, mais je pense pouvoir au moins vous obtenir une photo de l'inscription.

— Ça sera déjà ça, mais je tiens à récupérer la tablette elle-même. Il y a peut-être quelque chose au dos ou sur les côtés qu'on ne discerne pas sur les photos. Vous m'avez dit que vous aviez de bons contacts au Maroc, Dexter.

— Cela va coûter cher.

— Peu importe le prix. Récupérez-la, c'est tout.

Dexter éteignit son portable, lança le moteur de la BMW, roula encore huit kilomètres jusqu'à un pub de campagne pour se garer dans la partie la plus lointaine du vaste parking. De la poche de sa veste, il sortit un petit carnet contenant les numéros de téléphone et les prénoms de gens qu'il employait parfois, des spécialistes dans des domaines très divers. Aucun de ces numéros ne s'était jamais retrouvé dans un annuaire et tous étaient ceux de portables prépayés. Leurs propriétaires lui faisaient régulièrement parvenir leurs nouvelles coordonnées.

Il rebrancha l'engin et consulta son carnet avant d'appeler.

— Ouais ?

— J'ai un travail pour vous, dit Dexter.

— J'écoute.

— David et Kirsty Philips. Ils vivent à Canterbury. Consultez l'annuaire ou bien les listes électorales. J'ai besoin de leur ordinateur.

— D'accord. Quand ?

— Le plus vite possible. Aujourd'hui, par exemple. Les conditions habituelles vous conviennent ?

— Les tarifs ont un peu augmenté depuis la dernière fois. Ça va vous coûter un billet de mille.

— D'accord, accepta Dexter, mais soignez le travail.

Après cet appel, il roula encore quelques kilomètres avant de s'arrêter pour consulter à nouveau son carnet. Le portable branché, il composa cette fois un numéro précédé de l'indicatif « 212 ».

— *As-Salaam aleikoum, Izzat. Kef halak ?*

« Paix à toi, Izzat. Comment vas-tu ? » L'arabe de Dexter était correct, sans plus. Il l'avait appris, car ses clients « spéciaux » étaient souvent attirés par le genre d'antiquités que l'on trouve dans le monde arabe et il vaut toujours mieux discuter avec les vendeurs dans leur propre langue.

— Que voulez-vous, Dexter ?

La voix profonde était teintée d'un lourd accent mais l'anglais était impeccable.

— Comment saviez-vous que c'était moi ?

— Une seule personne en Angleterre connaît ce numéro.

— Je vois. J'ai un travail pour vous.

Pendant trois minutes, Dexter expliqua à Izzat Zebari ce qui s'était passé et ce qu'il attendait de lui.

— Ce ne sera pas facile, dit Zebari.

Sa réponse était, au mot près, celle à laquelle s'attendait Dexter. En fait, à chaque proposition de travail qu'il lui avait présentée, le bonhomme avait réagi de la même manière.

— Je sais. Mais pouvez-vous vous en charger ?

— Eh bien, dit Zebari, d'une voix dubitative, je pourrais sans doute essayer mes contacts dans la police, histoire de voir s'ils savent quelque chose.

— Izzat, je n'ai pas besoin de savoir *comment* vous allez vous y prendre, mais seulement si vous pouvez, oui ou non, réussir. Je vous rappelle ce soir, d'accord ?

— D'accord.

— *Ma'a Salaama.*

— *Alla ysalmak.* Au revoir.

Sur le chemin du retour vers Petworth, Dexter réfléchit à ce qu'il convenait de faire maintenant. D'abord, fermer la boutique et prendre le premier avion pour le Maroc. Zebari était, certes, compétent mais Dexter n'avait confiance en personne ou presque, et si le Marocain parvenait bien à mettre la main sur la tablette, il préférait que ce soit en sa présence.

La mauvaise photo du *Mail* lui rappelait d'excellents souvenirs. Deux ans plus tôt environ, il avait vendu un objet quasi identique à Charlie Hoxton. Cette première tablette, si sa mémoire ne le trompait pas, avait fait partie d'un ensemble de reliques qu'un de ses fournisseurs avait « emprunté » dans une des réserves d'un musée du Caire. À l'époque, Hoxton avait manifesté un fort désir d'acquérir toute autre tablette du même genre, car il était persuadé que celle qui venait d'entrer en sa possession faisait partie d'un ensemble.

Il semblait bien que Hoxton avait eu raison.

# 17

Les deux hommes dans le Ford Transit blanc et cabossé ressemblaient à des livreurs. En jean, tee-shirt et veste de cuir, avec des tennis aux pieds, ils avaient l'air sportif et costaud. De fait, ils travaillaient bien comme livreurs pour une petite compagnie du Kent, mais tous deux avaient aussi un second job beaucoup plus lucratif.

Devant le conducteur, un petit GPS collé au pare-brise avec une ventouse aurait pu rendre inutile le plan que son compagnon étudiait. Mais si leur première tâche consistait à se rendre à la bonne adresse à Canterbury, ils avaient aussi besoin de connaître le meilleur moyen pour s'en éloigner et les deux hommes préféraient étudier la globalité des routes de la région sur une carte plutôt que de compter sur le minuscule écran du mobile de navigation.

— C'est celle-là, dit le passager. À gauche avec la Golf garée dehors.

Le chauffeur se rapprocha du bas-côté et s'arrêta à une centaine de mètres de la demeure.

— Rappelle, dit-il.

Son comparse sortit un portable, composa un numéro préenregistré et attendit une bonne vingtaine de secondes.

— Toujours pas de réponse.

— D'accord. On y va.

Le van redémarra pour s'arrêter quelques secondes plus tard en face de la maison isolée sur la gauche. Les deux hommes enfilèrent des casquettes de base-ball, quittèrent le véhicule qu'ils contournèrent pour sortir une volumineuse caisse en carton par l'arrière.

Dépassant la Volkswagen qui y était garée, ils remontèrent l'allée vers la porte de derrière devant laquelle ils posèrent le gros carton au sol. Un observateur aurait pu croire qu'il était très lourd. En fait, il était vide.

Les deux hommes regardèrent à nouveau vers la rue puis autour d'eux. En l'absence de sonnette, le chauffeur frappa au panneau vitré. Comme il s'y attendait, il n'y eut pas de réponse à l'intérieur de la maison, comme il n'y avait en pas eu à leur appel téléphonique quelques instants plus tôt. Au bout d'un moment, prenant soin de se servir de son corps comme écran, il sortit une pince-monseigneur de sa poche intérieure, inséra la pointe entre le battant et le chambranle et poussa fortement. La serrure céda avec un craquement sec et la porte s'ouvrit.

Ils ramassèrent le carton, pénétrèrent à l'intérieur où ils se séparèrent, le chauffeur grimpant l'escalier tandis que l'autre s'occupait du rez-de-chaussée. Quelques secondes à peine s'écoulèrent.

— Monte me filer un coup de main.

Le deuxième homme arriva sur le palier au moment où le premier sortait du bureau, portant l'unité centrale d'un ordinateur.

— Prends l'écran, le clavier et tout le reste, ordonna le chauffeur.

Ils placèrent les différents éléments dans le carton avant de saccager les lieux, arrachant les couvertures du lit, vidant penderies et tiroirs, faisant en sorte de semer le plus grand désordre.

— Ce devrait suffire, dit le conducteur en contemplant le chaos.

Ils redescendirent l'allée en portant toujours le carton à deux. Ils le glissèrent dans le compartiment arrière du Transit avant de remonter dans la cabine. Ils venaient juste de gagner cinq cents livres chacun. Pas mal pour dix minutes de boulot à peine, pensa le chauffeur en tournant la clé de contact.

Pas mal du tout.

# 18

— Angela ? Dans mon bureau.

Les convocations de Tony Baverstock, se dit Angela, lui ressemblaient : courtes et totalement dépourvues de la moindre amabilité. Quand elle entra, il était vautré dans son fauteuil pivotant, les pieds sur un coin du bureau. Les deux photographies qu'elle lui avait données se trouvaient devant lui.

— Vous avez découvert quelque chose ?

— Eh bien, oui et non, à vrai dire.

Ça aussi, c'était du Baverstock dans le texte, pensa-t-elle, un expert reconnu dans l'art de la réponse tordue.

— Mais encore ? fit-elle en prenant un siège face à lui.

Il commença par émettre un grognement avant de se décider à répondre.

— Bon, comme vous l'aviez deviné, le texte est bien en araméen, ce qui en soi est plutôt inhabituel. Comme vous devriez le savoir...

Angela ne montra pas son agacement devant ce sous-entendu à peine voilé.

— ... l'usage de ce type de tablettes a décliné à partir du VIe siècle avant Jésus-Christ, tout simplement parce qu'il était bien plus facile de tracer l'araméen, une écriture cursive, sur du papyrus ou du parchemin plutôt que de graver chaque caractère dans de l'argile. Deuxième fait encore plus inhabituel : ce texte est du charabia.

— Au nom du ciel, Tony, soyez plus clair.

— Je *suis* clair. L'espèce d'idiote – il ne peut s'agir que d'une femme – qui a photographié cette tablette était d'une incompétence rare. Ces deux photos ne présentent qu'une seule face de l'objet et cette imbécile n'est pas parvenue à faire le point sur plus d'une demi-ligne de texte. Une traduction de l'ensemble de l'inscription est donc absolument impossible et, d'après ce que j'ai déjà déchiffré, ce serait sans doute une perte de temps.

— Comment cela?

— Ce qui est inscrit là-dessus n'est qu'une succession de mots. Leur signification individuelle est parfaitement claire mais pris ensemble ils ne veulent rien dire.

Il montra la deuxième des six lignes de caractères d'un des clichés.

— Voici la seule ligne qui est à peu près lisible et, même là, un des mots n'est pas clair. Celui-ci ici – *'arəbə'āh'* – le numéro quatre, est assez simple. Le mot qui le suit signifie « de » et trois de ceux qui le précèdent veulent dire « tablettes », « prit » et « accomplit », donc la phrase se lit: « accomplit prit » un autre mot, puis « tablettes quatre de ». Voilà ce que je voulais dire en parlant de charabia. Les mots ont un sens mais pas la phrase. On dirait presque une sorte de devoir d'enfant, juste une série de mots sélectionnés au hasard.

— Vous pensez que c'est de cela qu'il s'agit?

Baverstock secoua la tête.

— Ce n'est pas ce que j'ai dit. J'ai vu beaucoup de textes araméens et celui-ci me paraît l'œuvre d'un adulte car les caractères sont formés à petits coups de stylet bien précis. Je dirais que celui-ci a été écrit par un adulte éduqué, un homme – n'oubliez pas qu'à l'époque la plupart des femmes étaient illettrées et ça n'a guère changé depuis, ajouta-t-il, toujours aussi hargneux.

— Tony…, le prévint Angela.

— Je plaisantais, dit Baverstock.

Le fait était qu'il plaisantait toujours aux dépens de l'autre sexe. Angela voyait en Baverstock un type arrogant et pompeux mais plutôt inoffensif, un misogyne solitaire qui ne cachait pas le fait qu'il ne supportait pas les femmes qui réussissaient, et encore moins celles qui avaient l'audace de combiner charme et intelligence. À une ou deux reprises par le passé, il s'en était même pris à Angela. Elle ne s'était pas privée, à chaque fois, de le remettre à sa place.

Elle savait qu'elle n'était pas belle au sens classique du terme mais ses cheveux blonds et ses yeux noisette – et des lèvres dont Bronson disait toujours qu'elles étaient une « chance » – offraient un contraste saisissant. Elle produisait toujours un certain effet sur les hommes, un effet qui avait tendance à durer. Baverstock, quant à lui, l'avait prise en grippe dès leur première rencontre.

— De quelle époque sommes-nous en train de parler ? demanda-t-elle.

— C'est du vieil araméen qui couvre la période s'étendant entre 1100 avant Jésus-Christ et 200 après Jésus-Christ.

— Allons, Tony. Ça fait mille trois cents ans. Vous ne pouvez pas réduire un peu la fourchette ?

Il secoua la tête :

— Vous vous y connaissez, en araméen ?

— Pas vraiment, admit-elle. Mon travail consiste à restaurer des poteries et des céramiques. Je sais reconnaître la plupart des langues anciennes, mais la seule que je comprends et traduis correctement, c'est le latin.

— Dans ce cas, mieux vaut que je vous fasse un petit cours. L'araméen apparaît pour la première fois aux alentours de 1200 avant Jésus-Christ quand le peuple du même nom s'est installé dans une région nommée Aram, en haute

Mésopotamie et en Syrie. On estime que cette langue dérive du phénicien. Comme lui, elle se lit de droite à gauche, mais à la différence du phénicien qui n'avait pas de lettres pour les voyelles, les Araméens ont commencé à en utiliser certaines – principalement *aleph, he, waw* et *yod* – pour indiquer les sons des voyelles.

« Les premiers exemples écrits du langage, qui devint plus tard connu sous le nom d'araméen, sont apparus à peu près deux cents ans plus tard. Au milieu du VIII<sup>e</sup> siècle avant notre ère, c'était la langue officielle en Assyrie. Aux alentours de 500 avant Jésus-Christ, après la conquête de la Mésopotamie par le roi perse Darius I<sup>er</sup>, les administrateurs de l'Empire achéménide ont commencé à se servir de l'araméen dans toutes les communications officielles sur tout le territoire. On se demande toujours s'il s'agissait là d'une décision impériale ou bien si l'araméen s'est simplement imposé comme la *lingua franca* la plus commode.

— L'Empire achéménide ? Rafraîchissez-moi la mémoire.

— J'aurais pensé que même vous sauriez cela, répliqua Baverstock, toujours aussi grinçant. Il a duré de 560 à 330 avant Jésus-Christ, et c'était le premier des différents empires perses qui ont gouverné la région que nous appelons désormais l'Iran. En termes de superficie et de territoires occupés, c'était le plus grand de tous les empires préchrétiens, couvrant près de huit millions de kilomètres carrés sur trois continents. Les Perses ont colonisé une zone qui comprend l'Afghanistan actuel, le Pakistan, l'Iran, l'Irak, l'Égypte, Israël, la Jordanie, le Liban, l'Arabie saoudite, la Syrie et la Thrace.

« Le point important est qu'à partir de 500 avant notre ère, l'araméen est devenu la langue officielle – on parle alors d'araméen impérial ou achéménide. En raison de ce statut, il a remarquablement peu varié au cours des sept cents années qui ont suivi. En général, la seule façon de découvrir où et quand un texte quelconque a été écrit, c'est d'identifier les mots empruntés.

— C'est-à-dire ?

— Des mots décrivant des objets ou des lieux ou alors exprimant des idées ou des concepts qui n'avaient pas d'équivalent exact en araméen et qui étaient empruntés aux autres langues afin d'assurer la clarté et l'exactitude de certains passages.

— Et il n'y a rien de tel dans ce texte ? demanda Angela.

— Dans cette demi-douzaine de mots, non. Si je devais me livrer au jeu des devinettes, je dirais que cette tablette est assez tardive, remontant sans doute à la fin du Ier millénaire avant Jésus-Christ, mais je ne puis me montrer plus précis.

— Rien d'autre ?

— Vous savez que je déteste les spéculations, Angela, fit Baverstock.

Il resta silencieux quelques instants, contemplant les clichés étalés sur sa table.

— Vous n'auriez pas de meilleures photos que celles-ci ? demanda-t-il enfin. Et d'où provient cette tablette ?

Quelque chose dans son attitude mit Angela sur ses gardes.

— Pour ce que j'en sais, ce sont les seules qui existent, dit-elle, et je n'ai pas la moindre idée de la provenance de cette tablette. On m'a juste envoyé ces clichés pour analyse.

Déçu, Baverstock grogna à nouveau.

— Prévenez-moi si vous recevez autre chose. Si j'avais de meilleures images de l'inscription, je pourrais sans doute vous donner une fourchette plus précise quant à sa date d'origine. Mais, ajouta-t-il, il me paraît possible qu'elle provienne de Judée.

— Pourquoi ?

Il lui montra le seul mot qu'il n'avait pas traduit dans la deuxième ligne du texte.

— Ces photos sont si floues qu'elles sont presque inutilisables, mais ce mot pourrait bien être « Ir-Tzadok ».

— Qui veut dire ?

— Rien d'intéressant en lui-même, sauf si c'est la première partie de « Ir-Tzadok B'Succaca », l'ancien nom araméen d'une colonie de peuplement sur la côte nord-ouest de la mer Morte. Que nous connaissons mieux aujourd'hui sous son nom arabe qui signifie « deux lunes ».

Il s'interrompit pour la contempler.

— Qumrān ? suggéra Angela.

— Gagné. Khirbet Qumrān, pour être tout à fait complet. « Khirbet » signifie ruine. Il provient de l'hébreu *horbah*, et vous le trouverez un peu partout en Judée pour indiquer des sites antiques.

— Je sais ce que signifie « Khirbet », merci. Donc, vous pensez que cette tablette provient de Qumrān ?

Baverstock secoua la tête.

— Non. Je ne peux pas garantir que je lis ce mot de façon correcte et, même si c'est le cas, nous ne pouvons en tirer aucune conclusion : il pourrait faire partie d'une phrase complètement différente. Et même s'il signifie bien Qumrān, il pourrait ne s'agir que d'une référence à cette communauté.

— Qumrān a été fondée quand... au I$^{er}$ siècle avant notre ère ?

— Un peu plus tôt. À la fin du II$^e$ siècle et elle a été occupée jusqu'à peu près 70 après Jésus-Christ, l'époque de la chute de Jérusalem. C'est pour cela, surtout, que j'estime cette tablette comme étant tardive car, si j'ai raison et si le mot « Ir-Tzadok » forme bien la première partie de « Ir-Tzadok B'Succaca », alors l'inscription sur la tablette a été très probablement inscrite quand les Yishiyim – la tribu que nous connaissons mieux sous le nom d'Esséniens – résidaient à Qumrān, d'où la date que je vous ai donnée.

— Donc, la tablette fait juste référence à Qumrān, mais ne provient pas de la communauté des Esséniens ?

— Ce n'est pas ce que j'ai dit. J'ai dit que l'inscription faisait peut-être référence à Qumrān et que la tablette ne provenait sans doute pas des Esséniens.

— Y a-t-il d'autres mots que vous pensez pouvoir traduire ?

Baverstock pointa le doigt vers la dernière ligne du texte.

— Ici. Ce mot pourrait être « coudée » ou « coudées », mais je n'en mettrais pas ma main au feu. Et je crois que cet autre mot ici pourrait vouloir dire « lieu » ou « endroit ».

— Et vous n'avez toujours pas la moindre idée de ce qu'est cette tablette ? Ni si elle possède la moindre valeur ?

Baverstock secoua la tête.

— Je suis à peu près sûr qu'elle n'a pas la moindre valeur. Quant à ce qu'elle est, je dirais qu'elle devait servir dans un environnement scolaire. Je pense qu'il s'agissait peut-être d'un support d'enseignement afin de montrer aux enfants comment écrire certains mots. C'est une curiosité, rien de plus, dont l'unique intérêt est d'ordre scientifique.

— D'accord, Tony, dit Angela en se levant. C'était aussi ce que je pensais. Je voulais juste m'en assurer.

Après son départ, Baverstock resta pensif quelques minutes. Il espérait avoir bien fait en donnant à Angela Lewis une traduction exacte de certaines parties du texte. Il ne lui avait pas révélé tout ce qu'il avait déchiffré. En fait, il aurait de très loin préféré ne rien lui dire du tout, mais il ne tenait pas à ce qu'elle aille consulter un autre spécialiste qui aurait pu se passionner en découvrant certains des mots inscrits sur cette tablette et s'interroger quant à leurs possibles implications.

Maintenant, si elle décidait de poursuivre ses recherches, il y avait de fortes chances qu'elle décide de le faire à Qumrān et il était persuadé qu'elle ne trouverait absolument rien là-bas.

Environ deux heures plus tard, Baverstock cogna à la porte du bureau d'Angela Lewis. Il n'y eut pas de réponse, comme il s'y attendait, car c'était l'heure où elle sortait déjeuner. Il frappa à nouveau avant d'entrer.

Il consacra les quinze minutes qui suivirent à une fouille rapide mais méthodique, vérifiant chaque tiroir et placard, sans le moindre succès. Il avait espéré qu'elle aurait eu la tablette en sa possession mais il ne trouva que deux autres photos de la relique qu'il prit. Il essaya aussi de lire ses e-mails, mais son économiseur d'écran était protégé par un mot de passe qui lui en interdisait l'accès.

Dernière possibilité, se dit-il en retournant dans son propre bureau, Angela détenait bien la tablette et la gardait chez elle. Il était temps de passer un autre appel.

# 19

La capacité à se fondre dans un environnement particulier dépend pour moitié de l'apparence qu'on adopte et pour moitié de la confiance qu'on manifeste. Quand l'homme à la peau foncée et aux cheveux noirs franchit la porte de l'hôtel de Rabat, vêtu d'un costume occidental et portant une grande valise, il avait tout d'un client quelconque et le réceptionniste ne s'intéressa guère à lui quand il traversa le hall en direction de l'escalier principal.

Arrivé au premier étage, l'homme appela un ascenseur avec lequel il se rendit au quatrième. Sur le palier, il consulta les pancartes annonçant la localisation des chambres et tourna à droite. Il s'arrêta face à la 403, posa sa valise, enfila une paire de gants en latex, sortit une matraque en caoutchouc dur de sa poche avant de frapper à la porte. Il avait repéré la femme assise au bar quand il était entré mais il n'avait pas vu le mari. Il espérait que celui-ci était de sortie, auquel cas il utiliserait les instruments contenus dans un étui en cuir qu'il gardait dans sa poche. Mais si le mari était là, tant pis pour lui.

Il entendit un mouvement de l'autre côté du battant et assura sa saisie sur la matraque. Il porta un grand mouchoir blanc à son nez comme pour se moucher.

David Philips ouvrit la porte.

— Oui?

Il enregistra la présence d'un homme brun, le visage en grande partie dissimulé par un linge blanc, avant de s'écrouler en arrière quand un objet contondant percuta violemment son front. Des éclairs blancs et rouges explosèrent dans sa tête pendant une fraction de seconde avant qu'il ne perde conscience.

Son agresseur jeta un rapide regard de part et d'autre dans le couloir, s'assurant qu'il était désert. Il reprit sa valise, pénétra dans la chambre, traîna le corps de Philips un peu plus à l'intérieur et ferma la porte.

La pièce n'était pas bien grande et sa fouille ne lui prit pas plus de cinq minutes. Quand il repartit, sa valise était nettement plus lourde qu'à son arrivée. Il quitta l'hôtel sans qu'encore une fois personne ne le remarque.

— Je suis navré de devoir à nouveau vous déranger, dit Bronson assis face à Kirsty.

Dickie Byrd venait de lui annoncer le cambriolage de la maison des Philips − une nouvelle qu'il jugeait de mauvais augure. Le vol de leur ordinateur avait forcément un lien avec ce qui s'était passé au Maroc, avait-il soutenu, sans pour autant parvenir à convaincre Byrd.

— Que s'est-il passé ? demanda Kirsty avec un mélange d'irritation et d'angoisse quand il l'eut mise au courant. Je veux dire, aucun de nos voisins n'a rien vu ?

— En fait, dit Bronson, plusieurs d'entre eux ont vu très exactement ce qu'il s'est passé. Ils ont tous cru que vous étiez rentrés du Maroc et que vous vous faisiez livrer un appareil électroménager. Deux hommes sont arrivés dans une camionnette blanche et ont transporté un gros carton dans votre maison. Ils y sont restés à peu près dix minutes et en sont ressortis avec votre ordinateur, sans doute enfermé dans ce même carton.

— Et c'est tout ce qu'ils ont pris?

— Oui… à en croire une de vos voisines, une certaine Mme Turnbull. Elle a fait le tour de la maison et elle pense que seul l'ordinateur a disparu. La bonne nouvelle, c'est que, même si ces types ont fait pas mal de dégâts – on dirait qu'ils ont pris un malin plaisir à renverser le contenu de tous les tiroirs par terre –, ils n'ont rien brisé, hormis la serrure de la porte d'entrée. Mme Turnbull s'est déjà débrouillée pour la faire remplacer et elle a promis de tout remettre en ordre avant votre retour.

Kirsty hocha la tête.

— Elle a toujours été très gentille avec nous. C'est une femme très capable.

— Oui, on dirait. Au fait, où est votre mari?

— Il est monté faire un saut dans la chambre. Il ne devrait pas tarder à redescendre.

À l'instant même où elle prononçait cette phrase, Kirsty jeta un regard vers le hall de l'hôtel. Elle tressaillit.

— David! s'écria-t-elle en se levant d'un bond.

David Philips traversait la pièce d'un pas chancelant, un filet de sang ruisselant sur sa joue.

Bronson et Kirsty se précipitèrent, le prenant chacun par un bras pour l'aider à s'installer sur une chaise du bar.

— Que s'est-il passé? Tu es tombé? demanda Kirsty en tâtant la blessure sur son front.

— Aïe! ça fait mal, marmonna Philips en écartant sa main. Et non, je ne suis pas tombé.

— Je ne pense pas qu'il faille des points de suture, déclara Bronson en examinant la plaie, mais c'est une très vilaine bosse que vous avez là.

Le barman apparut, une poignée de mouchoirs en papier à la main. Bronson les accepta en lui demandant d'apporter un peu d'eau.

— Je préfèrerais quelque chose de plus fort, marmonna Philips.

— Ce n'est pas pour boire, répondit Bronson.

— Et un cognac, ajouta Kirsty à l'intention de l'employé.

Quand le serveur revint, Philips avala d'un trait le contenu de son verre tandis que Kirsty mouillait les mouchoirs et lui nettoyait le visage, effaçant les traces de sang.

— La coupure n'est pas trop profonde, dit-elle. Pas besoin de points. Et voilà qui devrait arrêter le saignement, fit-elle en pliant plusieurs mouchoirs pour en faire une compresse de fortune. Maintiens ça en place. Bien. Maintenant, dis-nous ce qui s'est passé.

— J'étais dans la chambre, dit Philips, quand on a frappé à la porte. J'ai été ouvrir et un type m'a cogné sur le crâne. Fort. Comme ça, sans dire un mot. Il m'a assommé. Quand je me suis réveillé, il avait disparu et ton ordi aussi.

Visiblement terrifiée, Kirsty regarda Bronson.

— Ils en veulent à nos ordinateurs, c'est ça ?

Bronson expliqua à l'intention de David :

— Je viens d'apprendre qu'il y a eu un cambriolage chez vous, en Angleterre. Là-bas aussi, les voleurs ont embarqué votre ordinateur de bureau.

— Bon sang !

— Quel âge ont vos machines ?

— Nous les avons achetées toutes les deux il y a à peu près trois ans, répondit David Philips. Pourquoi ?

— Autant dire, des antiquités, fit Bronson en se retournant vers Kirsty. Un ordinateur de trois ans d'âge ne rapporte pas plus de deux cents livres. Ce qui veut dire que ceux qui les ont volés ne s'intéressaient pas à vos machines mais à ce qui se trouve sur les disques durs : les e-mails de votre mère.

— Alors, vous pensez toujours qu'il s'agissait d'un simple accident de la route ? s'enquit David Philips.

Bronson secoua la tête.

— Non. On vous a pris pour cible et je ne vois qu'une raison à ça : les photos prises par votre belle-mère ici à Rabat. C'est la seule explication. Avez-vous réglé les formalités de rapatriement ?

David Philips hocha la tête.

— Bien, dit Bronson. Je pense que vous feriez mieux de rentrer au plus tôt. Et soyez très prudents durant le reste de votre séjour ici. Pour l'instant, vous n'avez qu'une mauvaise migraine. La prochaine fois, vous pourriez avoir beaucoup moins de chance.

Il se leva pour partir avant de les regarder encore une fois tous les deux.

— Une dernière question. Si j'ai raison et que les voleurs cherchaient bien à récupérer vos données – les e-mails et les photos – en aviez-vous des copies sur la machine qui se trouvait chez vous ?

— En partie, dit David Philips. Les e-mails ne se trouvaient que sur le portable de Kirsty mais j'avais copié les photos de ma belle-mère sur l'ordinateur de bureau. C'était notre manière de faire des sauvegardes. Nous recopions toujours les données d'un ordi sur l'autre à intervalles réguliers. Donc, qui que soient les gens qui les ont volés, ils ont à présent les photos de l'altercation dans le souk et de la tablette d'argile que Margaret a récupérée. Maintenant que nos ordinateurs ont disparu, nous n'avons plus aucune preuve.

## 20

Angela entra et ferma la porte derrière elle. Elle déposa ses deux sacs de commissions dans la cuisine avant de passer dans sa chambre pour se changer. Elle enfila un jean et un pull, revint ranger ses courses et se fit un café. Elle se dirigeait vers le salon quand elle entendit un léger coup sur sa porte d'entrée.

Elle s'immobilisa en regardant le battant. Le bruit ne ressemblait pas à celui de quelqu'un qui frappe à la porte mais plutôt à un petit choc. Elle posa sa tasse sur la table de l'entrée et se pencha vers l'œilleton.

Malgré la déformation de la lentille, elle n'eut aucun mal à discerner les deux silhouettes dans le couloir. L'une d'entre elles sortait une sorte de barre de fer d'une de ses poches. L'autre tenait un pistolet.

— Seigneur Dieu…, murmura Angela.

Le cœur battant, elle s'écarta très vite avant de glisser, les doigts tremblants, la chaîne de sécurité dans la rainure. Une précaution qui ne les retiendrait pas très longtemps. S'ils avaient une pince-monseigneur, ils devaient aussi s'être munis d'un coupe-chaîne.

Elle se rua dans sa chambre, raflant son sac à main au passage. Elle s'empara d'une veste dans la penderie, enfila des tennis, récupéra son ordinateur portable encore dans sa sacoche, vérifia que son passeport, son téléphone et son portefeuille se trouvaient bien dans son sac, y fourra aussi son chargeur de téléphone avant de foncer vers l'issue de secours, celle qui donnait sur l'escalier à l'arrière du bâtiment.

Elle jeta un coup d'œil en bas pour s'assurer que personne ne l'attendait au pied des marches métalliques et referma la porte derrière elle. Au même moment, elle entendit un craquement à l'intérieur de l'appartement aussitôt suivi par un son sec annonçant que sa chaîne de sécurité avait été sectionnée.

Sans hésiter, elle se mit à dévaler les marches aussi vite que possible, levant les yeux à chaque palier. Elle était à peine à mi-hauteur quand elle vit les silhouettes émerger. Les deux hommes la regardèrent puis l'un d'entre eux se lança à sa poursuite dans l'escalier, l'impact de ses chaussures faisant trembler la structure.

— Seigneur Dieu, murmura-t-elle à nouveau, accélérant encore l'allure, sautant les marches quatre par quatre.

Mais elle sentait qu'il gagnait sur elle.

Elle bondit enfin sur le trottoir, se précipita vers le coin du bâtiment pour gagner la rue où elle espérait trouver une foule de passants.

Mais à l'instant où elle tournait, un homme sortit par l'entrée de l'immeuble, les bras écartés pour l'attraper.

Pendant une fraction de seconde atroce, elle sentit sa main se refermer sur le pan de sa veste. Elle fit volte-face, balançant la sacoche de son ordinateur de toutes ses forces. Le sac lourd s'écrasa sur le visage de l'homme qui grogna de douleur et chancela en arrière, manquant de s'effondrer. Angela le dépassa à toute allure et fonça sur le trottoir.

Slalomant entre les piétons, elle repéra un taxi noir roulant à faible allure, lumière allumée. Elle siffla et agita frénétiquement le bras en direction du chauffeur, avant de regarder derrière elle. Les deux individus qui la pourchassaient toujours malgré la présence de nombreux témoins n'étaient plus qu'à une vingtaine de mètres.

Le taxi s'approcha du trottoir et s'arrêta. Angela franchit les derniers mètres au sprint, ouvrit la portière et se jeta à l'arrière.

Le chauffeur qui avait assisté à toute la scène lança aussitôt le véhicule dans la circulation, coupant la route à une voiture qui dut piler avant d'émettre un long coup de Klaxon indigné.

Angela se retourna. Ses poursuivants s'étaient immobilisés, le regard braqué en direction du taxi.

— Des amis à vous? demanda le chauffeur.

— Seigneur, non. Et merci. Merci beaucoup.

— Pas d'quoi. On va où, ma belle?

— Heathrow. L'aéroport, dit Angela en sortant son mobile de son sac.

Tandis que le taxi accélérait, elle composa le numéro de la police. À l'opérateur qui lui répondit, elle déclara qu'on était en train de cambrioler son appartement.

## 21

Cet après-midi-là, Dexter abandonna sa boutique à Petworth pour rencontrer un homme dans un café à la sortie de Crowborough. Quand ils eurent fini leurs verres, il glissa une enveloppe fermée sur la table. Sur le parking, il récupéra un carton à l'arrière d'un petit van blanc et le transféra dans le coffre de sa BMW. Après quoi, il reprit la route.

À Petworth, il transporta le carton dans sa réserve et sortit l'ordinateur. Il le posa sur l'établi qui courait le long d'un mur, brancha les périphériques et l'alimentation. Un quart d'heure plus tard, après avoir connecté une de ses imprimantes, il contemplait une demi-douzaine de photos qui montraient une tablette beige de forme oblongue et recouverte d'une inscription. Les clichés n'étaient pas très bons et ne permettaient pas de percevoir autant de détails qu'il l'espérait, mais ils étaient cependant nettement meilleurs que l'image floue imprimée dans le journal.

La signification du texte lui échappait complètement et il ignorait même dans quel langage il était écrit. Il glissa les épreuves dans une enveloppe marron, verrouilla sa réserve et retourna dans sa boutique. Dans le bureau à l'arrière de celle-ci, il disposait d'un puissant ordinateur, avec un disque dur de très grosse capacité qui contenait des images et des descriptions écrites de tout ce qu'il avait vendu et acheté pour la boutique et, dans une partition cachée protégée par un code alphanumérique à huit caractères, tous les détails de ses transactions « officieuses ».

Peu après, il comparait les images qu'il venait d'imprimer avec celles de la tablette d'argile qu'il avait vendue à Charlie Hoxton deux ans auparavant.

Satisfait, il se laissa aller contre le dossier de sa chaise. Il ne s'était pas trompé. La tablette faisait bien partie d'un ensemble. Ce qui lui conférait d'autant plus de valeur. N'est-ce pas ?

# 22

— Alors, quel est le verdict ? demanda Chris Bronson en reconnaissant la voix d'Angela.

— Il s'agit sans doute d'une tablette d'argile sans intérêt particulier qui date du début du $I^{er}$ millénaire, dit-elle, mais ce n'est pas pour ça que j'appelle.

Quelque chose dans sa voix alerta Bronson.

— Que se passe-t-il ?

Elle respira un bon coup.

— En rentrant de mon déjeuner aujourd'hui, je me suis rendu compte qu'on avait fouillé mon bureau.

— Tu es sûre ?

— Certaine. Il n'a pas été saccagé, ou quoi que ce soit, mais certains papiers et d'autres trucs sur mon bureau avaient été déplacés et deux des photos que tu m'avais envoyées avaient disparu. De plus, l'économiseur d'écran de mon ordi fonctionnait.

— Ce qui veut dire ?

— L'économiseur se met en marche après cinq minutes d'inactivité pour une période de quinze minutes. Ensuite, l'écran devient noir. J'ai été absente de mon bureau pendant un peu plus d'une heure.

— Donc, quelqu'un s'est servi de ton ordi entre cinq et vingt minutes avant ton retour. Qu'y avait-il dessus ? Rien de confidentiel ?

— Rien, pour autant que je sache, dit Angela, mais mon économiseur d'écran est protégé par un mot de passe si bien que celui ou celle qui a fait ça n'a pu avoir accès aux fichiers.

Elle s'interrompit et quand elle reprit la parole, il sentit la tension dans sa voix.

— Ce n'est pas tout.

— Quoi d'autre ?

— J'avais quelques courses à faire cet après-midi alors j'ai quitté le musée un peu après déjeuner. Quelques minutes après être rentrée chez moi, j'ai entendu du bruit dehors dans le couloir. Quand j'ai regardé à travers l'œilleton, il y avait deux hommes. L'un tenait ce que je crois être une pince-monseigneur et l'autre avait un pistolet.

— Bon Dieu, Angela ! Tu vas bien ? Tu as appelé la police ? Où es-tu maintenant ?

— Oui, j'ai appelé la police et je suppose qu'un *bobby* viendra faire un tour chez moi d'ici la fin de la semaine, mais j'ai préféré ne pas attendre. J'ai filé par l'issue de secours. En ce moment, je roule vers Heathrow.

— Heathrow ? Où comptes-tu aller ?

— À Casablanca. Je te ferai parvenir les détails du vol dès que je serai à l'aéroport. Mais il y a une escale à Paris, alors je risque d'arriver assez tard. Tu viendras me chercher, n'est-ce pas ?

— Bien sûr. Mais pourquoi…

— Je suis comme toi, Chris. Je ne crois pas aux coïncidences. Il y a quelque chose à propos de cette tablette d'argile, ou de l'inscription qu'elle porte, qui la rend dangereuse. D'abord mon bureau, puis mon appartement. Je préfère ne pas rester ici tant que nous ne saurons pas à quoi nous en tenir. Et je me sentirai bien plus en sécurité avec toi que seule ici à Londres.

— Merci, dit Bronson, soudain ému.

Pendant un instant, il ne trouva pas ses mots.

— Appelle-moi dès que tu connaîtras ton heure d'arrivée, Angela, reprit-il enfin. Je serai là à Casablanca. Tu sais que je serai toujours là pour toi.

# 23

Bien à l'abri derrière des buissons, deux hommes entièrement vêtus de noir étaient allongés sur le flanc de la colline, observant à travers des jumelles la maison dans la vallée en contrebas.

Après l'appel de Dexter, Zebari avait passé un bon moment sur son portable à poser des questions. Les réponses l'avaient conduit ici : la tablette d'argile avait été volée à un homme riche qui gardait le gros de sa collection dans cette propriété. La demeure à deux étages possédait une vaste terrasse à l'arrière dominant le jardin et donnant sur les collines environnantes. Devant, une zone de stationnement pavée était protégée par une paire de grandes grilles en acier.

L'endroit était encerclé par des murs impressionnants – Zebari les estimait d'une hauteur de trois mètres – mais qui ne représentaient pas un obstacle infranchissable. On pouvait toujours les escalader. Des systèmes d'alarme électroniques l'inquiétaient davantage, sans parler des chiens dont il faudrait s'occuper. Il avait aperçu deux gros chiens noirs, peut-être des dobermans, rôdant dans le domaine et passant parfois leurs gueules à travers les grilles. Mais des morceaux de viande bourrés de barbituriques et de tranquillisants devraient les calmer.

Zebari regarda autour de lui les broussailles qui s'accrochaient à la colline aride dont il avait fait leur poste d'observation. Ils se trouvaient à cinq cents mètres de la maison, largement hors de vue des gardiens, et il était certain qu'ils n'avaient pas été repérés.

Il se tourna vers l'ouest où le soleil sombrait dans une flambée de roses, bleus et pourpres. Les couchers de soleil au Maroc sont toujours spectaculaires, surtout près de la côte atlantique où l'air propre et la lente courbure de l'océan se combinent pour créer un flamboyant spectacle qui ne manquait jamais de l'émouvoir.

— Dans combien de temps ? demanda son compagnon dans un murmure, même si personne ne pouvait les entendre.

Zebari répondit à mi-voix lui aussi.

— Il faut attendre de savoir combien ils sont là-dedans.

Quelques minutes plus tard, le ciel vira au violet avant de devenir parfaitement noir. Et, au-dessus d'eux, l'immuable canopée de l'univers, jonchée des lumières de millions d'étoiles, se révéla lentement.

## 24

Quand elle pénétra dans le hall d'arrivée de l'aéroport Mohammed-V de Casablanca, Angela Lewis n'eut aucun mal à repérer Bronson. Non seulement il faisait une demi-tête de plus que les personnes qui l'entouraient, mais il était vêtu à l'européenne – pantalon gris, chemise blanche et veste claire – et son teint beaucoup plus pâle faisait ressortir sa tignasse de cheveux noirs. Laquelle, s'ajoutant à son charme indéniable, ne manquait jamais de provoquer chez elle un petit frisson dès qu'elle l'apercevait. Cette fois, un soulagement bien réel y était associé. Elle savait qu'il serait là, car il le lui avait dit – son ex-mari n'était pas du genre à ne pas tenir sa parole – mais un doute n'avait cessé de la tarauder. Elle avait craint qu'un événement quelconque ne le retienne, l'obligeant à se débrouiller seule à Casablanca, une perspective qui ne lui disait rien qui vaille.

Un large sourire aux lèvres, elle se fraya un passage à travers la foule. Il lui fit signe dès qu'il l'aperçut. Puis, soudain, il fut devant elle, ses bras solides l'attirant contre lui. Elle ne résista pas et ils s'étreignirent quelques secondes avant qu'elle ne s'écarte.

— Tu as fait bon voyage ? demanda-t-il en la soulageant de sa valise et de son ordinateur.

— Bon, c'est beaucoup dire, répondit-elle en ravalant son plaisir de le voir. Les avions sont toujours conçus pour des

115

culs-de-jatte et la nourriture est toujours aussi bizarre. Je crève de faim.

— On peut arranger ça. La voiture est dehors.

Vingt minutes plus tard, assis dans un restaurant des faubourgs de Casablanca, ils regardaient un serveur disposer un grand tajine d'agneau sur la table devant eux.

L'endroit n'était qu'à moitié plein mais Bronson avait tenu à éviter les tables placées près des fenêtres ou bien trop proches de la porte. Et même si Angela aurait préféré s'asseoir de façon à voir les autres convives – elle adorait regarder les gens –, il avait insisté pour s'installer dos au mur pour observer tous ceux qui pénétraient dans la salle.

— Tu es inquiet, n'est-ce pas ? demanda-t-elle.

— Oui. Je n'aime pas du tout ce qui se passe, aussi bien ici au Maroc qu'à Londres. Les gens mêlés à cette histoire font preuve d'une grande brutalité, je préfère rester sur mes gardes. Je ne pense pas qu'on nous ait suivis, mais on ne sait jamais. Maintenant, raconte-moi ce qui s'est passé à ton appartement.

— Juste une seconde.

Le portable d'Angela s'était mis à sonner dans son sac à main. Elle le récupéra et ouvrit le clapet.

— Merci, dit-elle au bout d'un moment. Je le savais. La police est-elle venue ? Je l'ai appelée juste après mon départ.

Il y eut un autre silence pendant que son interlocuteur lui expliquait quelque chose.

— Bien. Merci encore, May. Écoutez, je suis à l'étranger pour quelques jours, vous pourriez faire venir un serrurier, s'il vous plaît ? Je vous réglerai toutes les dépenses à mon retour.

Elle ferma son mobile et regarda Bronson.

— C'était ma voisine. La surprise, c'est que la police est passée chez moi… je ne m'y attendais pas trop. Mon appartement a bien été cambriolé. Pourtant, il semble que rien, ou presque, n'a été volé. May dit que la télé et la stéréo sont toujours là, mais tout est sens dessus dessous. Tous les placards et tous les tiroirs ont été vidés.

— J'ai déjà entendu ça, marmonna Bronson. Donc, tu as filé par l'escalier de secours ?

Angela ravala sa salive. Quand elle reprit la parole, ce fut d'une voix beaucoup moins assurée.

— Oui. J'ai tout juste eu le temps de rafler mon sac à main et mon ordinateur. Un des hommes…

Une pause pour avaler une gorgée d'eau.

— … L'un d'eux m'a pourchassée sur les marches. L'autre a dû descendre par l'autre côté parce qu'il m'attendait quand je suis arrivée dans la rue.

— Mon Dieu, Angela, je ne m'étais pas rendu compte, dit Bronson en lui serrant les mains. Comment as-tu réussi à leur échapper ?

— J'ai frappé le type qui m'attendait avec le sac contenant l'ordi. J'ai eu de la chance, je l'ai touché à la tempe. Un taxi passait juste à ce moment-là et je me suis ruée à l'intérieur. Le chauffeur qui avait tout vu a foncé pour éviter que les deux autres ne me rattrapent.

— Dieu bénisse les taxis londoniens.

Elle hocha la tête avec enthousiasme.

— Sans lui, ils m'auraient eue. Il y avait des gens dans la rue, Chris, des tas de passants, mais ces types s'en moquaient éperdument. J'étais terrifiée.

— Bon, tu es en sécurité maintenant… du moins, je l'espère.

Elle acquiesça et se laissa aller contre le dossier de sa chaise. Expliquer ce qui s'était passé avait eu un effet cathartique et elle retrouvait un peu de son sang-froid habituel.

— Mon portable semble avoir survécu à l'impact. Et puis, je me suis offert une longue séance de thérapie-shopping à Heathrow, d'où la valise neuve et tout ce qu'elle contient.

— Je n'avais pas remarqué, admit Bronson.

— Normal, dit Angela. Tu n'es qu'un homme, après tout. Il lui sourit.

— Je vais mettre cette dernière remarque sur le compte de l'affolement. Tu sais… je suis vraiment content que tu sois là.

— Avant de commencer, dit-elle, l'air soudain sérieux, on va établir quelques règles de base. Entre toi et moi, je veux dire. Tu es ici parce que tu tentes de découvrir ce qui est arrivé aux O'Connor et moi, parce que j'ai eu peur de ce qui s'est produit à Londres.

— Ce qui nous mène où ?

— On s'entend mieux, toi et moi, ces derniers mois, mais je ne suis pas encore prête pour la prochaine étape. Je ne tiens pas à souffrir comme la première fois. Alors, chambres séparées… d'accord ?

Il hocha la tête mais sa déception était palpable.

— Comme tu veux, marmonna-t-il. Je t'avais déjà réservé une chambre seule, de toute façon.

À son tour, elle se pencha pour lui toucher la main.

— Merci. Je veux que ça se passe du mieux possible entre nous deux.

Il acquiesça à nouveau avant de lui faire part de son inquiétude.

— Il faut que tu comprennes une chose, Angela. Le danger n'est pas moindre ici au Maroc qu'à Londres, dit-il avant de lui raconter ce qui s'était passé à l'hôtel des Philips. Et je t'ai déjà parlé de cette bande de types qui m'a pourchassé. Par mesure de précaution, j'ai changé d'hôtel, mais nous devrons faire très attention, essayer de ne pas trop nous faire remarquer.

Elle lui sourit.

— Si tu le dis. Tu t'y connais mieux que moi. Comment va David Philips ?

— Pas trop mal. Il n'aura même pas besoin de se faire recoudre. Mais il a une vilaine bosse sur le front et, j'imagine, une migraine carabinée. Celui qui l'a assommé a dû se servir d'une matraque.

— Et tu ne penses pas qu'il s'agissait d'un simple vol d'ordinateur ?

— Non. J'ai examiné leur chambre et il était clair qu'on l'avait minutieusement fouillée. Il ne manquait que l'ordinateur. Le voleur a ignoré leurs passeports qui se trouvaient sur la table et il n'a touché ni à l'argent ni aux cartes de crédit que Philips avait dans ses poches. Ce vol ressemble beaucoup au cambriolage qui a eu lieu chez eux dans le Kent. Dans les deux cas, les voleurs ont embarqué leurs ordinateurs et rien d'autre.

— Ce qui veut dire ?

— Aucune de ces machines ne possédant une énorme valeur intrinsèque, je dirais que quelqu'un s'intéresse surtout au contenu de leurs disques durs, autrement dit les photos de la tablette. As-tu vraiment confiance dans ton collègue du British Museum ? Il a beau prétendre que ce bout d'argile n'a aucune valeur, quelqu'un qui dispose à l'évidence de relais internationaux l'estime, quant à lui, assez important pour monter des cambriolages quasi simultanés dans deux pays différents.

Angela semblait dubitative.

— Tony Baverstock – c'est à lui que j'ai demandé d'examiner ces photos – est un de nos plus éminents spécialistes en langues anciennes. Tu ne suggères quand même pas qu'il puisse être mêlé à ça ?

— Qui d'autre était au courant pour les photos ? Au musée, je veux dire.

— Oui, je vois où tu veux en venir. Personne.

— Donc, notre suspect numéro un ne peut être que Baverstock. Ce qui implique qu'il n'est peut-être pas étranger à la tentative de cambriolage qui a eu lieu chez toi. Plus important encore, cela signifie aussi que tout ce qu'il t'a raconté à propos de la tablette doit être pris avec des pincettes. Au fait, que t'a-t-il appris ?

Angela haussa les épaules.

— Selon lui, il s'agissait sans doute d'un outil d'enseignement, une sorte de cahier de cours rudimentaire, et il semblait vraiment persuadé que cette tablette n'a aucune valeur.

Bronson secoua la tête.

— Elle doit en avoir… Je continue à croire qu'on a tué les O'Connor à cause d'elle.

— Tu m'as dit que Margaret O'Connor a pris des photos d'une altercation dans le souk. Et si les tueurs avaient voulu la réduire au silence à cause de ça ? Quant à son appareil, ils pourraient l'avoir volé pour faire disparaître les preuves…

— C'est possible, concéda Bronson, peu convaincu. Ça expliquerait pourquoi l'appareil et la carte mémoire n'ont pas été retrouvés sur les lieux de l'accident. Mais n'oublie pas que la tablette, aussi, a disparu.

— Et tu ne penses pas que Margaret O'Connor s'en est simplement débarrassée ?

— Non. Kirsty m'a dit qu'elle voulait retourner au souk le lendemain matin la rendre à l'homme – ce Marocain – qui l'avait perdue, et que si elle ne le trouvait pas, elle comptait la ramener chez elle comme souvenir de leurs vacances. C'est, en tout cas, ce qu'elle a écrit dans l'e-mail qu'elle lui a envoyé la veille de leur départ. Au même moment, le Marocain en question gisait mort poignardé à l'extérieur de la médina. Kirsty a reçu un ultime message de sa mère le lendemain matin, dans lequel elle disait avoir vu le cadavre de cet homme. Et Talabani, le flic responsable de l'enquête ici, au Maroc, a confirmé qu'il figurait bien sur les photos de Margaret O'Connor.

— Margaret n'a pas dit ce qu'elle comptait faire de la tablette ?

— Non. Son dernier e-mail était très bref, deux lignes à peine, probablement rédigées pendant que son mari réglait la facture à la réception ou bien allait chercher la voiture.

Il s'interrompit quelques secondes avant de la fixer.

— Et maintenant, la tablette. Qu'est-ce que tu as découvert ?

— Comme je te l'ai dit au téléphone, c'est un morceau d'argile apparemment sans valeur. L'inscription est en araméen, mais Baverstock m'a dit qu'il ne pouvait en traduire que quelques termes. Je pense que ces mots-là, au moins, sont exacts. Il sait que je connais un peu l'araméen. S'il avait essayé de me tromper, il m'aurait suffi de comparer sa version avec l'original.

— Et tu l'as fait ?

— Oui. J'ai examiné la photo et j'ai trouvé les mêmes mots.

— D'accord, fit Bronson à regret. Pour le moment, nous allons présumer que sa traduction est correcte. Raconte-moi.

— En fait, une seule ligne est vraiment lisible et, sur celle-ci, chaque mot pris séparément est assez clair mais, une fois mis bout à bout, ils n'ont aucun sens. Je t'ai transcrit la traduction pour que tu te rendes compte par toi-même.

— Et tu n'as pas découvert la moindre particularité sur cette tablette ? Quelque chose qui ferait qu'on voudrait la voler, ou même tuer pour elle ?

— Non, rien. Baverstock a trouvé la partie d'un mot qui pourrait faire référence à la communauté des Esséniens de Qumrān, mais même là, il n'y a aucune certitude.

— Qumrān ? C'est là où on a trouvé les manuscrits de la mer Morte, n'est-ce pas ?

— Oui, mais ça n'a probablement aucun rapport. Pour autant que Baverstock puisse en juger, la tablette ne provenait pas de Qumrān. L'inscription ne fait que mentionner l'endroit. Toutefois, et ça c'est vraiment intéressant, l'un des autres mots qu'il a traduits est « coudée ».

— Et c'est quoi, une « coudée » ?

— Une unité de mesure plus ou moins équivalente à l'avant-bras d'un homme, ce qui fait qu'elle était assez variable selon les lieux et les époques. On en connaît au moins une douzaine de tailles différentes, depuis la coudée romaine, qui faisait environ quarante-cinq centimètres, à la coudée Hashimi arabe, qui atteignait soixante-six centimètres. Mais le fait que la coudée soit mentionnée signifie que nous avons affaire à une sorte de code qui pourrait, par exemple, indiquer la cachette d'un objet précieux. C'est peut-être ça qui fait l'importance de cette tablette.

— Voyons les choses en face, dit Bronson, si la traduction de Baverstock est exacte, alors l'inscription est forcément un code. C'est la seule explication.

— Je suis d'accord. Regarde, dit Angela en fouillant dans son sac à main, voilà la traduction de l'araméen.

Il prit la feuille de papier A4 qu'elle lui tendait et parcourut rapidement la demi-douzaine de mots qui y étaient reportés.

— Je vois ce que tu veux dire, fit-il en examinant le texte plus attentivement. Baverstock a-t-il parlé d'un code ?

— Non, mais sa spécialité, ce sont les langues anciennes, pas les codes anciens. En revanche, c'est un domaine que je connais un peu. La bonne nouvelle, c'est que cet objet date d'environ deux mille ans. C'est une bonne nouvelle, dans la mesure où il existe très peu d'exemples connus de codes ou de chiffres remontant à cette période de l'histoire, et ceux que nous connaissons sont très, très simples. Le plus célèbre est sans doute le chiffre de César dont on dit qu'il était utilisé par Jules César pour communiquer avec ses généraux. C'est un système de cryptage vraiment rudimentaire reposant sur une substitution monoalphabétique.

Bronson poussa un soupir. Il savait qu'Angela avait effectué quelques recherches en cryptologie lors d'un projet pour le musée.

— N'oublie pas que tu as affaire à un vulgaire flic. De nous deux, c'est toi le cerveau.

Elle éclata de rire.

— Pourquoi ai-je beaucoup de mal à te croire ? fit-elle avant de retrouver son sérieux. Pour se servir du chiffre de César, il suffit d'écrire le message en texte normal, appliquer le décalage que tu as sélectionné dans l'alphabet, et ainsi obtenir le message chiffré.

Bronson ne paraissant pas plus avancé pour autant, elle écarta son assiette vide et récupéra une feuille de papier et un stylo dans son sac.

— Je vais te donner un exemple. Disons que ton message est « avancez », dit-elle en écrivant le mot en capitales, et que le décalage choisi est trois vers la gauche. Tu écris tout l'alphabet puis tu l'écris entièrement une deuxième fois en dessous mais cette fois en déplaçant chaque lettre de trois rangs vers la gauche. Donc, le D se trouvera au-dessous du A, le E au-dessous du B et ainsi de suite. Dans ce cas, le message codé sera : « DYDQFHC ». Le problème évident avec cette méthode est qu'à chaque fois qu'une lettre précise apparaît dans le texte normal, la même lettre correspondante apparaîtra dans le message chiffré. Donc, dans cet exemple qui ne fait qu'un mot, une seule lettre – le D – est répétée et quelqu'un qui voudrait craquer ce code n'aurait qu'à se servir d'une analyse de fréquence.

Elle adressa un regard plein d'espoir à Bronson qui secoua la tête.

— Désolé, il va falloir aussi m'expliquer ça.

— D'accord, dit Angela. L'analyse de fréquence est une méthode très simple pour craquer un code rudimentaire. Les douze lettres les plus communes de la langue anglaise sont, dans l'ordre, E, T, A, O, I, N, S, H, R, D, L et U. J'ai un moyen mnémotechnique de m'en souvenir. Deux mots : « ETAOIN SHRDLU ». Et je suis sûre que tu connais le plus célèbre exemple de chiffre de César.

Toujours aussi perdu, il secoua la tête.

— Tu es sûre… ?

— 2001. *2001 – l'Odyssée de l'espace.* Le film de science-fiction, ajouta Angela.

Bronson fronça les sourcils puis soudain son expression s'éclaircit.

— Oui, dit-il. Kubrick ne voulait pas utiliser l'acronyme IBM pour l'ordinateur du vaisseau spatial, alors il a inventé le nom de HAL qui, si je t'ai bien suivie, est un chiffre de César avec un décalage vers la droite de un.

— Exactement. Il y a un autre exemple bizarre, dit Angela. Le français *oui* devient l'anglais *yes* si tu appliques un décalage de dix vers la droite.

— Tu crois que c'est ce code qui est utilisé dans cette inscription ?

— Non, répondit Angela, et pour une raison évidente : nous pouvons lire les mots en araméen sur la tablette. L'un des autres problèmes avec le chiffre de César, c'est que les mots du texte chiffré n'ont aucun sens, ce qui indique évidemment qu'il s'agit d'un message crypté. Ce n'est pas du tout le cas ici.

— Et qu'en est-il avec d'autres systèmes de cryptage ? demanda Bronson.

— On se retrouve avec le même problème. Si ce sont les mots qui sont cryptés de façon individuelle, ils ne deviennent plus qu'un assemblage de lettres sans signification. Les mots sur cette tablette…

Elle tapota la feuille qu'elle avait donnée à Bronson.

— … ne sont pas cryptés. Mais ça ne veut pas dire qu'il n'y a pas une sorte de message caché dans cette inscription.

— Tu vas devoir m'expliquer ça aussi, dit-il, mais attends que nous ayons repris la route.

— Attends-moi ici une seconde, dit Bronson quand ils furent à la porte du restaurant. Je préfère m'assurer qu'on ne risque pas de faire une mauvaise rencontre sur ce parking. Je reviens te prendre.

Angela le suivit des yeux tandis qu'il se faufilait entre la poignée de véhicules garés dehors, inspectant chacun d'entre eux avant de s'installer au volant de la voiture qu'il avait louée. Il s'arrêta juste devant la porte du restaurant.

— Donc, si ce ne sont pas les mots qui sont cryptés, comment peut-il y avoir un message caché dans le texte ? demanda-t-il une fois qu'ils furent revenus sur la route.

— Au lieu d'une substitution alphabétique, on peut utiliser une substitution de mots. On choisit des mots particuliers pour signifier quelque chose de complètement différent. Les groupes terroristes islamiques utilisent cette méthode depuis un bon moment. Au lieu de dire « On va poser une bombe à trois heures de l'après-midi », ils disent « On va livrer le fruit à trois heures de l'après-midi ».

— Donc, la phrase garde un sens, mais la signification apparente est très différente de la signification réelle.

— Exactement. Peu avant les attaques contre le World Trade Center, le chef terroriste, Mohammed Atta, a contacté son contrôleur à Al-Qaida et lui a passé un message qui n'avait aucun sens pour les forces de sécurité américaines à ce moment-là. Il a utilisé une phrase qui incluait un passage du genre « rond avec un trait en bas, deux traits ». Avec un peu d'imagination, on comprend qu'il voulait parler des chiffres « 9 » et « 11 ». En fait, il lui donnait la date exacte de l'attentat.

— Et sur cette tablette ?

Elle secoua la tête dans l'obscurité de la voiture, les phares projetant un tunnel de lumière sur la route déserte.

— Je ne pense pas qu'il y ait quoi que ce soit de similaire dans ce texte, tout simplement parce que les phrases n'ont aucun sens.

Elle s'interrompit, le regard tourné vers sa vitre et le ciel nocturne si limpide. Casablanca se trouvait à présent à plusieurs kilomètres derrière eux et, à l'écart de la légère pollution de la ville, les étoiles semblaient plus brillantes, plus proches... et aussi bien plus nombreuses qu'elle n'en avait jamais vu. Elle jeta un regard au profil déterminé de Bronson qui se découpait dans la faible lueur verdâtre du tableau de bord.

— Mais il y a une possibilité que nous n'avons pas encore envisagée.

# 25

Il était plus d'une heure du matin, les lumières dans la maison s'étant éteintes depuis une bonne heure déjà, quand Izzat Zebari se décida enfin à passer devant les doubles grilles en acier pour balancer deux gros steaks crus dans le domaine. Dans les ténèbres, il entendit un grondement sourd puis le piétinement frénétique de pattes griffues avant que les deux chiens de garde surgissent pour enquêter sur cette intrusion.

— Combien de temps avant que ça agisse? demanda Hammad quand il se glissa sur le siège passager de la voiture qu'ils avaient garée dans une rue adjacente et déserte à une centaine de mètres de là.

Hammad s'occuperait des alarmes antivol et autres engins électroniques qu'ils rencontreraient dans la propriété. Sur le sol, à ses côtés, se trouvait un petit sac en tissu qui contenait tout un attirail assez hétéroclite. Zebari le savait parce que Hammad avait déjà vérifié son contenu au moins à six reprises depuis qu'ils étaient retournés dans la voiture. Ils avaient quitté leur cachette sur la colline juste après la tombée de la nuit. Depuis, ils attendaient là.

— Une demi-heure devrait suffire, répondit Zebari. Le temps que les drogues fassent leur effet. Mon ami chimiste a calculé les doses avec le plus grand soin.

Par précaution, Zebari laissa passer quarante-cinq minutes avant de donner l'ordre d'y aller. Ils quittèrent la voiture, refermant les portières le plus discrètement possible, avant d'ouvrir le coffre pour prendre le reste de leur équipement. L'objet le plus notable était une échelle démontable, suffisamment longue pour atteindre le sommet du mur d'enceinte.

Quelques minutes plus tard, ils étaient accroupis le long de ce mur, leurs vêtements noirs les rendant pratiquement invisibles dans la nuit. Rapidement, Hammad et Zebari assemblèrent les différents éléments de l'échelle avant d'en poser la base sur le sol. Les montants, dont l'extrémité était entourée de chiffons, ne firent aucun bruit quand Zebari les adossa à la paroi.

— À toi de jouer, murmura-t-il.

Hammad grimpa en silence, s'arrêtant juste avant le sommet qu'il examina avec attention à l'aide d'une petite lampe torche. Il sortit ensuite un spray de son sac en tissu et projeta un jet juste au-dessus du mur, à l'endroit précis où ils allaient devoir le franchir. Ceci fait, il redescendit.

— Pas de câbles ni de détecteurs de pression. Pas de capteurs infrarouges ni de lasers, non plus, annonça-t-il.

— Excellent. Ils ne comptent que sur les chiens. Allons-y.

Les deux hommes gravirent l'échelle, s'installèrent à califourchon sur le faîte du mur avant de la faire basculer vers l'intérieur de la propriété.

Zebari désigna la porte en bois assez ancienne à l'arrière de la maison, décorée de motifs complexes en fer et équipée d'une vieille et massive serrure. Hammad secoua la tête avec fermeté.

— Il y a peut-être une alarme, dit-il avant de porter son attention sur les deux fenêtres qui la flanquaient.

Comme dans beaucoup de maisons marocaines, celles-ci étaient carrées et assez petites, afin de se protéger du soleil. Debout sur la pointe des pieds, Hammad se servit une nouvelle fois de sa minuscule torche pour inspecter méticuleusement le cadre de l'une d'entre elles, cherchant des fils électriques ou des contacts pouvant être reliés à un système d'alarme.

— Le voilà, marmonna-t-il. Un simple contact qui se déclenche à l'ouverture, mais il n'y a pas de capteur sur la vitre. Je vais passer par ici et je t'ouvrirai la porte de l'intérieur.

Il sortit un rouleau de ruban adhésif de son sac et en appliqua plusieurs longueurs sur le centre du panneau, laissant un petit bout dépasser afin pour s'en servir comme d'une poignée. D'une main très ferme, il fit courir un coupe-verre à pointe diamant le plus près possible du cadre avant de cogner sur le panneau avec son poing. Avec un petit craquement, la vitre glissa vers l'intérieur et Hammad put la déloger du cadre. Aucune alarme ne retentit.

Il posa délicatement le verre contre le mur à bonne distance de l'ouverture puis, avec l'aide de Zebari, se hissa et se faufila à l'intérieur. Zebari lui passa ensuite son sac à outils et attendit.

Moins de trois minutes plus tard, et après avoir déconnecté l'alarme, Hammad entrouvrit à peine la grande porte en bois pour lui permettre de le rejoindre.

Zebari passa devant dans le petit couloir, tandis que Hammad vérifiait soigneusement chaque porte, cherchant le moindre signe indiquant la présence d'un dispositif de sécurité avant de l'ouvrir et d'examiner chaque pièce à la lueur de sa torche. La troisième donnait sur une chambre toute en longueur avec des espèces de placards vitrés alignés le long des murs : on aurait dit la salle d'exposition d'un musée.

— Remontre-moi la photo, murmura-t-il en fouillant l'endroit avec le rayon de sa lampe, les vitres des présentoirs renvoyant des reflets de lumière.

Zebari sortit une feuille format A4, la déplia et la lui donna. Dexter lui avait envoyé la photo par e-mail la veille au soir.

Hammad fixa l'image sur le papier pendant quelques secondes avant de hocher la tête et de se diriger vers le premier présentoir sur sa droite. Zebari s'occupa de la rangée de gauche.

Quatre minutes plus tard, il était clair que la tablette n'était pas exposée dans cette salle.

— Et maintenant? demanda Hammad.

— On continue, lui répondit Zebari en le précédant dans le couloir.

Celui-ci s'achevait par une double porte entrouverte qu'il poussa.

— Là, souffla-t-il en pointant le doigt.

La pièce, assez vaste, servait probablement de salle de réunion. Éparpillés sur le sol, une vingtaine de grands coussins pouvaient accueillir les invités, leur permettant de s'asseoir confortablement en tailleur, à la manière arabe. Les murs blancs étaient décorés de tapisseries, visiblement très anciennes et de très grande valeur. Mais c'était l'unique présentoir en verre dressé au bout de la salle qui avait retenu l'attention de Zebari.

Les deux hommes se précipitèrent. Sous la vitre, se trouvait un socle de plastique transparent flanqué d'une carte arborant la photo en couleur d'un petit objet oblong et grisâtre ainsi qu'un texte en arabe.

— Pas de tablette, murmura Hammad.

Zebari ressortit sa feuille de papier et la tint contre la vitre du présentoir, comparant l'image qu'il possédait avec celle de la carte.

— Je vais prendre quand même cette carte. Tu vois une alarme?

Hammad examina l'arrière et les flancs du présentoir.

— Non, il y a juste le câble d'alimentation pour la lumière.

Il montra un petit tube au néon monté à l'arrière du socle avant de s'intéresser à la serrure qui verrouillait la vitre.

— Rien, là non plus.

— Bien, chuchota Zebari.

Il ouvrit la serrure qui était un mécanisme à levier très simple et fit basculer le couvercle de verre. Au moment où il tendait la main, Hammad l'arrêta.

— Attends, murmura-t-il vivement en fixant le fond du présentoir désormais visible maintenant que le couvercle était soulevé. On dirait un capteur à infrarouge.

Mais il était déjà trop tard. Dehors, dans le jardin, des projecteurs s'allumaient, ainsi que la plupart des lumières de la maison. Une sirène se mit à rugir.

— La porte, ordonna Zebari en s'emparant de la carte qu'il fourra dans sa poche.

Ils se ruèrent dans le couloir, franchirent la porte qu'ils avaient déjà empruntée et sprintèrent vers l'échelle posée contre le mur. Zebari fut le premier à l'atteindre, Hammad était sur ses talons.

Au sommet du mur, Zebari s'accrocha au rebord et se laissa pendre dans le vide avant de lâcher prise. Il prit bien soin de plier les genoux au moment de heurter le sol, absorbant l'impact avec ses jambes. Il roula sur le côté et se redressa aussitôt, indemne.

Plusieurs détonations retentirent de l'autre côté du mur.

Juché sur son perchoir, tout près du sommet de l'échelle, Hammad se retourna vers la maison. Des hommes venaient d'en sortir, deux par l'avant, un par-derrière, tous trois munis de pistolets.

Il n'eut pas la moindre chance, ses vêtements noirs se détachant avec netteté sur le mur passé à la chaux. L'impact de la balle le déséquilibra. Il poussa un hurlement de douleur avant de lâcher prise et de s'écraser sur le sol.

À l'extérieur, sans demander son reste, Zebari fonçait vers la voiture. De nouvelles détonations retentirent quand un de ses poursuivants atteignit le haut de l'échelle et ouvrit le feu sur lui.

# 26

— Mauvaise réponse… gronda l'homme de haute taille au visage paralysé.

Du revers de la main, il frappa brutalement le blessé assis face à lui, bras et jambes liés à la chaise, sa tête ensanglantée pendant sur sa poitrine.

Amer Hammad était en train de mourir et il le savait. Ce qu'il ne savait pas, en revanche, c'était si l'homme défiguré allait finalement perdre patience et lui mettre une balle dans la tête ou bien s'il mourrait avant d'avoir perdu trop de sang.

Après l'avoir ramené dans la maison, les trois gardes avaient appelé leur patron. Puis ils lui avaient ligoté les poignets et avaient sommairement bandé la plaie béante à sa cuisse où la balle avait déchiré les muscles et perforé une artère. Ce qui avait réduit, mais pas stoppé, l'hémorragie. À ses pieds, Hammad contemplait avec une étrange fascination la mare de sang qui s'étalait lentement.

L'interrogatoire se déroulait dans un petit bâtiment carré situé dans un coin du domaine. Les taches sombres qui maculaient le sol de béton étaient les preuves muettes que celui-ci avait déjà été utilisé dans un but similaire par le passé.

— Je vais te le redemander encore une fois. Qui était avec toi et que cherchiez-vous ?

Hammad secoua la tête et ne dit rien.

L'autre le toisa un moment avant de ramasser une sorte de bâton par terre. L'une des extrémités en avait été taillée en pointe. Son prisonnier le regarda faire sous ses paupières mi-closes, tuméfiées et sanguinolentes. Il était terrifié.

Le borgne posa assez délicatement la pointe de son bâton sur le bandage trempé de sang qui entourait la cuisse de Hammad. Il sourit. La moitié paralysée de son visage bougea à peine.

— Tu penses sans doute que je t'ai déjà fait assez mal, mon ami, mais en vérité, j'ai à peine commencé. Avant que j'en aie fini avec toi, tu me supplieras de te tuer.

Tout en parlant, il accroissait la pression sur le morceau de bois, le tordant lentement et l'enfonçant à travers le tissu dans la plaie.

Du sang jaillit et Hammad hurla, la douleur incroyable ajoutant une nouvelle dimension à son agonie.

— Arrêtez, arrêtez, gémit-il d'une voix méconnaissable. Je vous en prie. Je vous dirai tout ce que vous voulez.

— Je le sais, dit l'autre en poussant encore plus fort.

La tête de Hammad partit en arrière tandis qu'une vague de douleur l'emportait. Il s'affala, inconscient, retenu par ses liens.

— Changez son pansement, ordonna le borgne, et ensuite réveillez-le.

Dix minutes plus tard, un seau d'eau froide et quelques gifles ranimèrent Hammad. Son tortionnaire, installé sur une chaise face à lui, lui piquait brutalement le ventre avec la pointe de son bâton.

— Bon, dit-il, commence par le début et n'oublie rien.

# 27

— Il y a le Wi-Fi dans cet hôtel ? demanda Angela en poussant sa tasse de café vers Bronson, lui signifiant de la remplir à nouveau.

Ils s'étaient installés dans la chambre de ce dernier, car ils ne tenaient pas à être vus plus que nécessaire. Prendre le petit déjeuner ici leur paraissait plus sûr que dans la salle à manger de cet établissement situé à l'écart du centre de Rabat. Angela portait encore sa chemise de nuit sous le grand peignoir qu'elle avait trouvé dans sa salle de bains. C'était un geste qu'il appréciait, car il montrait qu'elle se sentait à l'aise avec lui, mais cela n'apaisait nullement sa frustration : elle avait tenu à dormir dans l'autre chambre.

Il n'avait pas passé une très bonne nuit.

— Tu veux faire des recherches ?

— Oui. Si je ne me trompe pas, cette tablette n'est pas unique en son genre : elle doit faire partie d'un ensemble. Et le premier endroit logique où chercher, ce sont les musées. Il existe une sorte d'Intranet qui relie les musées du monde entier, dont je me sers pour mon travail. Il est ouvert aux professionnels – et j'en fais partie – possédant les accréditations nécessaires et permet d'accéder aux artefacts et reliques qui y sont conservés. C'est un outil idéal pour les chercheurs. Grâce à lui, nous pouvons étudier certains objets sans avoir à nous déplacer à l'autre bout du monde.

Bronson fit de la place sur la table avant d'ouvrir son propre portable. Deux minutes plus tard, le Sony avait trouvé l'accès au réseau Wi-Fi de l'hôtel.

— Comment ça marche ? demanda-t-il en tournant le Vaio face à Angela et la regardant taper son nom d'utilisatrice et son mot de passe sur l'Intranet.

— C'est assez simple. D'abord, je fournis une description sommaire afin de lancer la recherche.

Tout en parlant, elle remplissait les petites cases d'un formulaire, y insérant de brèves caractéristiques. Quand elle eut fini, elle tourna le portable de façon à ce que Bronson voie l'écran lui aussi.

— Comme nous ne savons pas grand-chose à propos de cette tablette, j'ai élargi les paramètres de recherche. Pour la date, j'ai suggéré entre le début du Iᵉʳ siècle avant Jésus-Christ jusqu'à la fin du IIᵉ siècle de notre ère – ce qui fait une période de trois cents ans qui devrait suffire. En se basant sur ce qu'il a pu traduire du texte, Baverstock estimait qu'elle datait sans doute du Iᵉʳ siècle avant Jésus-Christ, mais il n'avait aucune certitude. Pour l'origine, je suis restée tout aussi vague : j'ai mis « Moyen-Orient ».

— Et pour la tablette elle-même ?

— Là, j'ai été plus précise, parce que nous avons une assez bonne idée de ce que nous recherchons. Ici…

Elle montra deux champs en bas de l'écran.

— … j'ai spécifié le matériau et le fait qu'elle porte une inscription en araméen.

— Donc, maintenant, il suffit de lancer la recherche.

— Exactement, dit Angela en appuyant sur la touche ENTER.

Le réseau Wi-Fi local était apparemment assez rapide, car les premiers résultats s'affichèrent sur l'écran au bout de quelques secondes.

— On dirait qu'il y en a des centaines, marmonna Bronson.

— Des milliers, plutôt, répliqua Angela. Je t'ai dit que les tablettes d'argile n'ont rien d'exceptionnel. Il va falloir filtrer un peu, sinon on n'arrivera à rien.

Elle étudia les résultats qui continuaient d'apparaître sur l'écran.

— Il y a beaucoup de tablettes anciennes, dit-elle, je vais donc réduire la fourchette de dates, ça devrait en éliminer la plupart. Et si on ne trouve pas ce qu'on cherche, je pourrai toujours l'élargir.

Elle changea les paramètres de recherche, se limitant aux $I^{er}$ et $II^e$ siècles après Jésus-Christ, mais cela donna encore des centaines de résultats, bien trop nombreux pour qu'ils puissent les analyser tous.

— Bon, marmonna-t-elle, il existe des tablettes de toutes formes : carrées, oblongues, rondes. Il y en avait même en forme de tambours ou de cônes, avec l'inscription gravée sur la paroi externe. J'avais restreint la recherche aux tablettes plates, mais ça nous aiderait si je pouvais ajouter les dimensions approximatives de celle de Margaret O'Connor.

Bronson lui donna le CD préparé par Kirsty et elle fit défiler les images sur son écran jusqu'à ce qu'elle trouve la première photo de la tablette. Margaret O'Connor l'avait à l'évidence posée sur un meuble dans sa chambre d'hôtel avant de la photographier sous des angles différents. Sur la plupart des clichés, la tablette était très floue, sans doute à cause du fait que l'autofocus de l'appareil avait fait le point sur la surface du meuble. Sur trois des photos, un téléphone était en partie visible.

— Super, dit Angela. Je devrais pouvoir déduire la taille approximative.

Elle examina soigneusement la meilleure photo avant de noter quelques chiffres.

— Je dirais qu'elle fait à peu près quinze centimètres par dix, murmura-t-elle avant de taper ces indications dans les boîtes de dialogue appropriées.

Cette fois, avec des paramètres beaucoup plus exigeants, il n'y eut plus que vingt-trois résultats. Ils se penchèrent sur l'écran pour les étudier l'un après l'autre.

La première douzaine se révéla très différente de la tablette de Margaret O'Connor, mais la quinzième image montra une similarité remarquable.

— Ça y ressemble, commenta Angela.

— Et l'inscription ? s'enquit Bronson.

Elle observa l'image avec attention avant d'en sauvegarder une copie sur son portable.

— On dirait bien de l'araméen. Voyons la description.

Elle cliqua sur une des options proposées et une demi-page de texte apparut.

Angela y jeta un seul coup d'œil avant de tourner l'écran face à Bronson.

— C'est en français, dit-elle en se laissant aller contre le dossier de sa chaise. À toi de jouer.

— Ah, je sers enfin à quelque chose. Bon, elle se trouve dans un musée en France. À Paris, en fait. Elle a été achetée, il y a environ vingt ans, à un vendeur d'antiquités à Jérusalem avec tout un lot de reliques. L'inscription est bien en araméen et la tablette est considérée comme une curiosité parce que le texte est juste une série de mots apparemment choisis au hasard... Tu avais raison, Angela. Il y a bien un rapport entre ces deux tablettes.

— Expliquent-ils ce qu'était, selon eux, l'usage de cette tablette ?

Bronson acquiesça.

— Ils suggèrent qu'elle pourrait avoir été utilisée pour enseigner l'écriture de l'araméen, à moins qu'il ne s'agisse des « devoirs » d'un élève, ce qui confirme la version de Baverstock. Par ailleurs, le musée pense que cette tablette a été cuite par accident, soit parce qu'elle s'est retrouvée au milieu d'autres tablettes que l'on devait cuire, soit parce qu'il y a eu un incendie à l'endroit où elle se trouvait.

— Oui, c'est plausible. Les tablettes d'argile étaient réutilisées plusieurs fois. Quand une inscription avait servi son but, la tablette pouvait être nettoyée en passant simplement la lame d'un couteau ou un outil du même genre sur sa surface. Ça suffisait à effacer les caractères. En revanche, on cuisait les tablettes sur lesquelles on inscrivait un texte important, quelque chose qu'on tenait à conserver : des titres de propriété, des transactions commerciales, ce genre de choses. Une tablette cuite est virtuellement indestructible, à moins qu'on ne la brise avec un marteau par exemple.

— Il y a autre chose, ajouta Bronson en cliquant sur un lien au bas du texte. Voici l'inscription originale en araméen, dit-il tandis que deux blocs de texte apparaissaient sur l'écran, et sa traduction en français. On devrait en faire une copie.

— Absolument, répondit Angela en sauvegardant aussitôt le fichier sur le disque dur. Que dit la traduction en français ? J'ai l'impression que beaucoup de mots sont répétés.

— Je confirme ton impression et le texte n'a pas de sens. On dirait bien que ces termes ont été choisis au hasard. Encore une fois, je crois que tu as raison : ces tablettes doivent faire partie d'un ensemble. Tu crois que ça vaut le coup d'aller visiter ce musée ?

— Voyons voir, dit-elle en revenant à la page « description ». Il faut d'abord vérifier que la tablette est disponible en ce moment. Tu traduis ?

Bronson contempla l'écran.

— Ça dit : « En stock. Accessible uniquement aux chercheurs munis des accréditations nécessaires et après soumission d'une demande écrite expédiée au minimum deux semaines à l'avance. » Ils donnent le nom de la personne à joindre et la liste des accréditations acceptées par le musée.

Déçu, il poussa un long soupir.

— Voilà qui règle la question, hein ? C'est pas encore cette fois qu'on ira à Paris ensemble.

## 28

Jalal Talabani n'eut aucun mal à reconnaître la voix calme et mesurée dans son portable.

— En quoi puis-je vous être utile ? demanda-t-il en vérifiant qu'aucun de ses collègues de la police de Rabat ne pouvait l'entendre.

— Deux de mes hommes ont suivi le policier anglais – ce Bronson – à l'aéroport de Casablanca hier soir. Il y a retrouvé une femme venant de Londres. Nous présumions qu'il s'agissait de son épouse, mais un de mes associés a vérifié son nom : elle s'appelle Angela Lewis. Pourtant, elle séjourne bien avec lui dans son nouvel hôtel à Rabat. Découvrez qui elle est et faites-moi un rapport.

Il y eut un silence et Talabani attendit. Il savait que son interlocuteur aimait prendre son temps.

— Vous avez trois heures, dit la voix avant que la communication ne soit coupée.

Bronson en avait assez. Cela faisait une heure et demie qu'ils étudiaient des dessins, des traductions et des images de tablettes se trouvant dans divers musées un peu partout à travers le monde. Certaines photos étaient d'excellente qualité tandis que d'autres étaient si floues qu'il en avait mal aux yeux. Au bout de quatre-vingt-dix minutes, il était prêt à abandonner.

— Bon Dieu, j'ai besoin d'un verre, marmonna-t-il en étirant ses bras au-dessus de la tête. Je ne sais vraiment pas comment tu fais, Angela. Tu n'en as donc jamais marre ?

Elle lui lança un coup d'œil et sourit.

— C'est comme ça que je passe ma vie. Non, je n'en ai pas marre. En fait, je suis… fascinée. Et particulièrement par ça, ajouta-t-elle.

— C'est quoi ? demanda-t-il en contemplant à nouveau l'écran du Vaio.

La photo affichée montrait une tablette quasiment identique à celle récupérée par Margaret O'Connor dans le souk. Mais celle-ci était enregistrée comme ayant été volée, avec un certain nombre d'autres reliques, dans la réserve d'un musée du Caire. Elle n'était jamais réapparue depuis. La tablette avait été photographiée par pure routine lors de son acquisition par le musée, mais aucune traduction de l'inscription – encore une fois en araméen – n'avait été entreprise à l'époque ni depuis.

— Je me demande si ce n'est pas la tablette que Margaret O'Connor a trouvée dans le souk, fit Bronson en se frottant les yeux. Imaginons qu'elle ait été dérobée au voleur, cela pourrait expliquer pourquoi il avait tant envie de la récupérer.

— Attends une seconde, dit Angela.

Elle sélectionna une des images du CD que Bronson lui avait donné, et disposa à ses côtés sur l'écran la photo de la tablette du Caire.

— Elles sont différentes, dit-il. Je ne lis pas encore couramment l'araméen dans le texte mais les lignes du haut ne font pas la même longueur.

— Oui, tu as raison… et je viens de remarquer un autre détail intéressant. Je pense que nous avons affaire à un ensemble de quatre tablettes.

— Comment tu sais ça ?

Elle montra l'image de droite.

— Là. Tu vois ce petit trait diagonal, au coin de la tablette ?
Il hocha la tête.

— Maintenant, regarde l'autre. Il y a aussi une ligne similaire dans un des coins.

Elle revint rapidement à la photo de la tablette se trouvant
à Paris.

— Et sur celle-ci aussi.

Angela se redressa sur sa chaise pour contempler Bronson
avec un air triomphant.

— Je ne sais toujours pas de quoi il est question, mais je
pense pouvoir te dire comment ces tablettes ont été fabriquées.
Celui qui les a préparées a gravé une petite croix diagonale au
centre d'un bloc d'argile oblong, puis il l'a coupé en quatre
avant de faire cuire les morceaux. Nous sommes en train de
contempler trois de ces quatre quarts. Chaque ligne dans les
coins des tablettes est un des bras de la croix originelle.

— Et cette croix est là pour nous dire exactement de
quelle façon les tablettes se relient les unes aux autres, afin de
pouvoir les lire dans le bon ordre.

Découvrir l'identité d'Angela Lewis prit moins de temps
que prévu à Jalal Talabani. Il commença par appeler l'hôtel où
résidaient les deux Anglais et demanda à parler au directeur.
Par chance, l'homme se trouvait à la réception au moment
où Bronson avait fait la réservation pour la femme et quand
celle-ci avait présenté son passeport le lendemain matin.

— C'est son ancienne épouse, dit le directeur, et je crois
qu'elle travaille dans un musée à Londres.

— Lequel ? demanda Talabani.

— Je l'ignore. C'est juste que, en s'enregistrant, elle était
en train de parler de son travail au musée à M. Bronson.
Est-ce important ?

— Non. Pas vraiment. Je vous remercie, dit Talabani avant de mettre fin à la conversation.

Il brancha son ordinateur, fit une recherche sur Google qui le mena sur le site « Britain Express » recensant tous les musées de Londres. Le nombre impressionnant le surprit autant qu'il le consterna, mais il imprima la liste et s'attela à la tâche. Il mit de côté les petits établissements hautement spécialisés se concentrant sur les autres. À chaque appel, il demandait à parler à Angela Lewis.

Le septième numéro qu'il essaya était celui du standard du British Museum. Deux minutes plus tard, il savait dans quel département Angela Lewis y était employée… et qu'elle était actuellement en congé.

Cinq minutes plus tard, l'homme à la voix calme et mesurée le sut lui aussi.

# 29

Tony Baverstock était à son travail depuis un peu plus d'une heure quand il prit un appel en provenance du standard. Un particulier avait contacté le musée au sujet d'un morceau de poterie qu'il avait retrouvé et qui portait une inscription.

C'était le genre de demandes qu'ils recevaient sans cesse et qui se révélaient invariablement, ou presque, une perte de temps. Baverstock se souvenait encore d'une vieille dame du Kent qui avait même apporté la prétendue relique pour examen. Il s'agissait d'un bout de porcelaine, un fragment de tasse qu'elle avait déterré dans son jardin et sur lequel se lisaient les restes d'une inscription : « 1066 » et « le of Hastin » dans une écriture de style gothique.

La vieille dame était convaincue d'avoir fait une découverte majeure, celle d'un artefact datant de près de mille ans évoquant la bataille d'Hastings, l'un des événements les plus significatifs du turbulent passé de l'Angleterre. Elle avait refusé de croire Baverstock quand celui-ci lui avait assuré que ce n'était que de la camelote. Pour la convaincre de son erreur, il lui avait fallu retourner la tasse, gratter la terre qui y était accrochée et lui montrer une autre inscription plus complète gravée à la base. Ce bout de texte, en tout petits caractères, indiquait : « passe au micro-ondes ».

— C'est pas mon rayon, aboya Baverstock quand la standardiste lui eut expliqué ce que l'appelant avait apparemment trouvé. Essayez Angela Lewis.

— C'est déjà fait, lui dit la fille, tout aussi irritée. Elle est en congé.

Cinq minutes plus tard, il avait convaincu l'homme, qui demeurait dans le Sussex, qu'il valait mieux faire examiner sa trouvaille par le musée local de Bury St. Edmunds. Puis il passa un appel en interne au supérieur d'Angela.

— Roger, ici Tony. Je cherche Angela mais on dirait qu'elle n'est pas là. Vous ne sauriez pas où je pourrais la trouver ?

— Malheureusement non, répondit Roger Halliwell qui semblait harassé. Elle a pris quelques jours en nous prévenant au dernier moment. Elle a appelé hier après-midi… Une crise conjugale, peut-être.

— Quand revient-elle ?

— Elle ne l'a pas dit… Ce qui ne m'arrange pas du tout. Je peux faire quelque chose ?

Baverstock le remercia et raccrocha. Voilà qui était intéressant, se dit-il. Très intéressant.

## 30

— Donc, à l'origine, il y avait quatre tablettes qui formaient un seul bloc ?

— Exactement, dit Angela. Nous en avons identifié trois, mais nous ne disposons d'images de bonne qualité que d'une seule d'entre elles… assez bonne du moins pour déchiffrer l'inscription. L'autre problème, c'est qu'en l'absence de la quatrième tablette, il nous manque aussi un quart du texte.

— Tu ne peux rien faire avec ces trois-là ?

— Je peux essayer mais ça ne nous mènera sûrement pas très loin. Il va falloir acheter, ou peut-être télécharger, un dictionnaire anglais-araméen. Les photos de ces deux tablettes…

Elle les montra sur l'écran.

— … nous permettent à peine de traduire un mot par-ci par-là. La plupart sont trop floues et, pour déchiffrer l'araméen, il faut une image impeccable, car plusieurs lettres de cet alphabet se ressemblent beaucoup.

— Mais ça vaut quand même la peine, surtout maintenant que nous disposons de la traduction complète de l'exemplaire de Paris.

Elle acquiesça.

— Oui, et à condition que nous trouvions un dictionnaire correct. Voyons ce que le Web a à nous offrir.

Elle ouvrit Google, tapa « dictionnaire araméen » et lança la recherche.

Ils étaient tous deux penchés sur l'écran.

— Plus de mille résultats, marmonna Bronson. Il doit bien y avoir un dico valable là-dedans.

— Il y en a un, dit Angela. Le tout premier, en fait.

Elle double-cliqua sur l'adresse transmise par le moteur de recherches et contempla le résultat.

— Ce site offre des traductions mot à mot dans les deux sens – de et vers l'araméen. Il inclut même une police de caractères téléchargeable. L'araméen est un *abjad*, un alphabet consonantique avec seulement vingt-deux lettres qui, en apparence, ressemble beaucoup à l'hébreu. Nous avons besoin de cette police de caractères – elle s'appelle « Estrangelo » – pour reproduire les termes, de façon à ce que le dictionnaire les reconnaisse.

Elle téléchargea et installa la police avant d'ouvrir un nouveau document sous Word. Elle sélectionna Estrangelo et recopia avec soin un des mots de la tablette récupérée par Margaret O'Connor.

— C'est un de ceux que Tony ne pouvait pas traduire, dit-elle. Il disait qu'il n'était pas assez net.

Quand elle fut quasiment certaine de l'avoir correctement reproduit, elle le copia dans le dictionnaire et appuya sur la touche entrée.

— Mauvais départ, maugréa-t-elle en contemplant le message « terme non reconnu » dans la barre de dialogue. On dirait bien que Tony avait raison, en tout cas pour ce mot-là.

— Un des caractères que tu as utilisés n'est peut être pas tout à fait juste, suggéra Bronson. Il est vraiment flou sur la photo. Et si tu essayais un autre mot ?

— D'accord. Voici celui que Tony a traduit par « tablette » et c'est un de ceux que j'ai déjà vérifiés. Voyons ce que ce dico en fait.

Elle prépara les caractères araméens — 0xwlb — et copia le mot dans le champ de recherches. Aussitôt, la traduction « tablette » apparut.

— Ça marche, dit-elle. Essayons celui-là.

Elle composa soigneusement une autre série de caractères — Nym0. Le système répondit correctement par « coudée ».

— Donc, ça marche, dit-elle en souriant à Bronson. Et si on s'attaquait à la tablette du Caire ?

# 31

— Est-ce que vous l'avez ? demanda Alexander Dexter, tandis qu'Izzat Zebari – vêtu d'un costume occidental au lieu de sa djellaba habituelle – s'installait face à lui dans le bar d'un hôtel de catégorie intermédiaire de Casablanca.

La nuit tombait. Dexter était arrivé à Rabat ce matin, en provenance de Londres, avant de venir ici en réponse à la demande de Zebari.

La journée avait été étouffante et la soirée ne s'annonçait guère plus clémente. Dexter regrettait de ne pas avoir songé à se changer. Ses vêtements étaient adaptés à un climat anglais.

— Non, mon ami, je ne l'ai pas.

En dehors de la nouvelle déplaisante qu'il n'avait pas réussi à accomplir sa mission, quelque chose d'autre dans la voix de Zebari agaça Dexter.

— Il y a un « mais », c'est cela ?

— Oui, il y a un « mais », comme vous dites. Un gros « mais ». Le prix à payer pour récupérer cet objet s'est avéré bien supérieur à celui que j'avais prévu.

— Supérieur de combien ? demanda Dexter, devinant que Zebari allait tenter de lui extorquer un gros supplément en dépit de son échec.

— De beaucoup et sans doute plus que vous ne pouvez vous le permettre. L'homme qui m'accompagnait a reçu une balle et a été capturé alors que nous tentions de nous enfuir.

Il est très probable que sa mort subséquente – et je ne doute pas qu'il soit mort – n'a été ni rapide ni indolore.

— Oh, Seigneur !

Dexter savait que le monde des antiquités volées était impitoyable, mais il ne s'attendait à rien de semblable.

— Tout ce que vous aviez à faire, c'était voler cette satanée tablette. Comment avez-vous pu merder à ce point ?

Zebari répliqua d'une voix glaciale.

— Un des problèmes que nous avons rencontrés, Dexter, c'est que l'homme qui possédait cette tablette prétend être un homme d'affaires alors qu'il s'agit ni plus ni moins d'un gangster. Sa propriété était truffée d'alarmes, que nous avons déconnectées, mais il avait installé un capteur à infrarouge dans le présentoir, ce dont nous ne nous sommes rendu compte qu'après l'avoir ouvert. À ce moment-là, l'alerte était déjà déclenchée. J'ai réussi à escalader le mur d'enceinte et à m'échapper, mais mon compagnon n'a pas eu cette chance. Au cas où cela vous intéresserait, il s'appelait Amer Hammad. C'était un homme que je connaissais et avec qui je travaillais depuis plus de dix ans et que je considérais comme un ami.

— Mais vous n'avez pas la tablette. Vous savez que je ne paie pas pour des échecs.

— Vous ne m'écoutez pas, Dexter. Je ne l'ai pas, c'est vrai, pour la bonne et simple raison qu'elle n'était pas là. Et il y a d'autres complications… en dehors de la mort de Hammad.

— Lesquelles ?

— L'homme qui possédait la tablette dispose de très bons contacts au sein de la police marocaine. Il soudoie un certain nombre d'officiers.

— Et alors ?

— Alors, il ne lui faudra pas longtemps pour découvrir l'identité de Hammad.

— Que vont-ils faire de son corps ? s'enquit Dexter.

— Ils vont probablement le charger à l'arrière d'une Jeep, rouler quelques kilomètres et l'abandonner dans le désert. Les chacals et les vautours s'en chargeront. Quelle que soit la méthode employée, le cadavre de Hammad va tout simplement disparaître. Et si cet homme m'identifie comme étant l'autre cambrioleur, vous comprenez à quel point ma situation est délicate.

— C'est pour cette raison que nous nous rencontrons ici à Casablanca plutôt qu'à Rabat ?

— Exactement. Il faut que je quitte le Maroc, très vite et pour au moins un an. Et cela coûte de l'argent, beaucoup d'argent.

— D'accord, je comprends et j'en suis désolé. Mais comme je vous l'ai dit, je ne paie pas pour des échecs.

Dexter fit mine de se lever mais Zebari l'arrêta d'un geste.

— Nous avons réussi à prendre quelque chose, dit-il. Une sorte de carte.

— C'est tout ?

— Oui, mais dessus figurent une excellente photo de la tablette et l'historique de son origine. Votre client désire-t-il la tablette elle-même ou bien juste une copie de l'inscription qui s'y trouve ?

Dexter le dévisagea.

— Que voulez-vous dire ?

— Ce que je dis ? Certaines personnes parlent et d'autres écoutent. La rumeur affirme que la tablette n'a aucune valeur, mais que l'inscription, elle, est sans prix. Ce serait une sorte de carte au trésor, ou au moins une partie de cette carte. Maintenant, si votre client désire juste s'approprier ce bout de terre cuite pour sa collection d'antiquités, notre conversation est terminée. Mais, si une photo de l'inscription l'intéresse – une photo de bien meilleure qualité que celle que vous m'avez envoyée –, alors j'espère que ses poches sont vastes, car s'il veut la récupérer, cela va lui coûter très cher.

Dexter poussa un soupir.

— D'accord. Parlons peu, parlons bien. Combien voulez-vous ?

Zebari sortit un bout de papier de sa poche et le fit glisser sur la table.

Dexter le ramassa et lut le chiffre qui y était inscrit.

— Dix mille ? Dix mille livres ? demanda-t-il à voix basse. Vous plaisantez ? Dix plaques pour une photo ? Mon client ne sera jamais d'accord.

— Alors, ni lui ni vous ne verrez jamais cette carte. À vous de choisir, Dexter. Je vous ai donné ma première et dernière offre. Elle n'est pas négociable. Si vous ne l'acceptez pas, je partirai d'ici, et vous ne me reverrez jamais. J'ai des amis qui m'aideront.

Ils se dévisagèrent pendant quelques secondes puis Dexter hocha la tête.

— Attendez-moi ici. Je vais appeler mon client. Il me faut quelques minutes.

— Faites vite, Dexter. Je n'ai pas beaucoup de temps devant moi.

Dexter quitta l'hôtel, effectua quelques dizaines de mètres dans la rue avant de sortir son portable. Il relaya la proposition de Zebari à Charlie Hoxton avant de conclure par le prix exigé. Pour être tout à fait précis, il lui dit que le Marocain demandait quinze mille livres pour la carte... il fallait bien songer à sa commission.

En annonçant la somme, Dexter éloigna l'appareil de son oreille. Il fit bien, car le torrent d'invectives qui sortit de l'écouteur aurait pu lui crever le tympan. Quand le flot diminua, il rapprocha prudemment le téléphone.

— Donc, je refuse le marché ?

— Ce n'est pas ce que j'ai dit, Dexter. Est-ce négociable?

— Il m'a dit que non et je le crois. Cette histoire l'a mis dans une position très délicate et vendre cette photo est son seul moyen de s'en sortir. Il veut savoir tout de suite. Quand je retournerai à l'hôtel, soit je lui annonce que nous concluons à quinze mille, soit il s'en va. À vous de voir.

— Salopard de voleur, gronda Hoxton. Il sait que, à un prix pareil, c'est de l'extorsion?

— Oh, oui, il le sait. Il m'a aussi dit que cette inscription pourrait faire partie d'une carte menant à un trésor.

Hoxton ne répondit pas tout de suite.

— OK. Dites-lui que c'est d'accord. J'ai déjà fait virer de l'argent sur le compte que nous avons ouvert à Rabat. Vous aurez l'autorisation de retirer quinze mille livres demain.

Légèrement surpris par la réponse de Hoxton, Dexter glissa le téléphone dans sa poche et revint à l'hôtel.

— Accepteriez-vous huit mille? demanda-t-il.

Il n'y avait pas de mal à essayer.

Zebari secoua la tête et se leva.

— D'accord, d'accord, dit Dexter. Nous achetons la carte à dix mille. L'argent sera à Rabat demain. J'imagine que vous voulez du liquide? En dirhams?

— Bien sûr que je le veux en dirhams. Vous me prenez pour un idiot? Appelez-moi à ce numéro à neuf heures demain matin...

Il écrivit quelques chiffres sur le bout de papier portant son prix.

— ... dès que vous aurez l'argent. Nous nous retrouverons quelque part pour faire l'échange.

Sans un mot de plus, Zebari se leva et quitta l'hôtel.

# 32

À huit heures et demie, le lendemain, Dexter franchit les portes de la banque Al-Maghrib sur l'avenue Mohammed-V à Rabat. Quinze minutes plus tard, il la quitta, ayant accompli diverses opérations. Cinq mille des livres envoyées par Charlie Hoxton au Maroc étaient en route vers un compte numéroté dans une petite banque discrète du Lichtenstein où elles rapporteraient un intérêt minimum mais seraient en parfaite sécurité. La ligne auparavant impeccable de sa veste de tweed était à présent brisée par deux bosses. Les paquets de dirhams dans ses poches intérieures étaient très épais et il espérait rencontrer très vite Zebari pour pouvoir retrouver au plus tôt le calme et la sérénité de sa boutique d'antiquités de Petworth. Il n'avait jamais aimé le Maroc, et ses habitants encore moins.

Il remonta d'un pas vif l'avenue Mohammed-V jusqu'à ce qu'il trouve un café qui lui parût raisonnablement propre. Il tira une chaise devant une table vacante et commanda un thé à la menthe, le café qu'on servait ici étant bien trop fort et amer à son goût. Il consulta sa montre. Huit heures cinquante.

À neuf heures précises, il sortit son portable et composa le numéro donné par Zebari.

Celui-ci répondit aussitôt.

— Dexter ?

— J'ai ce que vous voulez.

— Vous êtes à Rabat ?

— Oui.

— Allez sur l'avenue Hassan-II en direction de l'estuaire. Quand vous serez presque au bout, là où elle oblique en direction du sud-est, prenez à droite la rue de Sebta. Installez-vous dans le premier café que vous croiserez sur le trottoir de droite. Asseyez-vous en terrasse, là où je pourrai vous voir. C'est compris ?

— Oui.

Dexter étudia son plan de Rabat. L'avenue Hassan-II croisait l'avenue Mohammed-V et le lieu de rendez-vous choisi se trouvait à moins de deux kilomètres.

— J'y serai dans vingt minutes.

À cinq cents mètres de là, Izzat Zebari referma son portable et hocha la tête, satisfait. Il avait une confiance très limitée en Dexter, mais l'Anglais n'avait pas le choix et tous les deux le savaient. À l'évidence, son client tenait à récupérer tout élément ayant un rapport avec la tablette. Zebari était convaincu que Dexter ne tenterait aucune manœuvre indélicate. Mais s'il essayait d'entrer en possession de la carte sans donner l'argent, Zebari se disait que son pistolet automatique Walther PKK serait un argument assez convaincant pour réaliser cette transaction dans les termes convenus.

Il jeta un coup d'œil autour de lui dans le bar de l'hôtel où il avait attendu. Rassuré, il sortit de l'immeuble, plissant les yeux en raison du soleil matinal. Un autre regard de part et d'autre dans la rue Abd-el-Myumen avant de sortir une paire de lunettes de soleil de la poche de sa veste, puis il se mit en route vers la rue de Sebta.

Une cinquantaine de mètres derrière lui, deux hommes en jean et tee-shirt quittèrent la terrasse du café où ils étaient attablés. L'un d'eux tenait un petit téléphone portable contre son oreille droite.

Sur le siège arrière d'une Mercedes noire qui filait en ce moment même en direction de la rue Abd-el-Myumen depuis le sud de Rabat, l'homme au visage paralysé ordonna à son chauffeur d'accélérer l'allure. Il écoutait le rapport des deux hommes dans son propre téléphone. Sous peu, il récupérerait son bien.

La circulation sur l'avenue Hassan-II qui était aussi la route principale N1 traversant Rabat de part en part n'était pas aussi dense que Dexter l'avait prévu. Ceci, joint au fait qu'il avait très vite trouvé un taxi, lui permit d'arriver à son rendez-vous en moins de dix minutes.

Il ignorait si Zebari connaissait ce café ou bien s'il s'était contenté de choisir une rue assez animée en se disant qu'il devait bien s'y trouver un établissement avec terrasse, toujours est-il que, après avoir réglé sa course et s'être engagé dans la rue de Sebta, il vit aussitôt l'auvent blanc, les tables et les chaises sur le trottoir à une vingtaine de mètres devant lui. Il passa en revue les clients installés sans trouver l'homme qu'il devait rencontrer. Il commanda un autre thé à la menthe et se prépara à attendre.

Cinq minutes plus tard, Izzat Zebari tira la chaise qui lui faisait face et s'assit. Il semblait harassé, ne cessant de lancer des regards furtifs autour de lui, mais à cette heure, il y avait peu de clients dans le café et guère plus de piétons dans la rue. Deux jeunes hommes qui descendaient la rue en discutant avec animation passèrent devant la terrasse sans leur accorder la moindre attention.

— Vous avez l'argent? demanda Zebari une fois que le serveur lui eut apporté un café.

Dexter hocha la tête.

— Et vous avez la carte?

Au tour de Zebari d'acquiescer.

Dexter sortit deux enveloppes très épaisses et fermées par des élastiques qu'il fit glisser sur la table.

— Dix mille, en dirhams, comme convenu.

Zebari l'imita, produisant lui aussi une enveloppe qu'il posa sur la table. Chacun des deux hommes prit ce que l'autre avait à offrir. Zebari passa son pouce sur les liasses de billets neufs, comme il l'aurait fait avec deux jeux de cartes, avant de les glisser dans ses poches. Dexter étudia la carte et ce qui y était imprimé.

— Seigneur, fit-il au bout d'un moment. Ce n'est pas du tout ce que j'espérais. La photo est bien trop petite, l'inscription est à peine visible.

Il jeta la carte sur la table.

— Je ne suis pas satisfait. Le marché est annulé. Rendez-moi l'argent.

Zebari secoua la tête.

— Ce Walther dans ma poche affirme, lui, que le marché est scellé, Dexter, dit-il en écartant le pan de sa veste pour révéler la crosse de son arme. Réfléchissez. Je n'ai vraiment rien à perdre.

Il se leva, abandonna quelques dirhams sur la table et s'éloigna, tournant le dos à l'avenue Hassan-II.

Un peu plus loin, une ruelle transversale relie la rue de Sebta à la rue de Bured. La Mercedes noire arriva à ce carrefour précisément au même moment que Zebari.

La grosse voiture s'immobilisa dans un crissement de pneus, les roues avant sur le trottoir, son long capot lui bloquant la voie.

Voyant la voiture obliquer si brusquement, Zebari devina sur-le-champ l'identité de son propriétaire. Il comprit dès lors qu'il avait un problème, un gros problème. Il fit volte-face pour tenter de s'enfuir, mais deux hommes se trouvaient là, devant lui, les deux mêmes qui étaient passés devant le café peu de temps auparavant. Tous deux semblaient décidés à l'intercepter. Derrière lui, il entendit le bruit très reconnaissable de portières qui s'ouvraient.

Dégainant son Walther, Zebari tira très vite et sans viser en direction des deux hommes, les obligeant à plonger pour se couvrir. Mais eux aussi sortirent leurs armes. Il n'avait plus qu'une solution : traverser la rue, malgré la circulation… et c'est ce qu'il fit en courant.

Il évita un camion qui roulait au ralenti et fonça vers le trottoir opposé. Il allait l'atteindre quand il sentit un formidable choc au centre de son dos. L'écho de la détonation rebondit sur les immeubles alentour et il s'écroula, ayant perdu toute sensation dans les jambes. Il lâcha son pistolet qui glissa sur le sol, hors de portée.

D'un pas presque tranquille, l'homme au visage paralysé et un de ses sbires le rejoignirent. Attirées par le drame, quelques personnes avaient commencé à se regrouper des deux côtés de la rue mais aucune ne semblait avoir envie de s'y mêler.

— Tu m'as volé quelque chose. Où est-*elle* ? demanda le borgne tandis que son homme de main ramassait le Walther.

Zebari gisait moitié sur le trottoir et moitié sur la chaussée dans une mare de sang qui s'étalait autour de lui. Il leva les yeux vers le grand Arabe. Bizarrement, il n'éprouvait presque aucune douleur, juste de l'engourdissement.

— Je ne l'ai pas, dit-il d'une voix à peine audible.

Sur un geste du borgne, son sbire fouilla rapidement Zebari. Il ne trouva pas la carte, mais les deux enveloppes bourrées de billets de banque qu'il tendit à son chef.

— Tu l'as vendue ? demanda celui-ci.

— Oui, fit le blessé au moment où un spasme tordait son corps.

— Tu n'as pas fait une mauvaise affaire, Zebari. Tout cet argent pour une seule petite carte, dit l'homme d'une voix calme et mesurée. Tu me connais, au moins de réputation. Quand tu t'es introduit chez moi pour voler ma tablette, tu devais bien te douter de ce qui allait t'arriver. Pourquoi as-tu fait ça ?

— C'était un boulot, rien de plus... murmura Zebari tandis que la douleur commençait à le tourmenter.

Il toussa et un jet de sang aspergea sa veste.

— Pour un collectionneur anglais, ajouta-t-il.

L'homme au visage paralysé parut intéressé.

— Il a un nom, ce collectionneur ?

— J'étais en rapport avec un intermédiaire, un agent.

— Le nom de cet agent ?

Zebari ne dit rien et l'autre se pencha vers lui.

— Dis-moi son nom, fit-il, et nous partirons. Tu survivras peut-être.

Zebari contempla, fasciné et horrifié à la fois, l'œil qui ne cillait pas, laiteux et aveugle.

— Dexter. Il se fait appeler Dexter.

— Et où puis-je le trouver ?

— Ici, à Rabat. En fait, il était là à l'instant. Je viens de lui vendre la carte.

— Bien, fit le borgne en se relevant. Nous le retrouverons. Ahmed, achève-le.

— Je vous ai dit tout ce que je savais, dit Zebari, saisi de terreur. Vous avez dit que vous me laisseriez.

— J'ai menti, marmonna le borgne et le côté gauche de son visage se déforma dans une parodie de sourire.

Il fit signe à son sbire.

L'écho du second coup de feu fut aussi retentissant que le premier. Une autre mare de sang surgit sous le crâne explosé de Zebari pour venir se mêler à celle qui suintait déjà dans le caniveau.

# 33

Alexander Dexter se doutait qu'il n'avait respecté aucune limitation de vitesse sur la route de Casablanca, mais fut quand même surpris par le peu de temps qu'il lui fallut pour couvrir la centaine de kilomètres qui le séparait de l'aéroport international.

En quittant la rue de Sebta, il avait pris une décision très rapide – et, en vérité, très facile.

Il venait d'assister au meurtre de Zebari. En dépit de toutes les précautions que celui-ci avait dû prendre, il avait été traqué et tué de jour et en pleine rue.

Plus terrifiante encore, la sauvagerie de celui qui l'avait fait assassiner, cet individu défiguré avec un œil d'un blanc laiteux – un œil et un visage qu'il n'oublierait pas de sitôt –, et qui, Dexter n'en doutait pas, était désormais à ses trousses.

Il avait sur lui son passeport, son portefeuille et les clés de sa voiture de location. Dans sa chambre d'hôtel, il n'abandonnait que quelques vêtements et son nécessaire de toilette – rien d'important. Étant donné les très évidentes capacités de l'assassin, Dexter était persuadé que s'il y repassait, quelques tueurs l'y attendraient déjà.

Il avait donc demandé au chauffeur de taxi de le déposer à quelques distances de l'établissement avant de gagner la Citroën qu'il avait laissée garée dans la rue et de fuir à bord de celle-ci.

Pour venir au Maroc, il avait pris un vol Air France d'Heathrow à Rabat. Le billet de retour se trouvait dans sa poche mais il n'était pas question de l'utiliser. Ce serait bien trop dangereux. Le meurtrier de Zebari avait déjà dû envoyer des hommes à l'aéroport de Rabat-Salé qui se trouvait à une dizaine de kilomètres du centre-ville. En se rendant à Casablanca, Dexter espérait semer ses poursuivants.

À l'aéroport Mohammed-V, il ne se donna pas la peine de passer au comptoir de l'agence de location. Il se contenta de garer la voiture sur un parking, de verrouiller les portières et de jeter les clés sous une roue. Quand il arriverait en Angleterre – s'il y parvenait –, il appellerait le bureau local de la compagnie, mais c'était bien le cadet de ses soucis pour le moment.

Dès qu'il fut dans le hall des départs, il consulta le tableau. Il rejeta tous les vols de Royal Air Maroc, quelle que soit leur destination, se refusant à utiliser un avion marocain. Il avait tout juste le temps d'attraper un vol Air France/KLM pour Paris. Un homme qui court dans un aéroport – ou ailleurs – attire toujours l'attention, ce fut donc d'un pas vif qu'il se rendit au comptoir d'Air France où il régla le prix de son billet en liquide. Il préférait éviter l'usage d'une carte de crédit mentionnant son nom.

Il en savait assez sur les menaces terroristes pour se rendre compte que payer un billet d'avion en liquide était inhabituel. Un aller simple ne manquerait pas d'éveiller des soupçons, de susciter des questions. Il prit donc un aller-retour.

L'embarquement était imminent mais Dexter passa néanmoins dans une des boutiques de l'aéroport pour acheter une valise cabine bon marché. Il fit ensuite l'acquisition de quelques vêtements, d'une trousse de toilette de voyage et de deux romans. Il n'avait aucun besoin de tout cela mais il savait que tous les passagers embarquant à bord d'un appareil étaient munis d'un bagage semblable et il tenait par-dessus tout à ne pas se faire remarquer. Il espérait maintenant avoir l'air d'un homme d'affaires effectuant un saut à Paris pour un séjour d'un jour ou deux, et non celui d'un fugitif cherchant à échapper à des tueurs.

Les officiers des douanes marocains ouvrirent son bagage et le contrôlèrent, comme ils le faisaient pour presque chaque voyageur, mais ce fut son unique attente. Une demi-heure après son arrivée à l'aéroport, Dexter se trouvait à la porte d'embarquement, dans la file des passagers de l'Airbus. Vingt minutes plus tard, il se détendait enfin dans son siège avec une boisson forte tandis que l'avion filait vers le nord. Il n'avait pas décelé le moindre indice suggérant que les assassins avaient retrouvé sa piste.

À Paris, il prit le temps de déjeuner avant de s'envoler pour Heathrow. Il avait très peu mangé ce jour-là et son appétit s'était incroyablement creusé depuis qu'il pensait être, pour le moment du moins, en sécurité. En début de soirée, il était de retour à Petworth, la petite carte sur le bureau devant lui, un grand verre de whisky à portée de la main.

Il attendrait encore une heure avant d'appeler Charlie Hoxton. D'abord, il voulait photocopier cette carte pour essayer de comprendre pourquoi elle avait une si grande valeur aux yeux de tant de gens.

# 34

La nuit tombait et, dans la chambre de Bronson, Angela et lui semblaient être arrivés à une impasse.

La tablette du musée de Paris avait livré ses secrets sans trop de difficulté. En quelques minutes à peine, Bronson avait traduit les textes français en anglais. Mais celle du Caire se révéla bien plus délicate en raison de la mauvaise qualité et de la pauvre définition de l'unique photo qu'ils avaient trouvée dans les archives du musée.

Ils avaient passé des heures à tenter de faire correspondre les caractères de la police téléchargée avec ceux de la photographie… un processus long, difficile et assez peu fructueux.

— Cette image, expliqua Angela en fixant l'écran du portable, ne devait servir qu'à une identification sommaire. On a dû dire à quelqu'un de photographier tous les objets dont le musée faisait l'acquisition, dans l'unique but d'avoir une archive visuelle des reliques. Ils comptaient sûrement prendre de meilleurs clichés par la suite, avec une bien meilleure résolution et une bien meilleure lumière.

— Tu peux en tirer quelque chose ? s'enquit Bronson.

— Oui, mais pas plus de la moitié des mots des trois premières lignes. Les autres sont trop flous, je ne peux pas les déchiffrer.

Ils avaient longuement étudié l'image, essayant d'interpréter et de copier sur papier les étranges caractères araméens. Ensuite, Angela avait injecté le résultat de leurs recherches dans le dictionnaire anglais-araméen en ligne.

— Bon, qu'est-ce qu'on a ? demanda-t-elle en s'écartant enfin de l'ordinateur pour étirer ses muscles douloureux.

— Et si j'allais nous chercher à boire, d'abord ? suggéra Bronson. J'aurais rien contre un verre. De préférence, alcoolisé.

— Et moi, contre un gin tonic. Un grand avec beaucoup de glace.

Il quitta la chambre et revint quelques minutes plus tard avec un plateau sur lequel tintaient deux grands verres remplis de glaçons.

— Merci, dit Angela en prenant une longue gorgée. Ça fait du bien. Bon, où en étions-nous ?

— J'ai écrit tous les mots que nous avons réussi à traduire et j'ai fait une sorte de dessin de chaque tablette, répondit Bronson. J'ai inclus les blancs pour les mots que nous n'avons pas déchiffrés de façon à voir ceux qui nous manquent.

Il posa une feuille de papier A4 sur la table devant Angela qu'ils examinèrent ensemble. Il avait tracé trois rectangles de taille à peu près égale dans lesquels il avait inséré les mots traduits dans la position qu'ils occupaient sur les originaux en araméen. Le résultat n'était guère encourageant.

— La première, dit Bronson en montrant une des cases, est la tablette du Caire. Si tu as raison à propos de la signification de la croix au centre, ce devrait être celle qui se trouve en haut à gauche.

Comme ils s'y attendaient, il y avait bien plus de blancs que de mots.

*notre ----- ----- fin ----- le par*
*et ----- ----- le ----- ----- -----*
*----- le manuscrit temple ----- tâche*
*----- un ----- ----- ----- -----*
*----- ----- ----- ----- ----- -----*
*----- ----- ----- ----- -----*

— Maintenant, dit Bronson en tendant une autre feuille à Angela, comme l'araméen se lit de droite à gauche, les mots que nous avons traduits devraient apparaître dans cet ordre.

Sur cette nouvelle page, il avait simplement écrit les mots en séquence, incluant les blancs sauf pour les deux dernières lignes sur lesquelles ils n'avaient déchiffré aucun mot.

*Par le ----- fin ----- ----- notre*
*----- ----- ----- le ----- ----- et*
*tâche ----- temple manuscrit le -----*
*----- ----- ----- ----- un -----*

— On est bien avancés, marmonna Angela en revenant à la première feuille.

— Voilà la tablette O'Connor, dit Bronson.

— Baverstock n'en avait traduit que huit mots, remarqua-t-elle, et je ne comprends rien à cette deuxième ligne.

----- ----- ----- ----- ----- ----- -----
*de quatre tablettes Ir-Tzadok prit accomplit*
----- ----- ----- ----- ----- -----
----- ----- ----- ----- ----- -----
----- ----- ---- ----- ----- -----
----- *coudée* ----- *endroit* ----- -----

— Moi non plus, dit Bronson. Voici l'ordre correct des mots.

----- ----- ----- ----- ----- ----- -----
*accomplit prit Ir-Tzadok tablettes quatre de*
----- ----- ----- ----- ----- -----
----- ----- ----- ----- ----- -----
----- ----- ----- ----- ----- -----
----- ----- *endroit* ----- *coudée* -----

La dernière, contenant le texte de la tablette de Paris, disait :

> *en un jours communauté rouleau ben*
> *nos pierres de B'Succaca de la*
> *désormais côté Jérusalem argent a le*
> *nous de le nous grotte achevé*
> *notre hauteur dissimulé citerne lieu désormais*
> *envahisseurs vers de de de dernier*

— Et voici la liste de mots dans le bon ordre.

> *ben rouleau communauté jours un en*
> *la de B'Succaca de pierres nos*
> *le a argent Jérusalem côté désormais*
> *achevé grotte nous le de nous*
> *désormais lieu citerne dissimulé hauteur notre*
> *dernier de de de vers envahisseurs*

— Quand Baverstock parlait de charabia, il ne plaisantait pas, ajouta Bronson. Tu as une idée de ce que ça pourrait vouloir dire ?

Angela gémit.

— Non, mais quel que soit le système de cryptage qu'a utilisé l'auteur de ces tablettes, il doit être assez simple. À cette époque de l'histoire, il n'y avait pas de chiffre compliqué. Je suis sûre qu'on rate quelque chose, quelque chose d'évident. Ce qui semble clair, c'est que Baverstock avait raison à propos de Qumrān.

Elle montra les deux rectangles du bas que Bronson avait dessinés.

— Il disait que ce mot là – « Ir-Tzadok » – pourrait faire référence à Qumrān. Le nom araméen complet était « Ir-Tzadok B'Succaca », et la seconde partie de ce mot se trouve ici sur la tablette de Paris. Mais, ajouta-t-elle, même ça, c'est bizarre.

— Pourquoi ?

— Parce que l'araméen se lit de droite à gauche et que « Ir-Tzadok » se trouve sur la tablette de gauche et « B'Succaca » se trouve sur celle de droite. Donc, si j'ai raison à propos de la croix gravée au centre du morceau d'argile dans lequel ont été découpées les tablettes, alors on doit lire en premier la tablette de droite, puis celle de gauche. Ce qui signifie qu'on doit lire « B'Succaca Ir-Tzadok », ce qui ne veut rien dire. Tout ça n'a aucun sens.

— Je vois ce que tu veux dire, marmonna Bronson en s'étirant à son tour. Écoute, on a passé la journée dans cette chambre à essayer de comprendre ce truc. Et si on descendait manger un morceau ? Ça nous remettra les idées en place et on aura peut-être un éclair de génie.

# 35

— Je vous le dis, Charlie, j'ai eu de la chance de quitter le Maroc vivant. Si ce salopard avait deviné que je me trouvais dans la foule, je suis convaincu qu'il m'aurait abattu sur-le-champ.

— Ça s'est passé en pleine rue ?

Charlie Hoxton entendait pour la première fois le récit des événements dont le receleur avait été témoin à Rabat. Les deux hommes s'étaient retrouvés dans un pub bruyant près de Petworth et Dexter venait de lui transmettre la carte volée par Zebari.

— Et en plein jour ? insista-t-il.

Dexter acquiesça.

— Il était un peu de plus de neuf heures du matin et il y avait beaucoup de monde autour de nous. Ce type s'en moquait. Un de ses hommes a tué Zebari d'une balle en pleine tête, puis ils sont remontés en voiture et ils sont partis. J'ai filé tout droit à l'aéroport. Je ne suis même pas repassé prendre mes affaires à l'hôtel.

Hoxton hocha la tête et contempla encore une fois la petite carte, la tournant et la retournant entre ses doigts.

— Et tout ce qu'il voulait, c'était récupérer ceci, dit-il comme pour lui-même. Excellent. Vraiment excellent.

— Comment ça, « excellent » ? s'étonna Dexter.

— Si l'assassin de Zebari est si déterminé à retrouver la tablette, c'est donc qu'elle est authentique. Mais où diable est-elle ?

— Ce type est vraiment dangereux, Charlie, et il connaît mon nom. Il se peut qu'il soit déjà en Angleterre, en train de me chercher… et peut-être, vous aussi.

— Je suis, moi aussi, très dangereux, Dexter. Je vous conseille de ne pas l'oublier.

Le regard de Dexter s'arrêta sur la bosse très reconnaissable qui déformait la veste de Hoxton sous son aisselle gauche.

— Et cette fichue carte ne m'impressionne pas beaucoup, aboya Hoxton. La photo est à peine moins mauvaise que celle que nous avons déjà. Ça ne vaut sûrement pas les quinze mille que j'ai payés. N'auriez-vous pas pu annuler le marché quand vous l'avez vue ?

— J'ai essayé mais il m'a menacé avec une arme.

Hoxton gronda de déplaisir.

— Et qu'est-ce que ça raconte ? Est-ce une traduction du texte araméen ?

Dexter secoua la tête.

— Il s'agit juste d'une explication concernant la provenance de la tablette. Elle est en arabe mais je vous l'ai traduite.

Hoxton lâcha la carte pour prendre la feuille de papier que lui tendait Dexter. Il la déplia et lut le texte qui y était inscrit.

— C'est une traduction exacte ? demanda-t-il.

— Probablement pas, mon arabe n'est pas assez bon, mais je pense qu'elle est assez fidèle.

Hoxton ne répondit pas, relisant.

— Ça ne nous dit pas grand-chose, fit-il au bout d'un moment. On dirait une de ces notes explicatives dans un musée.

— Oui. Zebari m'a dit que la tablette avait sans doute été exposée sur un présentoir installé dans une pièce qui devait servir de salon de réception dans la maison de son propriétaire. La tablette n'y était plus, seule restait cette carte.

Hoxton lut le début de la traduction de Dexter.

— « Tablette d'argile retrouvée dans les ruines de Pirathon ou Pharaton (grec), aujourd'hui site du village arabe de Farata en Israël. L'inscription est en araméen mais sa signification reste peu claire. Fait peut-être partie d'un ensemble. » D'accord… et où se trouvait ce Pirathon ou Pharaton ?

— J'ai vérifié. C'était une petite ville qui s'appelait autrefois Samarie, non loin du mont Garizim, à environ vingt kilomètres au nord de Jérusalem. Ça n'a jamais été un lieu important et il ne reste pratiquement plus rien de la cité originelle.

— Alors, comment la tablette s'est-elle retrouvée là-bas ?

— Gardons-nous d'avoir des certitudes à ce sujet, répondit Dexter. Ce qui figure sur cette carte n'était peut-être destiné qu'à un public mal informé. Après tout, ils n'allaient pas écrire qu'elle avait été volée dans un musée quelconque, n'est-ce pas ? N'oubliez pas que *votre* tablette était autrefois la propriété d'un musée du Caire, mais je parie que ce n'est pas ce que vous racontez à vos invités quand vous leur montrez la relique.

— Ce que je leur raconte, ou pas, ne vous regarde pas.

Dexter montra la feuille que tenait toujours Hoxton.

— Vous détenez déjà une des tablettes et vous avez maintenant plusieurs photos d'une autre. Qu'allez-vous faire maintenant ?

— *Je* ne vais rien faire, dit Hoxton. *Nous* allons faire de notre mieux pour retrouver cette tablette disparue.

— Mais vous n'avez qu'une tablette, Charlie, et nous avons déjà établi qu'elle fait partie d'un lot de quatre. Comment allez-vous trouver quoi que ce soit avec moins de la moitié du texte à votre disposition ?

— J'ai ordonné à Baverstock de partir à la pêche dans toutes les bases de données des musées auxquelles il a accès.

En ce moment même, il recherche d'autres tablettes. S'il en trouve ne serait-ce qu'une seule et s'il parvient à en obtenir une photo correcte, je suis prêt à parier qu'avec la mienne et la traduction partielle de celle de Rabat, on arrivera à quelque chose. Quoi qu'il arrive, qu'il y parvienne ou pas, nous partons tous pour le Moyen-Orient. La photo sur cette carte est meilleure que celles que nous avons déjà de cette tablette, Baverstock devrait être capable d'en déchiffrer une bonne partie. C'est notre meilleure chance.

— Vous ne voulez tout de même pas que je vienne avec vous là-bas ?

— Si, je le veux. Parce que j'ai besoin de vos contacts, Dexter, et Baverstock vient lui aussi car nous aurons besoin de ses talents de traducteur… à moins que vous ne possédiez l'araméen impérial sur le bout des doigts ?

Dexter fronça les sourcils avant de se rendre compte que quitter l'Angleterre pour quelques jours n'était pas une si mauvaise idée. Si l'assassin de Zebari avait envoyé des hommes sur sa piste, il était probable qu'ils le chercheraient au Maroc et au Royaume-Uni, mais pas en Israël… ou Dieu savait où Hoxton comptait se rendre.

Poussant un long soupir, il se résigna. À vrai dire, il n'avait pas le choix.

— Non, dit-il, je ne sais toujours pas lire l'araméen, Charlie. Quand partons-nous ?

# 36

— Tu sais, dit Bronson tandis qu'Angela et lui se promenaient non loin de leur hôtel, savourant la fraîcheur de la nuit, il y a une chose dont nous n'avons pas vraiment parlé et qui est la raison pour laquelle ces tablettes existent. Je veux dire, qu'est-ce que les gens qui les ont fabriquées cherchaient à cacher ? Quel est au juste le trésor ?

Après dîner, elle avait insisté pour se dégourdir les jambes avant de remonter dans sa chambre. S'il craignait toujours les hommes qui l'avaient pourchassé, elle était prête à sortir seule – après tout, personne ne savait qu'elle se trouvait au Maroc. L'idée n'avait pas enchanté Bronson, mais il avait préféré l'accompagner. Si quelque chose lui arrivait, il ne se le pardonnerait jamais.

— Quoi que cela ait été, répondit-elle, ce devait être diablement important pour eux, car ils se sont vraiment donné du mal. Ils ont crypté le message pour ensuite, je présume, dissimuler les tablettes dans des lieux différents de façon à ce que la cachette du trésor ne puisse être connue qu'en les rassemblant toutes les quatre. Nous disposons déjà de quelques indices avec ce que nous avons déjà traduit. Une demi-douzaine de mots me semblent significatifs.

— Laisse-moi deviner. « Rouleau », « tablettes », « temple », « argent », « dissimulé » et « Jérusalem », c'est ça, hein ?

— Précisément. Tous les manuscrits anciens présentent un intérêt pour les historiens et les archéologues de nos jours, mais si un manuscrit a été caché il y a deux millénaires, car on estimait déjà à l'époque qu'il était très important…

Elle s'interrompit, car Bronson venait de lui saisir la main.

— Qu'y a-t-il? s'enquit-elle.

— Je n'aime pas ça…, commença-t-il avant de se retourner.

Une camionnette blanche venait de se garer à une vingtaine de mètres devant eux et restait là, moteur tournant. À cinquante mètres derrière, une Mercedes noire roulait lentement dans leur direction en restant près du trottoir tandis qu'une poignée d'hommes à pied la précédaient. Ceux-là étaient beaucoup, beaucoup plus proches.

Tout cela pouvait être parfaitement innocent, une série d'événements sans rapport mais, aux yeux entraînés de Bronson, ça avait tout l'air d'une embuscade. Il réfléchit moins d'une seconde avant de réagir.

— Cours! murmura-t-il à Angela. Cours. Fonce loin d'ici.

Il montra une ruelle adjacente.

— Par là, aussi vite que tu peux.

Elle jeta un coup d'œil par-dessus son épaule, vit les hommes qui approchaient et prit ses jambes à son cou.

Bronson revint sur ses pas, dans l'espoir de les faire hésiter et de gagner un peu de temps pour Angela. Ils étaient trop nombreux pour qu'il les affronte. D'un coup d'œil, il s'assura qu'elle avait atteint la ruelle. Elle y disparaissait déjà. Le moment était venu de la suivre. Il fit à nouveau volte-face, prêt à sprinter, mais les inconnus s'étaient mis à courir eux aussi.

Il sentit une main saisir sa veste et tirer brutalement en arrière. Il voulut profiter du mouvement pour pivoter et frapper son agresseur. Mais deux coups explosèrent sur son crâne. Il perdit l'équilibre et s'écroula mollement sur le trottoir défoncé.

La dernière chose qu'il entendit avant de perdre connaissance, ce fut le hurlement lointain d'Angela tandis qu'elle criait son nom.

# DEUXIÈME PARTIE

*Angleterre*

# 37

L'une des premières choses que fit Kirsty Philips quand elle fut de retour en Grande-Bretagne fut de se rendre en voiture chez ses parents. Pendant leur voyage au Maroc, elle était venue tous les deux jours pour arroser les plantes, ramasser le courrier, écouter leur répondeur et, de manière générale, s'assurer que tout était en ordre.

Ce matin-là, elle gara la Golf dans l'allée de la maison située dans une rue calme à la sortie ouest de la ville et ouvrit la porte avec les clés que lui avait prêtées sa mère. Comme d'habitude, il y avait un tas d'enveloppes et de prospectus sur la moquette. Elle les ramassa et les posa à côté de ceux qu'elle avait déjà accumulés en l'absence de ses parents. Une absence dont elle savait maintenant qu'elle était définitive. Ses yeux se mouillèrent à cette idée mais elle ravala son chagrin et entama sa tournée d'inspection, vérifiant chaque pièce. En dernier lieu, elle se rendit dans le salon et écouta le répondeur mais il n'y avait aucun nouveau message.

Elle sortit de la pièce et, dans le couloir, se retrouva nez à nez avec un homme qu'elle n'avait encore jamais vu.

La peau très mate, il était grand, mince et très musclé. Il tenait un long outil noir dans la main droite, une sorte de barre de fer aplatie à une extrémité. Il parut presque aussi surpris qu'elle.

Mais il se ressaisit très vite. La barre de fer décrivit un arc très court, très sec, et l'acier trempé vint s'écraser sur le côté gauche du visage de Kirsty, lui fracturant la pommette et la boîte crânienne. C'était un coup mortel. Elle éprouva une douleur aveuglante et brève, avant de s'écrouler, déjà inconsciente en raison de la violence de l'impact. Elle tomba comme un sac sur la moquette, le sang jaillissant de sa plaie au visage. Mais ce ne fut pas cela qui la tua.

Les dégâts les plus graves étaient internes, une demi-douzaine de vaisseaux sanguins dans son cerveau ayant été crevés par les éclats d'os brisés. Des échardes de ces mêmes os s'étaient plantées dans la cervelle, causant des dommages irréparables. Elle respirait encore tandis qu'elle gisait là mais elle était, de fait, déjà morte.

L'homme la toisa un long moment, avant d'enjamber son corps pour se diriger vers l'entrée. Il n'avait pas entendu le moindre bruit dans la maison avant de forcer la porte de derrière et il avait présumé que la voiture garée dans l'allée appartenait aux O'Connor… une présomption, il s'en rendait compte maintenant, erronée.

Il regarda par terre, ne vit aucun courrier et retourna dans la cuisine. Il allait devoir fouiller toutes les pièces jusqu'à ce qu'il retrouve le paquet.

Il vit les piles d'enveloppes sur la table de la cuisine et se mit à les éplucher. Mais il ne vit aucune signe de ce qu'il cherchait. Son chef s'était peut-être trompé.

Pendant peut-être une minute, il resta planté là, irrésolu, se demandant quoi faire. Il ignorait qui était cette jeune femme – une voisine, la femme de ménage… – et déjà il commençait à regretter de l'avoir frappée si fort. Devait-il faire disparaître le corps ? Il rejeta cette idée. Il ne connaissait pas très bien la région et le risque d'être vu en train de la porter hors de la maison – ou bien d'être arrêté par un agent de police avec un cadavre dans le coffre de sa voiture – était trop grand.

Il ouvrit la porte, regarda autour de lui et s'en fut.

# 38

Tout en revenant lentement à lui, Bronson prit conscience de la douleur qui martelait l'arrière de son crâne. Il porta instinctivement la main à sa tête. Ou plutôt il essaya, mais son bras ne bougea pas. En fait, il ne pouvait pas bouger les bras, se rendit-il compte avec perplexité. Ni les pieds. Des douleurs lui vrillaient les poignets et les chevilles, ainsi que tout le côté gauche du torse. Il ouvrit les yeux mais ne vit absolument rien. C'était le noir total. Pendant quelques secondes, il resta dans l'ignorance la plus complète, puis la mémoire lui revint progressivement.

— Oh, merde, marmonna-t-il.

— Chris ? Dieu soit loué !

La voix émergeait de l'obscurité, quelque part sur sa gauche.

— Angela ? Où diable sommes-nous ? Est-ce que ça va ?

— Je ne sais pas. Où nous sommes, je veux dire. Et je vais bien, si ce n'est que je suis attachée à cette foutue chaise.

— Pourquoi est-ce que je ne te vois pas ?

— Nous sommes dans une cave et ces salauds ont éteint la lumière.

— Mais que s'est-il passé ? Je me rappelle juste avoir reçu un coup sur la tête.

— Je courais et je me suis retournée au moment où un des types t'a attrapé et un autre a brandi une matraque ou un truc de ce genre. Tu es tombé comme une pierre et j'ai bien cru que tu étais mort. Je suis revenue pour…

— Tu aurais dû continuer à courir. Tu n'aurais rien pu faire.

— Je sais, je sais, soupira Angela. Et c'est ma faute si nous sommes là. Je n'aurais pas dû insister pour que nous sortions. Mais quand je t'ai vu à terre, j'ai voulu t'aider.

— Merci d'avoir essayé, mais il aurait quand même mieux valu que tu t'enfuies. Qu'ont-ils fait ensuite ?

— Tout s'est passé très vite. Deux des hommes m'ont attrapée et bâillonnée – je hurlais comme une folle –, ensuite il m'ont jetée à l'arrière du van blanc qui était arrêté un peu plus haut dans la rue. Ils m'ont ligoté les poignets et les chevilles avec une sorte de truc fin en plastique…

— Probablement des serre-câbles, intervint Bronson. C'est pratiquement incassable, ces machins-là.

— Après, trois autres hommes t'ont traîné jusqu'au van et t'ont jeté dedans.

Voilà qui expliquait sans doute sa douleur au côté, pensa-t-il.

— Ils ont tous embarqué et ils t'ont ligoté comme moi. On a roulé pendant environ un quart d'heure, vingt minutes, puis on s'est arrêtés et on a fait marche arrière. Quand les portières se sont ouvertes, j'ai juste eu le temps de voir le mur blanc d'une maison avant qu'on ne me tire dehors et qu'on ne me fasse descendre dans cette cave. Il y avait deux chaises. Ils m'ont attachée à l'une, pendant que deux autres hommes t'amenaient ici et répétaient la procédure avec toi. Ensuite, ils ont éteint la lumière et sont partis. Depuis, je suis assise dans le noir. Ça fait des heures.

Elle s'interrompit un instant.

— Je suis tellement désolée, Chris.

Bronson n'était pas étonné d'entendre un tremblement dans sa voix. Angela était coriace – il était bien placé pour le savoir – mais ce qu'elle venait de subir avait de quoi la traumatiser, d'autant plus qu'elle se sentait coupable.

— Ce n'était pas ta faute, dit-il avec douceur.

— Oui, ça l'était. Et tu sais ce que je trouve le plus angoissant dans tout ça ?

— Quoi ?

— Pendant tout ce temps – le kidnapping, le trajet en van et quand ils nous ont attachés ici –, aucun de ces hommes n'a prononcé un seul mot. Personne n'a donné d'ordre, aucun n'a posé de question, ni même fait le moindre commentaire. Ils savaient tous très exactement ce qu'ils avaient à faire. C'est cela qui m'inquiète, Chris. Nous n'avons pas été simplement enlevés dans la rue par une bande de voyous. Celui qui a commandité notre kidnapping a une bonne raison. Cette opération était très bien planifiée.

Cela inquiétait aussi Bronson, mais il n'était pas question de l'admettre devant elle.

— Eh bien, n'attendons pas de découvrir ce qu'ils nous veulent. Essayons de trouver un moyen de sortir d'ici.

Mais alors qu'il tirait en vain sur les liens qui lui serraient les poignets et les chevilles, il se rendait compte que cela n'allait pas être facile. S'il avait eu un objet tranchant, se libérer aurait été l'affaire de quelques secondes. Avec des si…

Pourtant, il continua à s'acharner, et ce ne fut qu'en sentant le sang couler le long de ses mains qu'il abandonna et se rendit à la réalité de la situation. Il était totalement impuissant.

Plusieurs heures s'écoulèrent avant que la lumière jaillisse enfin. Bronson ferma les yeux contre l'éblouissement avant de les ouvrir avec précaution, clignant des paupières, alors qu'il prenait connaissance de ce qui l'entourait.

Angela était assise à environ trois mètres de lui sur une chaise en bois, poignets et chevilles attachés aux montants avec des liens en plastique. Ses vêtements étaient en désordre, mais une expression de défi se lisait sur son visage.

Ils se trouvaient dans une petite pièce plus ou moins carrée aux murs et au plafond peints en blanc mais sales, avec un sol de dalles. Hormis les deux chaises qu'ils occupaient, elle était quasiment vide. Une courte volée de marches menait à une épaisse porte en bois faisant directement face à l'endroit où ils étaient assis.

Bronson regarda Angela, dont les yeux étaient à présent rivés sur cette porte. Elle venait juste de grincer en s'ouvrant pour révéler un couloir blanc à l'étage au-dessus. Ils entendirent un murmure de voix, puis le bruit de pas qui approchaient.

Quelques instants plus tard, deux hommes à la peau brune portant des djellabas descendirent l'escalier et s'arrêtèrent devant Bronson.

Il leva les yeux vers eux, s'employant à mémoriser leurs visages. L'un était banal – teint mat, cheveux noirs, yeux marron, avec des traits réguliers. Quant à l'autre, Bronson sut aussitôt qu'il ne l'oublierait jamais. La joue droite pendait légèrement, tordant sa large bouche, lui donnant presque la forme d'un S. Son œil droit était aveugle, d'un blanc laiteux, d'autant plus hideux sur sa peau foncée. L'homme dépassait son compagnon de plus d'une tête et il se dégageait de lui une impression de confiance et de maîtrise de soi. D'instinct, Bronson comprit qu'il devait s'agir du chef de la bande.

— Vous êtes Christopher Bronson, dit l'homme au visage paralysé d'une voix calme et mesurée.

Ce n'était pas une question, mais Bronson hocha la tête.

Le borgne se tourna vers Angela.

— Et vous êtes Angela Lewis, l'ex-Mme Bronson, poursuivit-il dans un anglais parfait mais teinté d'un fort accent.

— Ce sont des amis à toi, Chris ? demanda Angela d'une voix tendue.

— Absolument pas, rétorqua Bronson sans cesser de fixer l'homme debout devant lui.

Il réfléchissait à toute allure. Comment, se demandait-il, cet inconnu – qu'il n'avait jamais vu auparavant, il en était certain – en savait-il autant sur eux ? Son nom, oui. Il n'était pas difficile à trouver à partir du registre de l'hôtel ou même des fichiers de la compagnie aérienne, et il avait pu découvrir celui d'Angela à partir des mêmes sources, mais comment pouvait-il savoir qu'elle était son ex-femme ?

— Qui êtes-vous et que voulez-vous ? demanda-t-il.

L'inconnu ne répondit pas, mais adressa un signe de tête à son acolyte qui se dirigea vers un angle de la cave pour y prendre une chaise pliante. Il la posa près des marches en pierre et resta debout tandis que son patron s'asseyait.

— Il est temps que nous parlions. Vous avez quelque chose qui m'appartient.

— Je ne crois pas, non, répondit Bronson. Et quelle serait, au juste, cette chose dont vous parlez ?

L'œil valide le fixa pendant plusieurs secondes.

— L'idée, c'est que je pose les questions et que vous me donnez les réponses que je désire entendre.

Le chef se tourna pour adresser un signe à l'autre, toujours debout à ses côtés.

Sans se presser, l'homme s'avança, s'arrêta devant Bronson et le frappa au ventre.

Le coup avait été violent. Bronson en eut le souffle coupé.

— Enfoiré ! s'écria Angela. Ne le touchez pas !

— Ahmed, dit doucement le borgne.

Ahmed se dirigea vers Angela, se planta devant elle et la gifla violemment.

Le choc la déséquilibra. La chaise vacilla un instant sur deux pieds, puis bascula en arrière.

Ahmed la rattrapa par le dossier et la redressa. Sans un seul regard pour Angela, il retourna se poster derrière son chef.

— À présent, nous allons reprendre. Je disais donc que vous détenez sans doute quelque chose qui m'appartient, dit l'homme de haute taille d'un ton calme et modéré.

Il regarda Bronson.

— Nous commencerons par vous, je pense.

Un autre geste à l'intention d'Ahmed pour qu'il aille se placer à côté de Bronson.

— Une petite tablette en argile m'a été volée. Est-ce que vous l'avez ?

— Vous parlez de la tablette que Margaret O'Connor a trouvée dans le souk ? articula Bronson, le souffle encore court.

L'homme hocha la tête.

— Nous ignorons où elle se trouve, dit Bronson. Je pensais que vous l'aviez récupérée quand vos hommes ont provoqué l'accident et envoyé leur voiture dans le décor.

— Excellent, Bronson. Vous avez au moins réussi à découvrir cela. Non, nous ne l'avons pas trouvée dans la voiture et la police ne l'a pas non plus trouvée parmi les débris.

— Comment le savez-vous ?

— J'ai mes sources.

— Alors, pourquoi supposer que c'est nous qui l'avons ?

— Parce que vous avez eu affaire à la fille et à son mari. Il paraît évident que si les O'Connor ne se sont pas débarrassés de la tablette – une éventualité que je me refuse à envisager –, ils sont les seuls qui puissent la détenir.

— Comment ? demanda simplement Bronson. Comment les O'Connor auraient-ils pu la leur transmettre ?

Un signe, et Ahmed abattit son poing sur le côté gauche du visage de Bronson.

— Vous n'apprenez pas vite, Bronson. Je pose les questions, vous vous souvenez? Maintenant, essayons encore. Est-ce que la fille a la tablette?

Bronson cracha du sang par terre.

— Non, elle ne l'a pas, grommela-t-il. Et son mari non plus. Vous cherchez au mauvais endroit.

Pendant quelques secondes, l'homme garda le silence, mesurant du regard ses deux captifs.

— Pourquoi est-ce que je ne vous crois pas? murmura-t-il. Je pense qu'il est temps de poser la question à votre ex-épouse.

— Elle n'a rien à voir là-dedans, s'empressa de dire Bronson, affolé. Elle n'a même jamais rencontré la fille des O'Connor.

— Je sais. Je ne pense pas non plus qu'elle sache quoi que ce soit à propos de la tablette. Mais je crois que tenter gentiment de *la* persuader pourrait *vous* rafraîchir la mémoire. Ahmed aime vraiment beaucoup ces choses-là.

— Ne la touchez pas! rugit Bronson.

Ahmed sortit un cran d'arrêt de sa djellaba et appuya sur le bouton pour faire jaillir la lame. Puis il fouilla dans une autre poche d'où il sortit une petite pierre grise. S'adossant avec désinvolture contre le mur, il commença à aiguiser la lame, chaque passage sur la pierre produisant un sinistre crissement. Au bout d'un moment, il testa le tranchant avec son pouce et hocha la tête avec satisfaction.

— Tue-la, ordonna l'homme tandis qu'Ahmed se dirigeait vers Angela. Mais prends ton temps. Taillade-la juste un peu pour commencer. D'abord les joues et le front.

Angela ne dit rien, mais Bronson pouvait voir la terreur sur son visage, et l'effort qu'elle faisait pour la cacher.

— Vous voyez, Bronson, dit l'homme au visage paralysé, sur le ton de la conversation, J'ai toujours pensé que ma tablette d'argile faisait partie d'un lot. Peut-être êtes-vous parvenu à la même conclusion ? J'ai une théorie. Je pense que les tablettes – l'ensemble complet de ces tablettes – révèlent l'endroit où se trouve le Rouleau d'argent, et peut-être même l'Alliance Mosaïque, bien que ce soit un peu moins probable. Ces deux trésors valent la peine qu'on se batte pour eux, qu'on aille même jusqu'au meurtre, donc vous pouvez comprendre pourquoi je tiens à récupérer cette tablette.

Bronson tirait désespérément sur les câbles qui le retenaient à la chaise.

— Mais je n'ai pas cette foutue tablette. Vous entendez ce que je dis ? JE N'AI PAS CETTE FOUTUE TABLETTE ! Et aucun de nous deux ne sait où elle se trouve.

— Nous verrons, dit l'autre, tournant légèrement sa chaise pour faire face à Angela afin de mieux profiter du travail de son homme de main.

— Ne faites pas ça, implora Bronson. Je vous en prie.

— Cela ne sera pas trop long. Et plus vite nous commencerons, plus vite ce sera terminé… pour elle.

Ahmed se tenait près de la chaise d'Angela, lui caressant doucement la joue, un léger sourire aux lèvres.

Les yeux d'Angela étaient exorbités, et elle suffoquait tandis qu'elle se débattait en vain contre ses liens.

— Attends, dit le chef alors qu'Ahmed commençait à diriger le couteau vers son visage. Bâillonne-la d'abord, pour le bruit.

Ahmed hocha la tête, ferma le cran d'arrêt et sortit un rouleau de gros ruban adhésif noir de sa poche. Il en coupa un morceau de plusieurs centimètres avant de se placer derrière Angela.

— Laisse le nez libre. Ce serait dommage qu'elle s'étouffe.

Ahmed s'assura du bon positionnement du bâillon, puis s'écarta de la chaise et ouvrit à nouveau son cran d'arrêt.

— S'il vous plaît, arrêtez, supplia Bronson.
— C'est trop tard maintenant.
Le borgne fit signe à Ahmed.
— Vas-y.

# 39

— Vous avez du nouveau ? demanda Eli Nahman en entrant dans la salle de l'immeuble officiel à Jérusalem.

Yosef Ben Halevi le suivait de près.

— Oui, dit Levi Barak en indiquant aux deux universitaires des sièges autour de la table. Grâce à l'un de nos agents au Maroc, nous avons à présent de nouvelles informations sur cette relique. Mais nous ne savons toujours pas où elle se trouve. Nous pensons que les Anglais l'ont fait expédier à leur domicile.

— Pouvez-vous envoyer quelqu'un vérifier ? demanda Nahman.

Barak secoua la tête.

— C'est inutile. Nos hommes à Londres ont déjà commencé à enquêter.

— Et ?

— Et nous ne sommes pas les seuls à la chercher.

Nahman interrogea Ben Halevi du regard.

— Qui ? demanda-t-il.

— Il y avait deux adresses évidentes en Grande-Bretagne, commença Barak sans répondre directement à sa question. La maison des O'Connor et celle de leur fille et de leur beau-fils. Les deux se trouvent dans la ville de Canterbury, dans le Kent, au sud-est de l'Angleterre. Nous avons envoyé des observateurs sur les deux propriétés. Hier, l'équipe couvrant la maison des parents a vu arriver leur fille en voiture. Environ dix minutes plus tard un inconnu a été repéré sur les lieux. Ils ne l'ont pas vu venir parce qu'il est passé par-derrière, à travers un terrain vague. Ils ont pris plusieurs photos de l'individu.

Barak leur donna deux clichés. Pris au téléobjectif, ils montraient un homme brun à la peau mate se tenant près d'une maison.

— Il a forcé la porte de la cuisine avec un pied-de-biche, poursuivit Barak. Manifestement, il croyait que la demeure était vide. Quelques minutes plus tard, il est ressorti en courant, repartant par le même chemin à travers le jardin et le terrain vague.

« Dans les instants suivants, une voisine est à son tour entrée dans la maison – peut-être avait-elle vu la voiture de la fille garée dans l'allée – et elle en est aussitôt ressortie en hurlant. Des voitures de police et une ambulance sont arrivées, et nous savons maintenant que Kirsty Philips, la fille des O'Connor, a été tuée, probablement par cet intrus.

— Qui est-il ? demanda Nahman.

— Nous l'ignorons, répliqua Barak. Nous avons demandé de l'aide à tous les services de renseignements avec lesquels nous collaborons, mais je ne m'attends pas à ce que cet individu soit dans leurs bases de données. Nous pensons qu'il est probablement membre d'un gang marocain.

— A-t-il eu la tablette ?

— C'est peu probable. Nos observateurs sont toujours sur place, et ce même homme a encore été repéré dans le voisinage. Bien sûr, il ne s'approche pas de la maison à cause de la présence de la police. De toute évidence, s'il avait mis la main sur la tablette, il serait déjà loin.

— Alors où se trouve-t-elle ? demanda Ben Halevi.

Barak haussa les épaules.

— Nous l'ignorons. Peut-être encore dans le circuit postal, ou peut-être entre les mains des policiers britanniques. Si c'est le cas, nous le saurons dès aujourd'hui par l'un de nos contacts.

— Et si ce n'est pas le cas ?

— Quand cet homme...

Barak désigna les photos sur la table.

— ... réapparaîtra après le départ de la police, notre équipe de surveillance le capturera pour l'interroger.

Une expression de dégoût traversa le visage de Nahman.

— Je n'ai pas été consulté pour une quelconque action de ce genre.

Barak secoua la tête.

— Je suis navré, Eli, mais cette affaire se situe maintenant au plus haut niveau. Je vous ai demandé de venir pour vous tenir informé par pure courtoisie, mais je reçois à présent mes ordres directement du patron du Mossad. Trouver cette tablette est désormais ma priorité absolue. Toute autre considération est secondaire, et il n'y a pas de limites fixées aux dommages collatéraux. Cela signifie que nous ne tolérerons aucune tentative visant à nous empêcher d'obtenir cette relique.

Le visage de Nahman reflétait son état de choc.

— Dieu du ciel, murmura-t-il. Est-ce vraiment nécessaire ?

Barak hocha la tête et planta son regard sur les deux hommes.

— Si vos analyses des fragments reconstitués sont justes, ces quatre tablettes pourraient nous conduire à l'ultime clé de la souveraineté juive. Nous ferons tout ce qui est nécessaire pour récupérer cette relique.

# 40

Ahmed empoigna les cheveux d'Angela et lui tira la tête en arrière. Il promena la lame du couteau à cran d'arrêt sur ses joues, l'une après l'autre, prenant plaisir à s'amuser avec elle. La pointe froide du métal laissait un éphémère sillon blanc sur sa peau légèrement hâlée, une marque qui devenait vite invisible après le passage de la lame.

— Quel côté en premier ? murmura-t-il en se penchant tout près de son oreille. C'est ton visage, alors à toi de choisir.

Les yeux exorbités, Angela laissa échapper un cri étouffé par l'adhésif scotché sur ses lèvres. Bronson n'avait jamais vu une telle expression de terreur sur un visage humain.

— Je vous dirai tout ce que je sais, dit-il, désespéré.

— Dites-moi où se trouve la tablette, rétorqua le borgne, sa voix atteignant presque le niveau d'un hurlement à la fin de la phrase.

— Je n'en sais rien, dit Bronson d'un ton amer. Et, quoi que vous me fassiez, ou que vous fassiez à Angela, cela n'y changera rien.

— Alors, elle mourra ici, et vous aussi. Termine le travail, Ahmed.

À cet instant, un bruit retentit à l'étage. L'homme au visage paralysé grimaça d'un air contrarié. Il se leva. Ahmed se figea, sa lame posée sur la joue gauche d'Angela.

Bronson fixait la porte. Il entendit un autre bruit, des éclats de voix et le martèlement de chaussures sur le béton.

Le borgne éructa quelque chose en arabe, la voix chargée d'une évidente irritation.

— Attends que je revienne, ordonna-t-il à Ahmed avant de s'engager dans l'escalier.

Pendant deux ou trois minutes, seul leur parvint un vacarme confus, des cris de peur ou peut-être de colère, une série de claquements étouffés avant que le silence ne retombe. Les yeux rivés à l'escalier, Bronson vit deux pieds et le bas d'une djellaba. La peur l'assaillit. Le borgne revenait et cette fois plus rien ne l'arrêterait.

Mais lorsque la silhouette apparut, Bronson haussa les sourcils. L'homme tenait devant lui un grand morceau de carton qui cachait complètement son visage et le haut de son corps.

Bronson jeta un regard à Ahmed, qui avait l'air tout aussi perplexe.

— Yacoub ? s'enquit Ahmed.

La réponse et ce qui se passa ensuite étaient inattendus.

— Non, dit le nouveau venu avant de lâcher le carton.

Immédiatement, Bronson reconnut les traits familiers de Jalal Talabani. La mine sinistre, celui-ci braquait un pistolet.

Ahmed poussa un juron et dirigea le cran d'arrêt vers la gorge d'Angela au moment même où Talabani appuyait sur la détente. Le semi-automatique était équipé d'un silencieux. La détonation fit à peine plus de bruit qu'une porte qui claque. La fente glissa en arrière, éjectant une douille en cuivre. Talabani tira encore deux fois.

De l'autre côté de la cave, Ahmed porta les mains à sa poitrine et tituba en arrière, le couteau lui échappant. Tandis qu'il s'effondrait contre le mur, un jet de sang arrosa le sol en arc de cercle.

Talabani alla aussitôt lui tâter le cou puis il se redressa, glissant le pistolet dans le holster sous sa djellaba. Il se pencha à nouveau, ramassa le cran d'arrêt et se dirigea vers Bronson.

— Bon sang, Jalal, comme je suis content de vous voir, souffla celui-ci.

— Vous avez eu de la chance, mon ami, dit l'officier de police marocain tout en coupant les liens qui le maintenaient ligoté à la chaise.

— Donnez, dit Bronson en lui prenant le couteau des mains.

Il alla libérer Angela, lui retirant avec délicatesse le bâillon du visage.

— Dieu soit loué, sanglota-t-elle en se jetant dans ses bras.

Bronson se tourna vers Jalal.

— Comment êtes-vous parvenu jusqu'ici ? Et où sont vos hommes ?

— Quelqu'un a téléphoné pour nous rapporter votre enlèvement en pleine rue. Ce témoin a réussi à noter le numéro du van. Nous l'avons immédiatement diffusé, et des équipes ont patrouillé toute la nuit pour le retrouver. En passant devant cette maison – nous sommes dans les faubourgs de Rabat –, je l'ai vu garé dehors. J'ai appelé des renforts, bien sûr, mais j'ai décidé de ne pas les attendre. Il n'y avait que deux hommes en haut, et je me suis débrouillé pour les neutraliser, ainsi que le grand type borgne – un certain Yacoub bien connu de nos services – quand il est monté voir ce qui se passait. Vous connaissez la suite.

Bronson secoua la tête.

— Vous avez pris la bonne décision, ce salaud était sur le point de taillader Angela.

Elle frémit à ces paroles.

— Sortons d'ici, murmura-t-elle, le visage barbouillé de larmes.

— Il vaut mieux que vous partiez, mon ami, approuva Talabani. Cet endroit va bientôt grouiller d'officiers de police, et je suis sûr qu'aucun de vous deux ne tient à être mêlé à un tel cirque. Si vous preniez ma voiture ?

Il sortit un jeu de clés de sa poche.

— Rentrez à votre hôtel. Je pourrai toujours recueillir votre témoignage plus tard.

— Cela ne vous causera pas d'ennuis, Jalal ?

— Rien que je ne puisse gérer. Allez-y.

— Viens, Angela, dit Bronson. Nous partons. Merci, Jalal. J'ai une sacrée dette envers vous.

Ils gravirent les marches menant hors de la cave, Angela s'accrochant toujours à Bronson, et traversèrent le hall vers la porte grande ouverte de la propriété. Angela frissonna à la vue des deux silhouettes immobiles sur le sol et de leurs djellabas maculées de sang. Elle les enjamba avec précaution, essayant d'éviter tout contact avec les corps. Bronson jeta un coup d'œil par la porte ouverte d'une pièce adjacente pour découvrir une autre silhouette gisant par terre. Talabani n'avait pas fait de quartier.

Dehors, le jour venait de se lever. Angela s'arrêta et inspira plusieurs bouffées d'air frais. Soudain, elle hoqueta et vomit sur le sol poussiéreux.

— Quel cauchemar, murmura-t-elle en sortant un paquet de mouchoirs en papier de sa poche pour s'essuyer la bouche.

Deux minutes plus tard, Bronson lançait la Renault de Talabani vers le centre de Rabat. À ses côtés, Angela tremblait encore.

Sur le seuil de la porte, Jalal Talabani regarda sa voiture disparaître au coin de la rue, puis rentra. Il traversa le hall, enjambant les deux cadavres, et pénétra dans la pièce adjacente.

Un homme gisait en travers de deux gros coussins contre le mur du fond. Une large tache rouge sombre s'étalait sur le devant de sa robe.

— Ils sont partis, annonça Talabani. C'est ce que vous vouliez, n'est-ce pas ?

L'homme au visage paralysé se redressa et s'adossa confortablement au mur. Il dévisagea Talabani et hocha la tête.

— C'est exactement ce que je voulais. Les deux types ne t'ont pas posé de problème ?

Talabani secoua la tête.

— Ils ont bien tenté de dégainer quand je suis entré, mais ils étaient beaucoup trop lents. Pourquoi vouliez-vous que je les tue ? Et Ahmed aussi ?

Yacoub se leva.

— Pour convaincre Bronson. Lewis et lui doivent être absolument persuadés de ma mort. C'est seulement à cette condition qu'ils se sentiront suffisamment en sécurité pour suivre la piste qui les mènera aux reliques. Ahmed et les autres n'étaient pas irremplaçables.

— Et maintenant ?

— Mes hommes sont déjà en position. Ils suivront Bronson et Lewis, et quand ils trouveront ce que je cherche, je serai là. Ensuite, je les tuerai.

# 41

Bronson régla la facture des deux chambres à la réception, mit leurs bagages dans la voiture de location avant de prendre la route de Casablanca et de son aéroport. Ils venaient à peine de quitter les faubourgs de la ville quand son portable sonna.

— Tu veux que je réponde ? proposa Angela tandis qu'il cherchait son appareil dans sa poche.

Il avait insisté pour qu'elle prenne un cognac à l'hôtel, et il était surpris de la vitesse à laquelle elle semblait avoir récupéré de son épreuve.

— Non, merci. C'est probablement le boulot.

Il s'arrêta sur la bande d'arrêt d'urgence dès qu'il le put, puis répondit à l'appel.

— Ah, j'arrive enfin à vous joindre.

C'était Byrd.

— Prenez le premier vol disponible. Il y a du nouveau ici.

— En Angleterre ? demanda Bronson.

— Kirsty Philips a été retrouvée morte – assassinée, en fait – dans la maison de ses parents à Canterbury.

— Mon Dieu, c'est horrible. Et son mari ?

— Il est effondré. J'ai mis une équipe sur le meurtre, mais j'ai besoin que vous collaboriez avec eux, juste au cas où il y aurait un lien quelconque entre sa mort et ce qui est arrivé à ses parents au Maroc. Quand pouvez-vous être ici ?

Bronson regarda sa montre.

— Je suis en route pour l'aéroport, mais je doute de pouvoir être à Londres avant le début de soirée. Voulez-vous que je passe au commissariat demain matin, ou que j'aille directement sur la scène de crime ?

— Autant aller directement sur place vous présenter à l'inspecteur Dave Robbins. C'est lui qui s'occupe de l'affaire. Les services scientifiques y seront probablement. Je vous enverrai l'adresse par texto. Venez me voir demain après-midi.

Byrd marqua une pause.

— Chris, ça va ? Vous avez l'air un peu tendu.

— J'ai passé une nuit assez traumatisante. Je vous raconterai.

Bronson ferma le téléphone et se tourna vers Angela.

— C'était mon patron, dit-il, la mine sombre. Les nouvelles ne sont pas bonnes. Kirsty Philips a été assassinée.

— Oh, mon Dieu ! C'est sûrement lié à la tablette, n'est-ce pas ?

Bronson démarra et reprit la route.

— Oui. Et nous savons tous les deux que ceux qui la veulent sont prêts à tout.

Il s'interrompit un instant.

— Que vas-tu faire ? reprit-il. Je ne pense pas que tu sois en danger maintenant que le grand type – celui que Talabani appelait Yacoub – est mort. Mais tu peux t'installer chez moi si tu as peur de rester seule dans ton appartement.

Angela le regarda un long moment, puis elle soupira, écartant une mèche de cheveux de ses yeux.

— Merci, j'aimerais bien, dit-elle simplement. Mais, tu sais, je n'en ai pas encore tout à fait terminé avec cette histoire. Quand sa brute était prête à me découper en lamelles, ce Yacoub a dit quelque chose que je ne peux pas oublier. Selon lui, l'inscription sur les tablettes pouvait indiquer l'endroit où se trouvent le Rouleau d'argent et l'Alliance Mosaïque.

— Tu en es sûre ?

— Crois-moi, Chris, je me rappelle chaque seconde que j'ai passée dans cette cave, et toutes les paroles qui ont été dites.

— Je n'ai jamais entendu parler d'un Rouleau d'argent, dit Bronson. Et c'est quoi, l'Alliance Mosaïque ?

— OK. En 1952, des archéologues travaillant à Qumrān découvrirent un rouleau en cuivre, ce qui était assez inhabituel. Ce qui le rendait vraiment extraordinaire, c'était que, contrairement à presque tous les autres manuscrits de la mer Morte qui contenaient des textes religieux, le « Rouleau de cuivre » se révéla être simplement une liste de trésors cachés. Mais les indications d'emplacement n'avaient aucun sens – elles étaient trop vagues. Une inscription se référait toutefois à un deuxième manuscrit caché ailleurs, un manuscrit donnant plus de détails sur les endroits où se trouvaient les trésors. Ce document – que personne n'a trouvé pour l'instant – est connu sous le nom de « Rouleau d'argent ».

— Et l'Alliance Mosaïque ?

— Le mot « mosaïque », avec un « m » minuscule, a différentes significations, même si elles comportent toutes l'idée d'une multiplicité de couleurs ou de composants. Mais quand on épelle le mot avec une lettre capitale, « Mosaïque », il n'a qu'un seul sens qui est : « relatif à Moïse ».

— Comme « Moïse » dans « Moïse et les dix commandements », tu veux dire ?

— Exactement. Le prophète Moïse, l'auteur de la Torah et le chef des Hébreux. Ce Moïse-là.

— Et l'Alliance ? Tu ne parles pas des dix commandements ?

Angela hocha lentement la tête.

— C'est exactement ce que signifie l'Alliance Mosaïque. En fait, il faut oublier l'Arche d'Alliance. C'était juste une boîte en bois recouverte de feuilles d'or utilisée pour transporter l'Alliance. L'Arche est probablement réduite à l'état de poussière depuis des siècles. Mais ceci est un possible indice du lieu où se trouve l'Alliance elle-même – les tables que l'Arche abritait.

— Tu ne peux pas être sérieuse, Angela. Existe-t-il la moindre preuve crédible que Moïse ait seulement existé ?

— Nous avons déjà eu cette discussion, Chris, répondit-elle avec un léger sourire. Et tu connais mon opinion. Comme pour Jésus, il n'y a pas de preuves matérielles de l'existence de Moïse mais, contrairement à Jésus, il y est fait référence dans plusieurs textes anciens, et il a donc plus de crédibilité pour cette seule raison. Il est mentionné dans de nombreux écrits d'historiens grecs et romains, ainsi que dans la Torah, et même dans le Coran.

« Mais la réalité historique de Moïse n'est pas le problème. Si ce Yacoub avait raison, les gens qui ont caché la relique et préparé les tablettes il y a deux mille ans *croyaient* être en possession de quelque chose ayant appartenu à Moïse. Cela signifie que déjà à l'époque cette relique était ancienne. Et disons qu'une table en pierre qui aurait bien plus de deux millénaires serait une découverte archéologique extrêmement importante.

— Donc, tu vas te mettre à sa recherche ?

— Oui. Je ne peux pas laisser passer une telle chance. C'est le genre d'occasion qui ne se présente pas deux fois dans une vie.

Bronson la regarda. Son visage n'était plus pâle du tout et ses beaux yeux noisette brillaient d'excitation.

— Malgré tout ce que tu as traversé aujourd'hui ? Tu as failli être tuée dans cette cave.

— Inutile de me le rappeler. Mais Yacoub est mort et son gang doit avoir d'autres priorités que de nous pourchasser pour tenter de récupérer cette tablette. De toute façon, nous aurons quitté le pays dans quelques heures et je ne crois pas que le Rouleau d'argent ou l'Alliance Mosaïque se trouvent au Maroc. La référence à Qumrān est assez claire, et j'ai le sentiment que – quoi qu'aient caché les gens qui ont fabriqué ces tablettes – elles sont enterrées en Judée ou quelque part dans cette région. La tablette d'argile que les O'Connor ont trouvée devrait nous donner des indications.

Bronson hocha la tête.

— Très bien, mais je crains que tu ne doives poursuivre l'enquête seule. Je dois rentrer à Maidstone pour rédiger mon rapport et je vais sûrement devoir travailler sur le meurtre de Kirsty Philips. Dickie Byrd accepterait mal que je doive subitement partir pour Israël. Tu es sûre que cela vaut le coup de continuer ?

Angela le dévisagea.

— Absolument, répondit-elle.

Elle ouvrit son sac à main et en sortit quelques feuilles de papier pliées qu'elle se mit à consulter.

— C'est le texte araméen ? demanda-t-il.

Angela hocha la tête.

— Oui. Je n'arrive toujours pas à comprendre comment fonctionnait le système de codage. J'étais tellement sûre qu'il s'agissait d'un ensemble de quatre tablettes, mais la position de ces deux mots araméens « Ir-Tzadok » et « B'Succaca » détruit cette hypothèse.

Bronson regarda les feuilles, puis de nouveau la route.

— Rappelle-moi comment tu penses qu'ils ont préparé les tablettes, suggéra-t-il.

— On en a déjà parlé, Chris.

— Fais-moi plaisir. Dis-le-moi encore.

Patiemment, Angela exposa sa théorie : le trait diagonal qu'elle avait observé sur chacune des tablettes signifiait qu'elles provenaient à l'origine d'une seule plaque d'argile qui avait été ensuite coupée en quatre quartiers, chaque trait diagonal constituant une partie d'une croix taillée au centre de la plaque pour indiquer la position originelle de ces quartiers.

— On a donc quatre tablettes couvertes d'une écriture araméenne qui se lit toujours de droite à gauche, mais d'autre part « Ir-Tzadok » et « B'Succaca » n'apparaissent dans le bon ordre que si on les lit à l'envers, de gauche à droite ?

— Exactement, confirma Angela. C'est pourquoi j'ai dû me tromper. La seule chose sensée est que les tablettes doivent se lire l'une après l'autre de droite à gauche. Mais si c'est le cas, alors à quoi les traits diagonaux servent-ils ?

Bronson garda le silence un moment, les yeux fixés sur la route, réfléchissant. Puis il sourit, avant d'éclater franchement de rire.

— Quoi ? demanda Angela, agacée.

— Ça crève les yeux, dit-il. Il y a une manière simple de positionner les tablettes en carré, comme tu l'as suggéré, et de continuer à lire ces deux mots dans le bon sens. En fait, c'est tellement évident que je suis étonné que cela t'ait échappé.

Angela regarda la feuille entre ses mains et secoua la tête. Puis elle regarda Bronson.

— OK, Einstein, dis-moi tout.

# 42

Angela disposa ses notes sur la table et se pencha en avant pour jeter un œil à ce qu'elle venait d'écrire. Elle et Bronson se trouvaient dans la salle des départs de l'aéroport Mohammed-V, à attendre que leur vol pour Londres soit annoncé.

— D'après moi, ta solution au puzzle des tablettes d'argile doit être la bonne. J'ai rédigé tout ce que nous avons déchiffré, mais dans l'ordre que tu as suggéré, et ça semble avoir davantage de sens, à présent. Je regrette simplement que nous n'ayons pas eu de meilleures photos du musée du Caire et des tablettes des O'Connor : si nous pouvions lire un peu plus de mots des inscriptions de ces deux documents, ça nous serait d'une aide précieuse.

Elle baissa de nouveau les yeux sur les papiers disposés devant elle. L'idée émise par Bronson était d'une telle simplicité qu'elle aussi était très étonnée de ne pas l'avoir eue elle-même.

L'araméen, avait-il suggéré, était écrit de la droite vers la gauche, et ils étaient, en gros, tombés d'accord sur le fait qu'il y avait eu, à l'origine, quatre tablettes, formant un carré. Alors pourquoi ne pas lire le texte, comme Bronson l'avait suggéré, en commençant par le premier mot situé le plus à droite de la ligne du haut sur la tablette de droite – tablette que, bien évidemment, ils n'avaient pas –, puis lire le mot dans la même position sur la tablette en haut à gauche du carré ? Il ne leur restait plus qu'à lire le mot au bas, à gauche, puis au bas à droite avant de revenir en haut à droite, et ainsi de suite, en progressant dans le sens contraire des aiguilles d'une montre. Cela signifiait au moins que les mots *Ir-Tzadok* et *B'Succaca* étaient lus dans le bon ordre.

Mais, même en suivant cette technique, le résultat n'était pas totalement cohérent. Cela formait simplement des phrases très courtes et décousues, jusqu'à ce qu'ils tentent de lire un mot de chaque ligne suivi du mot situé sur la ligne directement en dessous, au lieu de lire le mot suivant situé sur la même ligne. Là, et seulement là, ça commençait à faire sens.

Ce qu'ils pouvaient désormais lire était ceci :

---- *par* ---- *ben* ---- ---- *accomplit la*
---- *tâche* ---- ---- ---- *achevée* ----
---- ---- *désormais* ---- ---- ---- *dernier*
---- *le* ---- *rouleau* ---- ---- *retiré* ----
---- ---- *a* ---- ---- ---- *grotte* ----
---- ---- *endroit* ---- ---- ---- *de* ----
---- ---- *communauté* ---- ---- *Ir-Tzadok*
*B'Succaca* ---- *rouleau* ---- *argent* ---- ----
---- *nous* ---- ---- ---- *citerne* ---- ----
*endroit de* ---- *fin* ---- *temps* ---- *les tablettes*
---- *temple* ---- *Jérusalem* ---- ---- ---- *le*
---- ---- ---- *dissimulé* ---- ---- ---- *de*
---- ---- ---- *un* ---- ---- ---- *quatre*
*pierres* ---- *le* ---- *côté* ---- *un* ---- *de* ----
---- ---- *hauteur* ---- ---- *coudée de* ----
---- ---- *dans* ---- ---- *de notre* ---- ----
*et* ---- *désormais* ---- ---- ---- *nous* ----
---- ---- *notre* ---- ---- ---- *envahisseurs*
---- *notre* ----

— As-tu essayé de remplir les blancs ? demanda Bronson.

— Oui, acquiesça Angela. Ce n'est pas aussi simple que tu peux le penser, car on peut aisément faire dire au texte ce qu'on aimerait qu'il exprime. J'ai essayé, en effet, et quelques mots manquants paraissent vraiment évidents, comme pour la fin de la première ligne. Le mot « envahisseurs » semble en revanche différent du reste de l'inscription. Selon moi, c'est probablement une déclaration d'ordre politique, quelque chose comme « notre lutte contre les envahisseurs de notre territoire ». Sans aucun doute, cela pourrait être une explication de leur opposition aux Romains, qui occupaient toute la Judée durant le $I^{er}$ siècle après Jésus-Christ. Le reste de l'inscription est plus difficile à comprendre, mais il existe deux ou trois trucs dont nous pouvons être certains. Ces tablettes font bel et bien référence à Qumrān : les mots « Ir-Tzadok B'Succaca » sont là pour le confirmer. Et dans la même phrase, ou probablement au début de la phrase suivante, je suis presque certaine que ces trois mots signifient le « Rouleau d'argent ». Et, pour ne rien de te cacher, c'est ce qui m'excite le plus. Le seul hic, c'est que si l'auteur de ce texte possédait le rouleau et qu'il l'a ensuite caché quelque part, probablement dans une citerne, comme je l'espère, nous ne savons toujours pas par où commencer, excepté à Qumrān, bien évidemment. Et, bien sûr, le pays était rempli de puits et de réservoirs à cette période. Chaque lieu habitable, qu'il s'agisse d'une maison isolée, d'un village ou encore d'une ville, était censé disposer d'une source d'eau potable proche. J'ignore combien il y avait de citernes dans la Judée du $I^{er}$ siècle, mais je pense que le nombre devait approcher le millier, peut-être même la dizaine de milliers.

Elle consulta à nouveau le texte et examina les quelques mots qu'ils étaient parvenus à déchiffrer. Si seulement ils pouvaient trouver encore un ou deux mots manquants, peut-être auraient-ils alors une vague idée d'où commencer à chercher.

Comme en écho aux pensées d'Angela, Bronson posa une question :

— En admettant que le musée t'autorise à te rendre en Israël, où commencerais-tu à fouiller ?

Angela soupira et se frotta les yeux.

— Je n'en ai pas la moindre idée. Mais la référence que nous avons réussi à décoder est le premier indice tangible pour comprendre une relique dont on suppose l'existence depuis plus de cinquante ans. Si tu prends les archéologues que j'ai eu l'occasion d'approcher, tu en trouveras la moitié qui ont passé du temps à chercher le Rouleau d'argent, et l'autre moitié qui ont écarté le sujet, en prétendant qu'il s'agissait d'un mythe. Mais la tablette d'argile des O'Connor date de façon quasiment certaine de la même époque que la relique et selon moi, la référence constitue une preuve suffisante pour que nous cherchions plus loin. Et puis, il y a quelque chose d'autre.

— Quoi ?

— Je ne suis pas vraiment une experte en Israël ou en histoire juive. Il va donc me falloir l'aide d'un spécialiste dans le domaine. Quelqu'un qui parle l'hébreu. Quelqu'un qui connaisse le pays et son histoire.

— Tu as une personne en tête ?

Angela hocha la tête et sourit.

— Et comment ! Je sais parfaitement à qui m'adresser. Et il se trouve que cette personne est actuellement basée en Israël, à Jérusalem pour être tout à fait précise. On peut donc dire qu'il se trouve au bon endroit.

# 43

Bronson se sentait vidé. Il avait l'impression d'avoir passé tous ses derniers jours assis dans un avion, et le ciel moite et grisâtre au-dessus de sa tête était bien au rendez-vous pour lui rappeler qu'il était de retour en Angleterre, en franc contraste avec les quelques jours chauds et ensoleillés qu'il venait de passer au Maroc. Il saisit l'adresse que Byrd lui avait envoyée par texto sur le GPS de la voiture et fila vers Canterbury.

En arrivant enfin à la maison, il aperçut deux fourgonnettes de police garées dans l'allée ainsi que deux voitures stationnées sur la route à l'extérieur de la propriété. La porte de devant était légèrement entrouverte, et il passa sous le ruban de la « scène de crime » et pénétra dans le hall.

— Vous êtes Chris Bronson, n'est-ce pas ? (Un homme rougeaud et bien en chair, vêtu d'un costume d'un gris douteux, accueillit Bronson, qui fit un signe de la tête et lui montra sa carte de police.) Ça m'a l'air en règle. Je me présente : Dave Robbins. Suivez-moi dans la salle à manger. On va laisser l'équipe scientifique finir son job dans le salon : nous serons plus tranquilles ici.

« Bon, fit-il, lorsqu'ils s'assirent tous deux à la table à manger, j'ai appris par Dickie Byrd que vous aviez rencontré la victime, c'est bien ça ?

— Je l'ai effectivement rencontrée, elle, accompagnée de son mari, à deux reprises au Maroc, admit Bronson, avant d'expliquer à son interlocuteur ce qu'il était arrivé aux parents de Kirsty Philips.

— Pensez-vous qu'il y ait un lien quelconque entre leurs morts et l'assassinat de Kirsty Philips ? lui demanda Robbins.

Bronson resta silencieux un bon moment avant de répondre. Il était absolument convaincu que ces trois morts étaient bien liées, et que la tablette d'argile manquante se trouvait au cœur du problème, mais il ne voyait pas comment expliquer tout ce qui pourrait aider Robbins à retrouver la trace du tueur de Kirsty.

— Je l'ignore, finit-il par déclarer. À mon avis, si ces meurtres ne sont pas liés, alors c'est une sacrée coïncidence. Mais je ne connais toujours pas le lien qui peut bien exister, ce qu'il lui est vraiment arrivé et comment elle est morte.

Robbins lui expliqua en quelques mots ce que la police avait découvert en arrivant à la maison.

Tout en écoutant, Bronson se remémora la scène quand il s'était trouvé à l'hôtel de Rabat, et à l'impression que lui avait faite Kirsty lorsqu'il l'y avait rencontrée : éclatante et pleine de vie, une vivacité naturelle seulement ternie par la double tragédie qui venait de décimer sa famille. Intellectuellement, il croyait ce que Robbins venait de lui révéler, mais d'un point de vue purement émotionnel, il lui était toujours difficile d'accepter ce qui venait d'arriver.

— Qui a déclenché l'alarme ? demanda-t-il.

— L'une des voisines qui voulait lui présenter ses condoléances pour la perte de ses parents. Elle est entrée par la porte latérale, a vu Kirsty étendue morte sur le sol, traversé la rue en courant et en hurlant jusqu'à sa maison, puis elle a appelé la police. Nous avons déjà cherché mais nous n'avons trouvé personne qui ait vu arriver Kirsty, et deux personnes seulement ont aperçu la voisine courir comme une dératée, en hurlant à la mort.

—Très bien, fit Bronson. J'ignore quel lien il peut bien y avoir avec le Maroc. À mon avis, elle a dû déranger un cambrioleur, l'un de ces tordus qui était au courant de la mort des O'Connor et qui a ciblé la maison des défunts. Et comme elle n'a été frappée qu'une seule fois, on peut penser que ce salaud n'avait pas l'intention de la tuer. S'il pensait que la maison était vide et qu'elle s'est soudain trouvée face à lui, il a dû l'attaquer avec sa pince-monseigneur, en pur réflexe, et l'a frappée trop fort sans vraiment le vouloir. Selon moi, vous êtes face à un crime sans aucun lien apparent.

Robbins acquiesça.

—Ça me semble plausible. Et nous sommes certainement face à une nouvelle affaire impossible à élucider. Les gars du service médico-légal n'ont rien trouvé, à part quelques empreintes appartenant peut-être à l'intrus. Selon toute vraisemblance, le tueur a crocheté la porte puis pénétré à l'intérieur de la maison. Ensuite, il a frappé Kirsty Philips sur le côté du crâne et a foutu le camp. Il y a peut-être une ou deux preuves quelque part, mais si c'est le cas, nous ne les avons pas encore trouvées. Rien ne semble avoir été dérobé ou déplacé d'une manière ou d'une autre. Aucune preuve, aucun témoin, aucun suspect, aucun mobile. Ce qui veut dire en clair : rien de rien.

—Yep, admit Bronson. C'est le pire scénario pour un flic. Si je n'ai plus rien à vous dire qui puisse vous aidez, je crois que je vais m'en aller.

—OK, Chris, merci pour tout, dit Robbins avant de se lever. Laissez la porte ouverte en partant, si ça ne vous dérange pas.

Les deux hommes se serrèrent la main et quittèrent la salle à manger, avant de s'éloigner chacun dans la direction opposée : Robbins se dirigea à droite vers l'arrière de la maison, où l'équipe médico-légale était toujours à l'œuvre, et Bronson vers la gauche. En entrant dans le hall, Chris jeta un œil au tapis devant la porte et vit des enveloppes éparpillées. De toute évidence, le facteur était passé pendant qu'ils discutaient dans la salle à manger, et il avait laissé le courrier directement sur la carpette plutôt que de le glisser dans la boîte aux lettres, tout simplement parce que la porte était encore entrouverte.

— V'là le courrier! s'écria Bronson, avant de se pencher pour le ramasser.

Il remarqua immédiatement le colis : il y avait une bosse à l'une des extrémités d'une grande enveloppe blanche. C'était la plus imposante de toutes les enveloppes et les timbres marocains étaient facilement reconnaissables.

Bronson sut immédiatement ce qui se trouvait dans le paquet et comprit instantanément les desseins du « cambrioleur » dans la maison : il était juste entré par effraction deux jours trop tôt.

Il avait conscience que ça ne se faisait pas, qu'il s'apprêtait à détourner des preuves, ce qui pouvait aisément lui valoir d'être viré des forces de police en une fraction de seconde, mais il le fit quand même. Alors que l'inspecteur Robbins faisait volte-face et avançait vers lui, Bronson se pencha au-dessus du tapis, tendit le bras, saisit le paquet et le glissa dans sa poche de veste de la main gauche. Avec sa main droite, il ramassa le reste du courrier, avant de se redresser et de jeter un œil derrière lui.

Robbins s'approchait, la main tendue. Bronson lui remit le courrier et se retourna pour sortir.

— Typique, marmonna l'inspecteur, en examinant les enveloppes. Rien que de la pub, on dirait. OK, à bientôt, Chris.

En prenant place sur le siège conducteur de sa voiture, Bronson s'aperçut qu'un filet de sueur luisante perlait sur son front et ce, malgré la fraîcheur de l'air ambiant. Pendant quelques secondes, il se demanda s'il ne valait pas mieux rendre le colis, le laisser devant la porte ou peut-être le poser sur le paillasson. Mais il finit par se convaincre que la présence ou l'absence d'une tablette d'argile vieille de deux mille ans sur une scène de crime à Canterbury n'auraient aucun impact sur les chances de Robbins à résoudre le meurtre. Il savait aussi qu'Angela allait être ravie de mettre enfin la main dessus.

Ressentant une montée soudaine d'adrénaline, il tourna la clé de contact et s'éloigna rapidement du lieu du crime.

# 44

— J'ai quelque chose pour toi, déclara Bronson en entrant dans le salon de sa petite maison de Tunbridge Wells.

— Qu'est-ce que c'est? demanda Angela alors qu'il lui tendait le paquet. (Elle examina les timbres exotiques collés sur l'une des extrémités du colis en le faisant tourner dans ses mains.) Hum, ça vient du Maroc, murmura-t-elle, avant d'ouvrir l'enveloppe. (Elle regarda à l'intérieur, secoua l'enveloppe pour en faire tomber un petit objet protégé par du papier bulle qu'elle retira avec précaution.) Mon Dieu, Chris, tu l'as trouvée! s'écria Angela, la voix teintée d'excitation. C'est la tablette manquante!

— J'espère bien, fit remarquer Bronson en s'asseyant face à elle et en scrutant la relique avec curiosité.

C'était beaucoup moins impressionnant que ce à quoi il s'attendait: il s'agissait juste d'un minuscule morceau d'argile cuit, sale et gris-brun, dont l'une des faces était recouverte de caractères et autres gribouillis qui n'avaient aucun sens pour lui.

Angela retira une paire de gants en latex de son sac à main avant d'effleurer la tablette. Puis elle la souleva et l'examina avec précaution, presque avec déférence, les yeux brillants d'excitation.

— Tu avais raison, fit-elle, en lisant l'adresse sur l'enveloppe. C'est bien les O'Connor qui l'ont postée.

— Affirmatif, et je viens tout juste de la chiper sur une scène de crime.

— Et je suis bien contente que tu l'aies fait, du moment que ça ne t'attire pas des problèmes.

— Ça devrait aller, dit Bronson en haussant les épaules. Personne ne m'a vu et les seules personnes au courant de son existence pensent probablement qu'elle se trouve toujours au Maroc. Je suis prêt à parier ma petite retraite que, pour le reste du monde, cet objet a tout simplement disparu. Tant que personne ne sait que nous l'avons en notre possession, je ne pense pas être en danger et ma petite retraite, non plus.

Angela étala une serviette sur la table basse et y déposa délicatement la tablette.

— Ce n'est pas vraiment impressionnant, remarqua Bronson.

— Tu marques un point, répondit-elle. Mais la relique en elle-même n'a pas d'importance. L'important, c'est le sens de l'inscription. (Du bout des ses doigts recouverts de latex, elle détailla les marques incisées à même la tablette, puis releva la tête et regarda son ex-mari.) N'oublie pas le nombre de personnes qui sont mortes. Le détenteur de la tablette, les O'Connor, probablement Kirsty Philips, et même Yacoub et ses hommes de main à Rabat: ce qui a causé leur mort a quelque chose à voir avec ce « piteux » morceau d'argile cuit vieux de deux mille ans.

Bronson hocha la tête.

— C'est vrai que ça sonne différemment avec toutes ces infos. Bon, alors, on en fait quoi?

Angela reposa les yeux sur la tablette.

— Ça pourrait être la plus belle chance de ma carrière, Chris. Si Yacoub disait vrai, cette inscription pourrait nous mener directement à la cachette du Rouleau d'argent et de l'Alliance. S'il existe même la moindre petite chance de découvrir l'une de ces reliques, je suis déterminée à suivre la piste, où qu'elle mène.

— Bon, qu'est-ce que tu comptes faire ? Proposer au musée de monter une expédition ?

— J'en doute, rétorqua fermement Angela. N'oublie pas que je suis toujours une jeunette dans mon service. Si je me pointe et que je dévoile ma découverte à Roger Halliwell, il risque d'être absolument ravi et il me félicitera. Puis il m'écartera gentiment, et au bout de deux semaines l'expédition Halliwell-Baverstock débarquera en Israël pour suivre la trace des reliques perdues. Et même si je me débrouille pour en faire partie, ils ne me laisseront examiner que peu de leurs découvertes.

Bronson sembla quelque peu perplexe.

— Et moi qui croyais que vous étiez tous des frères et des sœurs, dans le monde magique de la science. Que vous vous serriez tous les coudes au nom du progrès et d'une meilleure compréhension de l'histoire humaine.

— Penses-tu ! Dès qu'il y a un parfum de découverte majeure, c'est la règle du chacun pour soi dans la course pour savoir quel nom fera la une des journaux. Toute trace de fraternité s'efface et les événements tournent au combat de chiens et chats. Je le sais. J'en ai été témoin. Je compte juste dire à Roger que je prends des petites vacances direction Israël pour y étudier quelques textes en araméen, et puis c'est tout. (Angela fit un geste en direction de la tablette d'argile disposée sur la table basse face à elle.) Maintenant que nous avons la tablette, cela signifie que nous pouvons lire plus de la moitié du texte original, et ça devrait nous permettre de déchiffrer la totalité de l'inscription. Je suis censée prendre environ une semaine de vacances, et je ne vois pas pourquoi ne pas les prendre en Israël, qu'en penses-tu ?

— Je pense que tu as raison. Mais crois-tu qu'Israël soit le bon endroit pour commencer à chercher ?

— Oui, à cause de la référence à Qumrān. Après ça, qui sait ?

— OK, acquiesça Bronson. Je viens avec toi.

— Mais tu ne peux pas, Chris. Tu es en plein dans une enquête pour meurtre.

— Non. J'ai terminé mon rapport sur le Maroc, et je n'ai rien à voir avec l'enquête sur le meurtre de Kirsty Philips. En plus, il me reste au moins dix jours de vacances à prendre. Dickie Byrd risque d'être furax, mais ce n'est pas mon problème. (Bronson tendit le bras et prit la main d'Angela.) Écoute, je ne veux pas que tu te balades en Israël toute seule. Je veux être suffisamment proche pour prendre soin de toi.

Angela lui pressa légèrement la main.

— Tu es sûr ? Ce serait super, Chris. Je n'avais pas l'intention d'y aller seule, de toute façon. Et puis nous formons une équipe du tonnerre, tu ne crois pas ?

Bronson lui sourit.

— Et comment ! fit-il, avec satisfaction.

Il en était intimement persuadé : ils étaient, à ses yeux, bien plus qu'un couple de chasseurs de reliques enthousiastes. Mais il savait également qu'il valait mieux ne pas précipiter les choses…

— Excellent, dit Angela sans attendre. Je vais faire un tour sur Internet et tenter de nous réserver des vols pour Tel-Aviv. Et après, j'examinerai la tablette d'un peu plus près. Avec ce texte en araméen, et les autres passages déjà traduits, je suis convaincue que l'on peut résoudre l'énigme. Nous en savons certainement plus que n'importe qui sur ces reliques secrètes. Nous pouvons donc être certains d'assister au dénouement.

— En espérant que nous en sortirons vivants, fit remarquer Bronson.

# 45

Tony Baverstock étudia une nouvelle liste de tablettes d'argile sur son ordinateur et se demanda, de nouveau, si ça valait la peine de poursuivre ses recherches. Il devait avoir examiné des centaines de photos de ces tablettes, et aucune d'entre elles, du moins jusqu'à présent, ne ressemblait, même de loin, à celle qu'il recherchait.

Pour compliquer les choses, il existait près d'un demi-million de tablettes dans les archives et réserves des musées. Des tablettes qui n'avaient jamais été traduites. Et les informations sur ce gigantesque inventaire de tablettes se trouvaient la plupart du temps limitées à une ou deux photographies de piètre qualité et avec un peu de chance une brève description de la provenance de chaque objet : le lieu où il avait été découvert, son âge approximatif, ce genre de choses.

Deux raisons pouvaient expliquer sa quête urgente. La première, c'était que Charlie Hoxton l'avait appelé le jour d'avant et lui avait ordonné de débuter les recherches, ce qui constituait en soi une motivation de première importance. La deuxième, c'était que sa tâche était devenue un peu plus cruciale après s'être trouvé dans le couloir, en sortant de son bureau, face à face avec Roger Halliwell, l'après-midi de la veille. Le chef du département lui avait semblé plus irrité que d'habitude.

— Quelque chose vous tracasse, Roger ? lui avait demandé Baverstock.

— C'est Angela. Elle s'est encore lancée dans un projet qui ne mène nulle part, avait répondu Halliwell d'un ton brusque. D'abord, j'apprends qu'elle s'est rendue au Maroc il y a deux jours, et maintenant, voilà qu'elle m'informe qu'elle va prendre de nouveaux congés pour déguerpir en Israël y étudier un texte en araméen. Ce n'est pas son domaine, pour l'amour de Dieu. Elle devrait boxer dans sa catégorie et y rester.

Baverstock n'avait fait aucun commentaire, mais il fut immédiatement persuadé qu'Angela avait soit trouvé la tablette d'argile manquante, soit mis la main sur une photographie décente de l'inscription. Et cela lui avait suffi pour redoubler d'efforts.

Mais en dépit de sa recherche laborieuse, il n'avait touché le gros lot que le matin suivant. La photographie de la tablette était très mauvaise et il passa près de vingt minutes à étudier l'inscription en araméen avant de réaliser qu'il avait sous les yeux la tablette que Charlie Hoxton possédait déjà, et que Dexter avait identifié comme provenant d'un musée du Caire.

Avec un grognement de dégoût, il ferma la fenêtre sur son écran d'ordinateur et reprit sa recherche. Deux heures plus tard, après avoir modifié ses paramètres de recherche pour la cinquième fois consécutive dans l'espoir de réduire le nombre de reliques qu'il était censé étudier, il vit apparaître sur l'écran la relique de Paris. Il imprima toutes les images disponibles sur la base de données à l'aide de l'imprimante laser de son bureau, et passa quelques minutes à les étudier une par une avec sa loupe avant de stopper la connexion au réseau Intranet du musée.

Puis il ferma son bureau et quitta le bâtiment, en informant son assistante qu'il prenait quelques jours de congé. Il descendit Great Russell Street, s'arrêta à la cabine téléphonique qu'il avait déjà utilisée, et appela Hoxton.

— J'ai passé les douze dernières heures à chercher ces maudites tablettes, commença-t-il par déclarer.

— Et vous avez trouvé quelque chose ? demanda Hoxton.

— Je viens de passer une demi-heure à étudier *votre* tablette, celle que vous m'avez demandé de traduire, avant de piger de quoi il s'agissait. Les photos étaient vraiment de qualité médiocre. Mais au final, j'ai eu du pot. Il existe une tablette d'argile dans les archives d'un musée parisien qui fait assurément partie du lot. À en juger par la marque sur l'un des coins, c'est celle qui va en bas et à droite du bloc.

— Vous pensez pouvoir traduire le texte à partir de ces photos ? demanda Hoxton.

— Inutile, répondit Baverstock. Par chance, les Français ont déjà traduit l'araméen pour nous. Ils l'ont traduit en français, bien sûr, mais apparemment, ça ne devrait pas poser de problème. Je vous trouverai l'équivalent anglais d'ici peu.

— Excellent, fit Hoxton. Vous avez fait votre valise, j'espère ?

— Et comment ! Je ne manquerais ce petit voyage pour rien au monde. Nous sommes toujours censés prendre le vol de cet après-midi ?

— Oui. Je vous verrai à Heathrow, comme convenu. Apportez toutes les photos de la tablette de Paris, et la traduction française de l'araméen, ainsi que votre version anglaise. Ça risque d'être l'expédition de votre vie.

# TROISIÈME PARTIE

*Israël*

# 46

Le vol se déroula sans encombre, mais il fallut quelques heures à Bronson et Angela pour enfin arriver en Israël, et ce, après qu'ils eurent quitté l'avion. Le problème, c'était ce petit carré bleu inscrit sur leurs passeports respectifs avec le mot « sortie » imprimé verticalement, à gauche des documents, avec une date au centre et une inscription en arabe en travers : leurs visas de sortie du Maroc.

Les autorités israéliennes sont plutôt suspicieuses quant aux voyageurs débarquant à leurs frontières et ayant récemment quitté un pays arabe, même un pays aussi éloigné que le Maroc. À peine l'officier d'immigration avait-il vu leurs cachets de sortie qu'il avait actionné un bouton caché. Quelques minutes plus tard, Bronson et Angela étaient emmenés *fissa* dans des salles d'interrogatoire séparées tandis que leurs bagages étaient réquisitionnés et fouillés en bonne et due forme.

Bronson s'attendait à ce genre d'accueil, et ils avaient fait en sorte de s'assurer qu'il ne restait aucune des photographies des tablettes d'argile, pas plus que leurs traductions du texte en araméen, sur l'ordinateur portable d'Angela, juste au cas où les Israéliens auraient envie d'inspecter le contenu du disque dur. Elle avait transféré tous ces dossiers sur deux clés USB à grande capacité : l'une était « planquée » dans la poche du jean de Bronson, et l'autre dans la trousse de maquillage d'Angela, dans son sac à main. Peu de temps avant, à Londres, ils s'étaient rendus à la banque d'Angela, où elle disposait d'un petit coffre renfermant les contrats de notaire de son appartement et autres documents importants, et y avaient déposé la tablette d'argile, car ils ne voulaient pas prendre le risque de voyager avec la relique.

L'interrogatoire fut minutieux, implacable et compétent. Qu'avaient-ils fait au Maroc? Combien de temps y étaient-ils restés? S'y étaient-ils déjà rendus? Et si oui, pour quelle raison? Toutes répétées, encore et encore, les questions étaient toujours les mêmes, mais la façon de les poser changeait fréquemment, les interrogateurs scrutant chaque divergence et altération dans leurs réponses. Bronson, qui était plutôt habitué à se trouver de l'autre côté de la table, à interroger des suspects, fut impressionné par leur minutie. Il espérait du fond du cœur que sa carte de police et la carte d'identification d'Angela en tant que membre du British Museum les aideraient à assurer les interrogateurs de leur bonne foi.

Ce n'est qu'à la fin de l'interrogatoire, lorsqu'ils furent apparemment satisfaits quant à la raison de leur séjour au Maroc, que les fonctionnaires commencèrent à leur poser des questions concernant leur venue en Israël. Bronson avait discuté du problème avec Angela pendant leur vol, et ils avaient décidé que la seule bonne réponse à cette question était: « vacances ». Toute autre réponse n'aurait fait que compliquer les choses et probablement provoqué une nouvelle série de questions.

Ce n'est que bien plus tard dans la soirée qu'ils furent enfin autorisés à quitter les salles d'interrogatoire par les Israéliens à l'air grave.

— Les mesures de sécurité israéliennes ne me posent pas de problèmes, fit remarquer Angela. Au moins, on peut se sentir totalement en sécurité sur un vol El Al.

— On était sur un vol British Airways, je te rappelle.

— Je le sais bien. Ce que je veux dire, c'est que lorsque tu quittes un aéroport israélien, les chances pour que quiconque transporte clandestinement une arme ou une bombe sur un vol de départ sont quasiment nulles. Savais-tu que tous les bagages sont soumis à un test de pression dans une salle antibombe qui simule un vol à haute altitude, juste au cas où il y aurait une bombe dans une valise connectée à un bouton barométrique ? Et tout ça, après que ces mêmes bagages ont été passés aux rayons X et soumis aux chiens renifleurs ?

— Non, je l'ignorais, admit Bronson. Et c'est plutôt réconfortant, quant tu compares les mesures de sécurité avec celles expéditives de Heathrow. Ça relève de la plaisanterie dans cet aéroport.

Angela le dévisagea d'un air perplexe.

— Merci de ne pas m'avoir dit tout ça *avant* le décollage.

L'aéroport international Ben-Gourion est proche de la ville de Lod, à environ seize kilomètres au sud-est de Tel-Aviv, c'est pourquoi le voyage en train ne leur prit seulement que quelques minutes. La ligne de chemin de fer suivait le tracé de la route principale menant à la ville. Pendant une bonne partie du trajet, la voie ferrée passait entre les deux chaussées, et ils sortirent à la station HaShalom, non loin d'une zone industrielle, et presque dans l'ombre du centre imposant d'Azrieli.

La plupart des hôtels de la ville se dressent de façon prévisible le long de la côte méditerranéenne, mais leurs prix sont plutôt élevés, c'est pourquoi Bronson avait préféré réserver deux chambres dans un établissement plus modeste, plus au centre, au cœur des rues proches de la place Zina, non loin d'un office du tourisme.

Ils prirent un taxi de HaShalom à la place Zina, s'enregistrèrent à l'hôtel et déposèrent leurs bagages, puis ils parcoururent à pied la faible distance jusqu'à la promenade Lahat qui bordait la plage Frishman, se dénichèrent un restaurant et y apprécièrent un bon repas. Bronson se dit furtivement qu'il aurait aimé partager sa chambre avec Angela, mais il se résigna. Ils étaient en Israël, en équipe. Et pour le moment, c'était bien comme ça.

Le vol BMI avait atterri à Tel-Aviv à l'heure, tard dans l'après-midi, deux des trois passagers voyageant ensemble avec un passeport britannique avaient passé les services de douane et d'immigration sans retard particulier. Le troisième homme, un certain Alexander Dexter, fut en revanche pris à part et soumis à environ une heure d'interrogatoire avant que les autorités ne le laissent partir. Mais il s'attendait à de telles mesures en raison du cachet de sortie marocain sur son passeport, et cela ne l'ennuya aucunement.

À l'extérieur de l'aéroport, il rejoignit Hoxton et Baverstock, qui récupéraient déjà la Fiat Punto de location, et les trois hommes démarrèrent, en direction du centre de Tel-Aviv et de leur hôtel.

Deux heures à peine après que le vol BMI eut atterri à l'aéroport Ben-Gourion, un autre vol était annoncé en provenance de Paris. À bord se trouvaient quatre hommes de type arabe. Leurs passeports français ne présentant aucune trace d'un quelconque transit par le Maroc, ils ne furent l'objet d'aucun soupçon, bien que leurs bagages aient été fouillés avec précaution par les douaniers israéliens.

Une fois après avoir quitté l'aéroport à bord de leur Peugeot de location, en direction d'un hôtel qu'ils avaient déjà réservé dans la banlieue de Jérusalem, l'homme assis sur le siège passager passa un coup de téléphone vers un numéro en ville sur un mobile prépayé, acheté juste avant d'embarquer dans l'avion à Paris. Une fois l'appel terminé, il s'adossa au siège et regarda à travers le pare-brise d'un air distrait.

— Tout est OK ? demanda le conducteur.

— Oui, répondit l'homme au sourire figé, plus connu sous le nom de Yacoub. Je sais exactement où ils se trouvent.

# 47

Le soleil du matin les réveilla de bonne heure – leurs chambres se trouvaient orientées à l'est, en direction du district HaQirya de Tel-Aviv plutôt que vers la côte – et Bronson et Angela se rendirent à la salle à manger, juste avant les huit heures, pour y prendre leur petit déjeuner.

— Bon alors, on commence par quoi ? demanda Bronson, en s'asseyant pour prendre son café.

— Je dois appeler Yosef pour savoir si on peut le voir aujourd'hui.

— Qui ça ? demanda Bronson.

— Yosef Ben Halevi. Il travaille au Israel Museum de Jérusalem. Il a participé à un projet avec le British Museum il y a quelques années. C'est à cette occasion que j'ai fait sa connaissance.

— Et pourquoi a-t-on besoin de lui, au juste ?

— Nous avons besoin de Yosef parce que c'est un expert ès histoire juive, contrairement à moi. J'en sais un peu sur la zone à chercher, Qumrān par exemple, mais pas assez sur l'histoire d'Israël pour pouvoir interpréter tout ce qui se trouve sur la tablette. Il nous faut quelqu'un comme lui, et c'est la seule personne qualifiée que je connaisse dans les parages.

Bronson la dévisagea d'un air douteux.

— Bon, ça marche, fit-il, mais tu ne connais pas *vraiment* cet homme, donc interdit de lui laisser voir les photos de la tablette ou les traductions. Je crois qu'on devrait garder tout ça pour nous, du moins, pour le moment.

— Oui, je le pense aussi, dit Angela. Je vais lui passer un coup de fil. (Elle se dirigea vers la réception et fut de retour au bout de quelques minutes.) Il est pris toute la journée, mais il est OK pour venir nous rencontrer ce soir. Maintenant, il va nous falloir de toute évidence essayer de traduire l'inscription sur la tablette. Mais je pense qu'il serait utile que nous visitions également Qumrān. Car c'est le seul emplacement à être indiqué dans les inscriptions combinées. Et puis c'est l'endroit idéal pour commencer notre recherche. Je ne pense pas qu'on y trouvera quoi que ce soit d'intéressant, mais ça nous donnera au moins un aperçu du genre de terrain qu'il va nous falloir explorer, ici en Israël.

— On peut s'y rendre facilement ?

— Oui, je pense. Tout comme Masada, il s'agit d'un site archéologique renommé, et je ne serais pas surprise de trouver des transports réguliers pour s'y rendre.

— Il y a un office du tourisme à quelques mètres d'ici, observa Bronson. On est passé devant la nuit dernière quant on marchait près de la plage. Faisons-y un saut et voyons si on ne peut pas acheter des tickets pour un tour organisé.

À vrai dire, il existait bien un tour organisé pour Qumrān, mais seulement certains jours de la semaine, et le prochain voyage possible n'était pas programmé avant trois jours.

— Aucun problème, fit Bronson, alors qu'ils quittaient l'officie du tourisme. On va se louer une voiture. On devrait pouvoir y faire un tour pendant qu'on est dans le coin. Tu veux y aller maintenant ?

Angela fit non de la tête.

— Non. J'aimerais d'abord étudier l'inscription. On ira cet après-midi.

— Ne crois surtout pas que je sois paranoïaque, observa Bronson, et à mon humble avis, personne ne nous a suivis jusqu'ici, mais je pense toujours qu'il faut nous montrer discrets. Je préférerais donc qu'on ne bosse pas dans le salon de l'hôtel ou dans l'une des salles publiques.

Angela enroula son bras autour de celui de Bronson.

— Je suis d'accord, surtout après ce qu'il nous a fallu endurer. Ma chambre est un peu plus grande ; pourquoi ne pas y travailler ?

De retour dans leur chambre d'hôtel, Angela sortit un gros livre de son sac d'ordinateur.

— Je nous ai déniché ce bon dictionnaire araméen dans l'une des librairies spécialisées, près du musée à Londres. Avec ça et le site de traduction en ligne, on devrait s'en sortir.

— Je peux t'aider ?

— Oui. Tu peux utiliser le dico pendant que je rentre les mots dans le traducteur en ligne, comme ça, on pourra croiser les données. Il nous faut travailler lentement et avec précaution, car ce n'est pas simplement le langage qui est inhabituel, ce sont aussi les caractères pris individuellement. Certains d'entre eux se ressemblent beaucoup, et nous devons êtres certains de reconnaître les bons symboles sur les photographies. Laisse-moi te montrer ce que je veux dire.

Elle zooma l'image sur l'écran de son ordinateur portable et pointa du doigt cinq symboles qui, aux yeux de Bronson, étaient étonnamment similaires. Puis elle les recopia, formant une ligne horizontale sur un bout de papier. La ligne représentait ces caractères : « ד », « ך / כ », « ן / נ », « ר » et « ו ».

— Le premier, fit-elle, est *daleth*, qui équivaut à « d » ou « dh ». Le second est *kaph* ou « k » ; le troisième est *nun* ou « n » ; le quatrième est *resh* ou « r », et le dernier est *waw*, qui signifie « w ». Je peux facilement reconnaître la forme du langage, même si je n'ai pas l'habitude de le traduire ; et pour moi, et certainement pour toi, ces caractères se ressemblent sacrément. Mais de toute évidence, le sens des mots peut se trouver totalement altéré si tu y intègres une ou plusieurs lettres erronées. Et n'oublie pas qu'il nous faut également prendre en compte le style particulier de la personne qui a préparé cette tablette de sa main. Ça risque donc de prendre pas mal de temps.

Angela avait raison. Cela leur prit plus d'une heure pour compléter la traduction de la seule première ligne de la tablette. Ils finirent cependant par mettre au point une technique qui semblait fonctionner. Ils allaient examiner chaque mot chacun de leur côté et décideraient de la transcription de chaque lettre. Ils les écrivirent sur un bout de papier puis échangèrent leurs notes pour vérifier s'ils étaient d'accord. S'ils obtenaient des conclusions différentes, il suffirait de revoir les caractères en question. Angela zooma l'image à l'écran – elle avait utilisé un appareil photo numérique de huit mégapixels pour assurer une définition maximale – afin de pouvoir étudier chaque caractère dans le moindre détail. Et ce n'est que lorsqu'ils tombèrent d'accord sur les lettres elles-mêmes qu'ils utilisèrent enfin les dictionnaires.

Mais même après avoir procédé ainsi, ils n'étaient toujours pas parvenus à traduire les trois premiers mots de la première ligne du haut de la tablette. Du moins, pas au début. Ils examinèrent à nouveau chaque lettre, tour à tour, en choisissant des alternatives, et finirent par déchiffrer le deuxième et le troisième mot: il s'agissait de « cuivre » et de « le », mais le premier mot, quelle que soit la combinaison de caractères différents qu'ils tentèrent d'insérer, n'apparut ni dans le dictionnaire araméen, ni dans les versions en ligne.

— Bon, fit Angela, de toute évidence frustrée, on s'occupera de ça plus tard. Passons à la ligne suivante.

# 48

Hassan immobilisa la voiture de location sur une place de parking, qui faisait plutôt penser à une dérisoire et poussiéreuse parcelle de terrain vague, dans les environs de Ramallah, un petit village au nord de Jérusalem et profondément ancré dans les territoires de Cisjordanie. Quelques secondes après avoir arrêté le véhicule, deux autres voitures firent leur apparition sur le parking et s'immobilisèrent à deux pas. Tandis que Hassan et Yacoub quittaient leur voiture, quatre hommes, en jean et tee-shirt, sortirent des autres véhicules et marchèrent jusqu'à eux.

— *Salam aleikoum*, fit cérémonieusement Yacoub. Que la paix soit avec vous.

— Et avec vous, répondit le leader du groupe avant de demander : vous avez l'argent ?

Yacoub se tourna vers Hassan, qui glissa lentement la main dans la poche extérieure de sa veste légère et en sortit une liasse de billets, avant de faire un pas en avant. Yacoub tendit le bras pour l'empêcher d'avancer davantage.

— Vous avez les armes ? demanda-t-il. Montrez-les-moi.

L'homme acquiesça et fit demi-tour en direction de l'une des voitures. Tandis qu'il rejoignait la voiture accompagné de Yacoub, l'un de ses acolytes ouvrit le coffre. Les trois hommes regardèrent à l'intérieur. Au fond du coffre se trouvaient deux mallettes noires, dont le cuir était tout éraflé et déchiré. L'homme jeta un œil aux alentours, puis se pencha à l'intérieur, il libéra les fermoirs et ouvrit les mallettes. Chacune d'elles contenait une douzaine de pistolets semi-automatiques de différentes catégories, tous accompagnés de deux ou trois chargeurs. Les armes semblaient usagées, l'on pouvait même distinguer des éraflures un peu partout, mais elles étaient en bon état et bien huilées, ce qui signifiait qu'on en avait pris soin.

Yacoub se pencha à son tour et saisit plusieurs armes pour une inspection en règle.

— Nous prenons les deux CZ-75 et deux des Browning, fit-il, et deux chargeurs pour chacun. Vous avez des cartouches ?

— Bien sûr. Combien de boîtes il vous faut ?

— Cinq devraient faire l'affaire, dit Yacoub.

L'homme ouvrit une autre mallette plus petite, en sortit trois boîtes de cartouches Parabellum neuf millimètres et les tendit à Hassan, qui lui remit la liasse de billets qu'il tenait à la main.

— Merci, mon ami, déclara Yacoub. C'est un vrai plaisir de faire affaire avec vous.

— Pour les armes, répliqua l'homme, tandis qu'il comptait les billets puis refermait le coffre en un claquement, quand vous en aurez terminé, passez-moi un coup de fil. Si elles ne sont pas endommagées, nous vous les rachèterons à la moitié du prix.

— Seulement la moitié ?

— C'est mon prix. À prendre ou à laisser. Vous avez mon numéro.

# 49

Plus Angela et Bronson travaillaient sur la traduction, plus elle leur semblait facile, et bien qu'ils aient passé plus d'une heure à déchiffrer la première ligne, ils parvinrent à obtenir l'inscription entière en un peu moins de trois heures, ce qui, aux yeux d'Angela, était plutôt un bon score et ce même s'il restait trois mots qui refusaient obstinément d'offrir une quelconque signification.

Ils se félicitèrent en s'offrant une des boissons du minibar avant d'entreprendre la phase la plus complexe de l'opération : tenter de déchiffrer ce que le texte araméen signifiait. Comme il l'avait fait auparavant, Bronson écrivit les mots qu'ils venaient de traduire, dans l'ordre où ils apparaissaient sur la tablette d'argile :

*terre cavité*
*de terre*
*décrit du*
*cuivre – – – –*
*de quatre*
*tablettes Ir-*
*Tzadok prit*
*accomplit*
*croyance sud*
*de de nous de*

*sûr largeur*

*– – – –*

*– – – – le a*

*à et nous la*

*la et*

*la coudée*

*autel endroit*

*rouleaux le*

Puis il inversa l'ordre afin de leur permettre de lire les mots dans le bon sens :

*– – – – cuivre du décrit terre de cavité terre*
*Accomplit prit Ir-Tzadok tablettes quatre de*
*De nous de de sud croyance*
*a le – – – – – – – – largeur sûr*
*et la la nous et à*
*le rouleaux endroit autel coudée la*

Bronson jeta un œil à ce qu'il venait d'écrire, puis examina les autres pages devant lui.

— Très bien, fit-il, je vais incorporer ces mots dans la traduction complète et peut-être serons-nous capables d'en faire quelque chose.

Il y travailla pendant quelques minutes, puis passa à la version finale, ou du moins, la version la plus complète qu'ils avaient entre les mains :

*– – – – par – – – – ben – – – – – – – – accomplit la*
*– – – – tâche de – – – – – – – – ont achevé – – – –*
*– – – –et désormais – – – – – – – – le dernier – – – –*

*le rouleau de cuivre ———— ———— retiré de ———— ————*
*nous avons ———— ———— la grotte ———— ————*
*l'endroit ———— ———— rouleaux de ———— ———— la*
*communauté ———— ———— Ir-Tzadok B'Succaca ————*
*rouleau d'argent ———— ———— ———— nous ————*
*———— la citerne ———— ———— endroit de ———— fin des*
*temps ———— les tablettes d' ———— temple de Jérusalem*
*———— ———— ———— le ———— ———— nous avons*
*dissimulé ———— ———— autel de ———— ———— décrit un*
*———— ———— quatre pierres ———— le côté sud ————*
*une largeur de ———— ———— et hauteur ———— ————*
*coudée de ———— ———— cavité dans ———— ———— de*
*notre ———— ———— croyance désormais ———— ————*
*mettre en sécurité nous ———— ———— de notre ————*
*———— envahisseurs ———— notre terre*

— Je devrais pouvoir y ajouter un ou deux mots que nous n'avons pas déchiffrés. (Angela pointa du doigt la troisième et quatrième ligne.) Je pense que cette section se lit ainsi : « la communauté connue comme Ir-Tzadok B'Succaca ». Si seulement nous en avions encore…

Sa voix mourut tandis qu'elle fixait la page, et Bronson la regarda intensément.

— Que se passe-t-il ? demanda-t-il.

— Les lignes juste avant, dit-elle. D'après le ton de ce que tu as lu dans cette traduction, comment décrirais-tu la personne qui l'a écrite ?

— Là, je ne te suis pas.

— Je veux dire : crois-tu que cette personne était un prêtre, ou un guerrier, ou je ne sais quoi ?

Bronson lut de nouveau le texte et réfléchit un moment.

— On n'a pas beaucoup d'infos, celles de la dernière section mises à part, où on dirait qu'il exprime une raison de combattre les envahisseurs. Je pense donc qu'il doit s'agir d'un guerrier, peut-être même d'un membre de la résistance juive, ou un truc comme ça.

— Pile dans le mille. Maintenant, regarde cette section d'un peu plus près, à partir du passage où on peut lire « le rouleau d'argent » jusqu'à « la grotte ». Souviens-toi que vers le début du I<sup>er</sup> millénaire, les juifs ne disposaient d'aucune armée. Ils n'étaient pas organisés à la manière des Romains, à savoir avec des unités de combat formalisées. Il s'agissait davantage de gangs rassemblant des combattants qui devaient faire équipe pour lutter contre leur envahisseur commun quand l'occasion se présentait. La plupart du temps, ils se battaient entre eux, quand ils ne faisaient pas des raids vers les villages pour y dérober de la nourriture, de l'argent ou des armes.

— Un peu comme les guérillas, tu veux dire ?

— Tout à fait. En gardant cela à l'esprit, je pense que cette section du texte a davantage de sens. Prends les mots « que nous » devant « retiré de », cela pourrait facilement être la description d'un raid. Ils attaquèrent une communauté, et l'une des choses qu'ils y dérobèrent était un rouleau de cuivre.

— Et alors ?

— Alors ils se sont apparemment rendu compte qu'il ne s'agissait pas simplement d'un vieux rouleau de cuivre, parce qu'ils l'ont caché dans une grotte, et probablement une grotte à Qumrān, si l'on en croit les références à Ir-Tzadok B'Succaca qui arrivent juste après dans le texte. (Angela s'interrompit et regarda Bronson.) Que sais-tu à propos de Qumrān ? lui demanda-t-elle.

— Pas grand-chose. Je sais que les manuscrits de la mer Morte y ont été découverts, et si je me rappelle bien, ils avaient été écrits par une tribu baptisée les « Esséniens ». Je me souviens aussi qu'ils les avaient cachés dans les grottes aux alentours.

Angela hocha la tête.

— C'est un point de vue, mais c'est probablement totalement faux. Il existait bel et bien une communauté à Qumrān, et les manuscrits de la mer Morte ont bien été découverts dans onze grottes situées juste à l'ouest de la communauté. Les manuscrits contiennent de nombreuses copies des livres de l'Ancien Testament, et incluent chaque livre de la Bible hébraïque, excepté le Livre d'Esther. Près de quatre-vingts pour cent ont été écrits sur des parchemins, et le reste, à une exception près, sur du papyrus. Ce sont les faits. Tout le reste n'est qu'affaire d'interprétation. Le seul problème, c'est que l'archéologue qui a le premier réalisé les fouilles de Qumrān, en 1949 – c'était un moine dominicain baptisé père Roland de Vaux de l'École biblique de Jérusalem –, a commencé avec les grottes et les manuscrits, en assumant que la communauté de Qumrān les avait rédigés, et s'en est servi comme fondement à ses déductions au sujet du peuple de cette communauté. C'est un peu comme si, dans mille ans, on fouillait les vestiges de la Bibliothèque bodléienne à Oxford, qu'on y découvrait d'anciens textes romains et que, de ce fait, on en déduise que les gens qui vivaient à Oxford parlaient le latin et étaient accros aux jeux de gladiateurs.

— Mais à ma connaissance, beaucoup des gens d'Oxford parlent le latin, suggéra Bronson, et ça ne me surprendrait pas d'apprendre que certains d'entre sont aussi accros aux gladiateurs.

Angela sourit.

— C'est vrai, mais tu vois où je veux en venir. Le père de Vaux a affirmé ceci : sachant que les manuscrits avaient été dissimulés près de la communauté de Qumrān, ils devaient absolument avoir été rédigés par les membres de cette communauté, bien qu'il n'existe en réalité aucune preuve pour conforter cette hypothèse. Et si les Esséniens avaient bel et bien rédigé les manuscrits, alors pourquoi avoir choisi de les cacher si près de l'endroit où ils vivaient ? Cela me semble absurde qu'ils aient choisi cette solution. Mais à partir du moment où le père de Vaux a fermement adopté cette idée, cela a influencé son opinion pour interpréter chaque preuve qu'il était amené à étudier. Il en est venu à la conclusion que les habitants de Qumrān étaient membres d'une secte juive appelée les « Esséniens », un groupe éminemment religieux. Lorsqu'il a entrepris les fouilles dans la communauté elle-même, il a prétendu avoir découvert un *scriptorium*, à savoir un lieu où les moines et les scribes auraient copié ou préparé des manuscrits, et cela en se basant uniquement sur la découverte d'un banc, de deux encriers et de quelques instruments destinés à l'écriture. Mais il existe mille interprétations possibles et toutes différentes : il aurait pu s'agir d'une salle de classe, ou d'un bureau commercial ou militaire, par exemple. Et aucun fragment de manuscrit n'a jamais été découvert dans le soi-disant *scriptorium*. Tout ceci est simplement ridicule : s'il s'agissait bien d'une pièce destinée à l'écriture, l'on y aurait trouvé un tas d'outils et de matériaux utilisés par les scribes. On aurait pu s'attendre à dénicher quelques bouts de papyrus blancs ou les restes de manuscrits dans les ruines. Pour étayer sa conviction que les Esséniens étaient des dévots religieux, il a également identifié plusieurs citernes sur le site comme étant des bains rituels juifs, ou *miqva'ot*. S'il avait considéré Qumrān, sans avoir connaissance de l'existence des manuscrits, il aurait probablement affirmé que les citernes n'avaient d'autre fonction que de contenir de l'eau, ce qui aurait été la déduction la plus évidente et logique. De Vaux ignorait également la signification de nombreux autres éléments découverts sur le site. N'oublie pas, les archéologues sont les meilleurs dès qu'il s'agit d'ignorer des faits qui ne vont pas dans leur sens. On peut même dire qu'ils en ont une sacrée expérience.

— Mais je croyais que l'archéologie était une science ? observa Bronson. La méthode scientifique, l'examen approfondi des choses, la datation au carbone, ce genre de choses ?

— Dans tes rêves, oui. Comme dans d'autres domaines, les archéologues sont connus pour leur propension à détourner les résultats et écarter les éléments qui n'entrent pas dans les cases. Maintenant, si la théorie du père de Vaux était correcte, alors les Esséniens de Qumrān auraient vécu dans une extrême pauvreté, mais d'autres fouilles sur le site ont permis de retrouver de l'argent, des objets en verre et en pierre, de l'outillage en métal et des ornements, et d'autres reliques variées, tout cela prouvant que les habitants étaient à la fois profanes, laïques et plutôt aisés.

— Mais alors, si Qumrān n'était pas un site religieux, de quoi s'agissait-il ?

— On trouve de nombreuses propositions suggérant qu'il s'agissait d'une sorte de manoir où vivaient des personnes riches, une habitation principale ou secondaire d'une importante famille locale ; un lieu de halte destiné aux pèlerins en route pour Jérusalem ; un atelier de poterie, voire même une forteresse ou un centre de commerce fortifié. Ce qu'a aussi réussi de Vaux, c'est d'empêcher toute personne qui ne faisait pas partie de son groupe de scientifiques triés sur le volet d'accéder aux manuscrits, ni même aux photographies des manuscrits. Du moins, en ce qui concerne les manuscrits de la grotte numéro quatre, qui représentent environ quarante pour cent des objets découverts.

— Mais ils ont publié des détails de certains d'entre eux, non ?

— Oui, mais uniquement sur les éléments les moins importants. Les textes découverts dans la grotte numéro un ont été publiés entre 1950 et 1956. En 1963, les écrits en provenance de huit autres grottes ont été publiés dans un volume unique, et deux années plus tard, des détails de ce que l'on nomme le « manuscrit des Psaumes », découvert dans la grotte numéro onze, ont aussi été publiés. Et on peut, bien évidemment, imaginer que des traductions de ces textes ont rapidement été faites par des scientifiques, partout à travers le monde. Mais les textes découverts dans la grotte numéro quatre n'ont été publiés qu'en 1968, et de plus, pour une partie infime. À ce stade, le père de Vaux semble avoir décidé que son rôle historique était de refuser l'accès aux manuscrits à tous les autres scientifiques, et il a imposé de ce fait une sorte de strict secret qui n'autorisait que les membres de son équipe d'origine ou les personnes assignées de façon précise à les étudier. De Vaux est mort en 1971, mais son décès ne changea absolument rien : les scientifiques n'avaient toujours pas accès au matériel découvert dans la grotte numéro quatre, ou même aux photographies des manuscrits. Et cela a duré jusqu'en 1991, près d'un demi-siècle après leur découverte, lorsqu'un lot complet de photos de la grotte numéro quatre a été découvert, presque par accident, dans une bibliothèque de San Marino, en Californie, et publié dans la foulée.

— Mais si les Esséniens, ou je ne sais qui, vivaient à Qumrān, n'ont pas écrit les manuscrits, alors qui les a écrits ?

— Personne ne le sait. L'explication la plus plausible est qu'ils proviennent d'une secte de dévots religieux à Jérusalem, et qu'ils ont été cachés dans les grottes de Qumrān par un groupe de juifs fuyant les troupes romaines pendant l'une des périodes habituelles de désordre politique.

— Et que contiennent ces manuscrits, exactement ?

— La plupart d'entre eux sont des copies rédigées par les scribes de textes littéraires connus, la plupart provenant du matériau biblique de l'Ancien Testament, mais en vérité des exemples de textes beaucoup plus anciens étaient déjà disponibles. Il existe environ trente copies du Deutéronome, par exemple. Il y avait également un grand nombre de textes profanes, pour la plupart inconnus, qui apportent de nouveaux éclaircissements sur la forme de judaïsme pratiqué durant ce qui est connu comme la période du second Temple. C'était l'époque durant laquelle le Temple de Jérusalem a été reconstruit après la destruction de l'original, le Temple de Salomon, en 586 avant Jésus-Christ. La période du second Temple allait de 515 avant Jésus-Christ à 70 après Jésus-Christ, lorsque les Romains ont mis à sac Jérusalem, détruit le Temple et mis un terme à la grande révolte des juifs qui avait débuté quatre ans auparavant. Et le rouleau de cuivre, conclut Angela, n'a absolument rien à voir avec tout ce qui a été découvert à Qumrān. En 1952, une expédition sponsorisée par le département jordanien des Antiquités travaillait dans la caverne numéro trois et a découvert un objet unique désigné comme 3Q15, ce qui signifie simplement qu'il s'agissait de la quinzième relique trouvée dans la grotte numéro trois à Qumrān. C'était un fin morceau de cuivre presque pur, de près de vingt centimètres de long, qui a apparemment été coupé en deux lorsqu'il a été enroulé par la personne qui l'avait préparé. Après deux mille ans dans la grotte, le métal était salement oxydé, incroyablement cassant et fragile, et ne pouvait tout simplement pas être déroulé. Ça ne ressemblait à rien de ce qu'on avait pu voir auparavant, à Qumrān ou ailleurs, à cause de sa taille – c'était le fragment le plus volumineux de texte ancien jamais découvert sur du métal – et par rapport à son contenu. Les archéologues ont dû faire face à ce problème : comment l'ouvrir ? Ils ont passé près de cinq ans à étudier le rouleau avant de prendre une décision, et la mauvaise, qui plus est. Ils l'ont expédié au College of Technology de Manchester où il a été scié pour en faire deux longueurs à l'aide d'une lame très fine. Cela a permis d'ouvrir le rouleau complètement et d'offrir aux chercheurs une série de sections de cuivre incurvées qu'ils pouvaient aisément examiner. Malheureusement, l'équipe de Manchester, et quasiment tous les autres intervenants, ont oublié de remarquer deux éléments au sujet du rouleau. Lorsqu'il a été découvert, les espaces entre les feuilles de cuivre enroulé étaient emplis d'un matériau tassé, un peu comme de l'argile cuite au four. Ils en ont déduit que cela ne pouvait être que le résultat de l'accumulation de poussière et de débris au cours des millénaires, mais ils avaient tout faux. Personne n'a songé à vérifier quelles étaient les conditions climatiques dans la grotte à Qumrān où le rouleau a été découvert. S'ils l'avaient seulement fait, ils auraient remarqué que le sol dans ces grottes était composé de poussière extrêmement fine, presque une poudre, qui ne contenait aucune trace de silicone qui aurait pu favoriser une solidification. Même si le sol est humide, en séchant, tout redevient poussière avec le temps. Celui ou celle qui a rédigé le rouleau a pris soin de recouvrir une face du rouleau avec une couche d'argile avant de l'enrouler. Et ensuite, ils ont fait cuire le tout dans un four à céramique pour transformer l'argile en quelque chose de presque aussi résistant que de la poterie.

— Pourquoi ont-ils fait ça ? Pour protéger le cuivre ?

— Aussi étrange que cela puisse paraître, c'est plutôt le contraire. La plupart des chercheurs ont aujourd'hui la conviction que les auteurs du Rouleau de cuivre s'attendaient à ce que le métal se corrode, et leur intention était de laisser une empreinte du texte sur l'argile. Voilà une nouvelle chose que l'équipe de Manchester a oublié de prendre en compte.

Le rouleau est essentiellement écrit en hébreu mishnique avec seulement quelques lettres grecques dont les desseins et la signification sont toujours inconnues. En réalité, il existe quatorze lettres grecques sur le rouleau, et les dix premières forment le nom « Akhenaton ». C'était un pharaon qui régnait sur l'Égypte en 1350 avant Jésus-Christ, à peu près, et il est historiquement reconnu pour avoir fondé ce qui allait probablement devenir la première religion monothéiste au monde. Mais le Rouleau de cuivre date d'au moins un millénaire plus tard, c'est pourquoi le fait d'y trouver son nom reste un grand mystère.

— Pourquoi les auteurs du rouleau se sont-ils donné autant de mal ?

— Probablement à cause du contenu. On dirait qu'ils ont voulu faire en sorte que le message survive le plus longtemps possible, bien plus longtemps qu'un simple rouleau de papyrus, par exemple. Et la raison de leur détermination est la suivante : tout ce qui se trouve sur le Rouleau de cuivre représente l'inventaire d'un trésor, probablement celui du premier Temple de Jérusalem et, si les quantités listées sont correctes, ce trésor pourrait être estimé aujourd'hui à plus de deux milliards de livres sterling.

# 50

— Si j'ai bien compris, le Rouleau de cuivre est vraiment une carte au trésor ? demanda Bronson.

— Non, pas exactement une carte. C'est plutôt une liste de soixante-quatre emplacements possibles, dont soixante-trois sont censés être des lieux où de grandes quantités, parfois des tonnes, d'or et d'argent sont cachées. Quant au document soixante-quatre, il fournit l'emplacement d'une copie qui selon toute vraisemblance donne de nouveaux détails sur le trésor et le lieu où il est dissimulé. Certaines personnes pensent qu'il pourrait s'agir d'une relique plus connue sous le nom de Rouleau d'argent. Le hic, c'est que personne ne sait si ce Rouleau d'argent existe vraiment ou, s'il existe, où il peut se trouver. L'emplacement donné dans le Rouleau de cuivre révèle simplement que le second document se trouve « dans le puits, au nord, dans un trou orienté vers le nord, et dont l'entrée est couverte de terre », ce qui n'est pas vraiment une description des plus précises, loin s'en faut.

— Bon, qu'est-il advenu du Rouleau de cuivre ? demanda Bronson.

— Lorsque le père de Vaux en a appris l'existence, il s'est immédiatement rendu compte que tout venait contredire ce que lui et son équipe avaient suggéré. Une communauté d'ascétiques religieux pouvait difficilement être les gardiens de près de vingt-six tonnes d'or et de soixante-cinq tonnes d'argent, du moins si les chiffres ont été traduits correctement.

Il a donc fait ce que tous les chercheurs et scientifiques font lorsqu'ils doivent faire face à une preuve tangible qui remet en cause leur confortable point de vue. Il a déclaré que le Rouleau de cuivre était un canular, une contrefaçon ou une plaisanterie. Mais aucune de ces suggestions n'était convaincante. S'il ne s'agissait pas d'un document authentique, il faudrait alors se demander pourquoi les créateurs du rouleau se seraient donné autant de mal pour le créer. Je veux dire, pourquoi s'embêter à ce point ? Et bien que nous en sachions très peu sur les communautés qui vivaient en Judée durant cette période, personne n'a jamais suggéré qu'il s'agissait de « farceurs ». Et même si cela avait été le cas, pourquoi se seraient-ils donné autant de mal pour créer le rouleau pour ensuite le cacher dans une grotte isolée que personne ne risquait de découvrir pendant des centaines, voire des milliers d'années ? Sans oublier que les manuscrits de la mer Morte ont été découverts totalement par accident. Mais le vrai problème, c'est que la liste du Rouleau de cuivre ne constitue qu'une liste justement. Rien qu'une liste. Chaque article y est répertorié, avec son emplacement, mais sans superflu. Ce n'est qu'un inventaire de biens, rien de plus, et ça lui attribue un caractère d'authenticité.

— Et ces gens de Manchester n'ont fait que couper le truc en deux ? fit Bronson.

— Exactement. Ils ont écarté le fait que l'argile était au moins aussi importante que le cuivre et ils l'ont ôtée dès le début. J'ignore comment ils s'y sont pris, mais quelle que soit la technique utilisée, ils ont forcément endommagé le cuivre également. C'était donc une sorte de double malédiction. Ils auraient probablement mieux fait de ne pas toucher à l'argile et de retirer le métal couche après couche. Au lieu de ça, ils ont enduit l'extérieur du rouleau d'une sorte d'adhésif résistant et l'ont coupé à l'aide d'une scie très fine. Ça a donné deux douzaines de sections incurvées de cuivre que les chercheurs ont ensuite pu commencer à traduire, mais bien évidemment, le simple fait de sectionner le métal a partiellement détruit une partie du texte.

— Est-ce que l'on a trouvé le trésor ou une partie du trésor ? demanda Bronson. Cela confirmerait l'existence du rouleau, non ? Cela prouverait instantanément que l'inventaire était authentique ?

Angela soupira.

— Si seulement c'était aussi simple. Les emplacements indiqués dans le rouleau avaient probablement un sens au début du I$^{er}$ millénaire, mais ils ne signifient plus grand-chose à l'heure actuelle. La liste contenait des choses comme : « Dans une grotte près d'une fontaine aux mains de la maison de Hakkoz, creuse six coudées : six barres d'or. » Ça fonctionne si tu sais qui était ce Hakkoz, et où était située la fontaine, mais après deux mille ans, les chances de trouver le trésor en s'appuyant sur une description aussi vague sont plutôt faibles, voire quasiment nulles. Et à vrai dire, nous en connaissons un peu au sujet de cette famille ou de cette maison, ce qui est plus que ce l'on peut dire pour la plupart des noms listés dans le Rouleau de cuivre, car le terme « Hakkoz » est connu historiquement. La famille portant ce nom rassemblait les trésoriers du second Temple de Jérusalem, mais franchement, cela ne nous aide pas beaucoup, car nous ignorons où ils vivaient et, bien sûr, il pourrait s'agir d'une autre famille Hakkoz, qui n'a rien à voir avec celle à laquelle le rouleau se réfère.

Bronson se leva, s'étira et se dirigea vers le minibar pour se servir un nouveau verre.

— Mais il y a un truc que je ne parviens pas à comprendre : Qu'est-ce que tout ça a à voir avec le Rouleau d'argent et les tables de Moïse ?

Angela saisit le verre qu'il lui tendait.

— Jette un œil à ce que dit l'inscription, un peu plus loin. La référence au Rouleau d'argent sous-entend qu'ils l'ont caché dans une citerne quelque part, et un plus tard dans le texte, il est dit qu'ils ont dissimulé quelques tablettes, quelque part. Mais il ne s'agit de vieilles tablettes au hasard. C'étaient « les tablettes du temple de Jérusalem », et c'est là que ça devient vraiment intéressant. Cela veut également signifier que Yacoub disait peut-être vrai : il existe peut-être une chance pour que ces tablettes forment l'Alliance. C'est pourquoi ce fragment d'écriture en araméen, dont une partie se trouvait sur la tablette d'argile découverte par Margaret O'Connor, est en fait une description de trois reliques distinctes qui ont été cachées : un rouleau de cuivre, un second rouleau en argent, et les tables de Moïse. Et, au jour d'aujourd'hui, je sais pourquoi. Et je pense même savoir quand. Je viens de saisir l'importance d'un seul mot du texte.

— De quel mot parles-tu ? demanda Bronson, en se penchant en avant.

— Celui là, répondit Angela, en indiquant le mot.

— « Ben » ? demanda Bronson.

— Oui. Il existe une très célèbre forteresse non loin d'ici et appelée Masada, qui est finalement tombée aux mains des Romains en 73 après Jésus-Christ, après un long siège. Les rebelles qui s'y terraient étaient connus sous le nom de sicaires, et leur leader était un homme baptisé Elazar Ben Ya'ir. « *Ben* », insista-t-elle. Aucun des dictionnaires que nous avons utilisés ne dresse une liste de noms propres, et ça pourrait expliquer pourquoi nous avons été incapables de traduire ce mot, là. (Elle indiqua une série de caractères en araméen sur l'écran de son ordinateur portable.) Selon moi, ce texte pourrait être une description exacte de la façon dont le Rouleau de cuivre a été caché dans une grotte à Qumrān, par une horde de sicaires qui avait fui Masada juste avant que la citadelle ne tombe entre les mains des Romains. Cela pourrait également expliquer pourquoi le Rouleau de cuivre est si différent de tous les autres manuscrits de la mer Morte : il n'a jamais été censé faire partie du lot. Réfléchis-y, Chris. (Angela avait les yeux brillants d'excitation.) Le Rouleau de cuivre n'a rien à voir avec le reste des manuscrits de la mer Morte. C'est l'inventaire d'un trésor caché : les autres manuscrits traitaient presque exclusivement de problèmes religieux, voire de textes bibliques pour la plupart d'entre eux. La seule caractéristique qu'il partage avec eux est la langue utilisée, à savoir l'hébreu. Même si cela me paraît étrange. Le script sur le Rouleau de cuivre est de l'hébreu mishnique, une forme de langage utilisé pour exprimer par l'écriture les traditions orales de la Torah, les Cinq Livres de Moïse. (Elle s'adossa à sa chaise et réfléchit quelques instants.) La seule explication plausible est que ce rouleau, le Rouleau de cuivre, provient d'une source complètement différente.

Bronson hocha la tête. L'esprit de logique d'Angela était, comme d'habitude, irrésistible.

— J'ai bien pris note de ce que tu viens de me dire, mais n'est-il pas possible que les autres objets, le « Rouleau d'argent » et « les tablettes du temple », soient aussi cachés à Qumrān ?

Angela fit non de la tête.

— Je ne crois pas. S'ils ont caché toutes ces choses dans un seul emplacement, on pourrait s'attendre à ce que l'inscription dise quelque chose comme : « et à Qumrān, nous avons caché deux rouleaux et les tablettes », mais le texte parle d'un premier rouleau caché, puis il poursuit et raconte que d'autres objets ont aussi été dissimulés. Cela implique qu'ils y ont caché une seule relique et qu'ils sont allés autre part pour cacher les autres. (Elle regarda Bronson. Sa détermination à résoudre ce mystère était presque palpable.) Et c'est à nous de découvrir où ils ont bien pu les dissimuler, conclut-elle.

## 51

— C'est bon, je l'ai, marmonna Tony Baverstock, en parcourant le bout de papier sous ses yeux.

Les trois hommes se trouvaient dans sa chambre d'hôtel de Tel-Aviv. Depuis leur arrivée en Israël, Baverstock n'avait cessé d'étudier minutieusement les traductions du texte en araméen copié à partir des tablettes d'argile.

— Vous l'avez déchiffré ? demanda Charlie Hoxton.

Il posa une bouteille de bière locale, une Dancing Camel achetée dans l'après-midi, et avança jusqu'à la table où Baverstock travaillait.

— Je me demandais au départ s'il pouvait y avoir trois tablettes manquantes, et non pas une seule, mais si tel était le cas, les lignes dans les coins n'ont aucun sens. Alors j'ai essayé de rassembler les tablettes pour former un carré et j'ai étudié à nouveau l'inscription. La réponse était un jeu d'enfant. Vous lisez le premier mot à droite à l'extrémité de la première ligne, sur la première tablette. Qui est celle que nous n'avons pas, comme par hasard. (Baverstock pointa du doigt les papiers éparpillés sur la table. Il avait préparé quatre feuilles format A4, et il avait écrit les versions anglaises des inscriptions en araméen qu'il avait réussi à traduire au moins pour trois d'entre elles, puis il les fit glisser afin de les mettre en position. La quatrième feuille, celle en haut et à droite, était blanche à l'exception d'une courte ligne dans le coin en bas à gauche, qui reprenait des lignes similaires dessinées sur les trois autres pages.) Puis, poursuivit Baverstock, il vous suffit de lire le mot dans la même position sur les trois autres tablettes suivantes, dans le sens inverse des aiguilles d'une montre, bien évidemment. Cela nous donne: « par Elazar Ben », donc le premier mot, le mot manquant, est probablement « choisi » ou « ordonné », ou quelque chose dans le genre. Le mot suivant sur la tablette dont nous ne disposons pas est, et c'est presque sûr, « Ya'ir », pour compléter le nom propre du leader des sicaires à Masada. Mais ce mot n'apparaît pas sur la première ligne de l'inscription. Au lieu de cela, vous prenez le premier mot de la ligne du dessous et vous répétez le processus pour chaque tablette. C'est un code très simple mais très futé.

— OK, je crois avoir pigé, marmonna Hoxton avec impatience. Un truc futé. Mais tout ce que je veux savoir, c'est ce que racontent ces fichues tablettes.

— Je sais déjà ce qu'elles racontent, fit sèchement Baverstock, avant d'indiquer une nouvelle page.

Hoxton lut attentivement ce que l'expert en textes anciens avait écrit en majuscules.

— Très impressionnant, Tony, acquiesça Hoxton. Maintenant, dites-moi tout ce que ça signifie. Que recherchons-nous, exactement?

— Ça me paraît évident, bon sang! rétorqua sèchement Baverstock. Le texte décodé mentionne explicitement le « Rouleau de cuivre » et le « Rouleau blanc d'argent ».

— Mais à moins qu'il n'existe *deux* rouleaux de cuivre, cette relique a déjà été découverte, fit remarquer Hoxton.

Baverstock ne put réprimer un grognement.

— Nous en venons au fait. Jetez un œil à l'inscription, et vous comprendrez que la découverte du Rouleau de cuivre à Qumrān ne fait que confirmer ce qui est écrit sur ces tablettes. Cette relique a été trouvée dans la grotte numéro trois en

1952; ceux qui avaient préparé ces tablettes d'argile l'avaient dissimulé à cet endroit. Regardez le texte. (Baverstock souligna le passage à l'aide d'un crayon.) Laissez-moi simplement remplir certains de ces blancs avec les mots qui me semblent être les bons, dit-il, en gribouillant sur sa feuille. Parfait. Ça dit quelque chose comme : « Le rouleau de cuivre que nous avons pris à Ein-Gedi et que nous avons caché dans la grotte de Hammad, l'endroit des rouleaux de… » Le mot suivant nous manque, parce qu'il se trouve sur la quatrième tablette. Puis le texte poursuit : « à proximité de la communauté connue sous le nom d'Ir-Tzadok B'Succaca. » C'est une affirmation claire, la plus claire que vous pourrez trouver, décrivant la cachette du Rouleau de cuivre. J'ignore le sens de ce mot, ici. Celui qui se trouve entre « de » et « à proximité », mais je présume qu'il fait référence soit à un endroit, soit à une personne. Il pourrait s'agir de Jéricho ou de Jérusalem, disons, ou alors du nom d'une personne ou d'une tribu détenant les autres manuscrits.

« Il est bien dommage que nous ne sachions pas de quoi il s'agit, ajouta Baverstock, car ça pourrait, une bonne fois pour toutes, résoudre le mystère consistant à savoir qui a réellement rédigé les manuscrits de la mer Morte. Mais il est intéressant de noter que l'inscription fait explicitement référence au fait que le Rouleau de cuivre provient d'Ein-Gedi.

— Et ça se trouve où ?

— Ein-Gedi était un important village juif bâti près d'une oasis non loin de la rive occidentale de la mer Morte, tout près de Qumrān, à vrai dire. Et cela nous fournit un nouvel indice, ou plutôt une confirmation, que ceux qui ont préparé ces tablettes faisaient partie des sicaires. Le seul raid sur Ein-Gedi qui nous intéresse, d'après les références trouvées sur Internet, s'est déroulé en 72 ou en 73 après Jésus-Christ, et a été mené par un groupuscule de sicaires en provenance de Masada. Cela correspond parfaitement aux premiers mots de l'inscription car, à cette époque, les sicaires étaient dirigés par Elazar Ben Ya'ir. Près de sept cents habitants d'Ein-Gedi ont été massacrés, et les pillards se sont enfuis en emportant tout ce qu'ils pouvaient prendre avec eux. Et on dirait bien que l'un des objets qu'ils ont trouvé était le Rouleau de cuivre, et qu'un autre était le Rouleau d'argent.

Hoxton et Dexter étudièrent tous les deux l'inscription pendant que Baverstock poursuivait son exposé.

— Et ces « tablettes du temple »? demanda Hoxton. Provenaient-elles elles aussi d'Ein-Gedi? Et de quoi s'agit-il exactement?

Baverstock hocha la tête.

— L'inscription n'indique pas si les sicaires les ont pillées, il est donc fort possible qu'ils les avaient déjà en leur possession. La traduction complète raconte probablement ceci: « les tablettes du temple de Jérusalem ». Peut-être s'agissait-il de dalles de pierre décoratives, ou peut-être étaient-ce des tablettes avec des prières – ou je ne sais quoi – gravées dessus. Peu importe, cela n'a aucune importance pour nous. Ce que nous recherchons est le Rouleau d'argent.

— Et la grande question, bien sûr, observa Hoxton, c'est: où commencer à chercher? Cette inscription dit que le Rouleau de cuivre était caché à Qumrān. Ça veut dire que le Rouleau d'argent s'y trouvait aussi, non?

— Non, répondit Baverstock. Les références aux deux reliques restent très distinctes. C'est du moins ce qui est écrit. Le Rouleau de cuivre a été caché dans une grotte à Qumrān, mais l'autre rouleau a été dissimulé dans une citerne, autre part. Pour l'heure, j'ignore ce que l'auteur de cette inscription voulait dire par l'expression: « l'endroit de », quelque chose, « fin des temps ». L'interprétation la plus simple serait: « l'endroit de *la* fin des temps », mais je dois encore faire des recherches avant de pouvoir vous révéler ce à quoi il faisait référence. Et pendant que je m'y attelle, vous feriez mieux de vous équiper du matériel dont nous avons besoin. Quand on se mettra en mouvement, il faudra aller très vite.

## 52

Bronson et Angela fonçaient droit vers le sud-est en direction de Jérusalem et de la mer Morte.

Bronson ne savait pas trop à quoi s'attendre, mais il fut surpris de voir combien les territoires traversés pouvaient être fertiles, tout du moins la bande s'étendant le long de la côte méditerranéenne. Il s'attendait, il est vrai, à contempler un environnement beaucoup plus aride et désertique, mais en réalité, la seule partie d'Israël que l'on pouvait qualifier de désert était l'étroit triangle de terre qui pointe vers le sud, à partir du point le plus vaste du pays jusqu'au golfe d'Aqaba.

Cette zone, reliant Rafah sur la côte méditerranéenne, l'extrémité sud de la mer Morte et la station balnéaire israélienne d'Eilat, comprenait le désert du Néguev, un coin de terre chaud, désolé et totalement inhabité.

— D'après cette carte, annonça Angela, assise sur le siège passager, le document en question déployé sur ses genoux, nous devrions atteindre la frontière de la Cisjordanie d'ici une dizaine de minutes.

— Tu crois que ça risque de poser problème d'y aller?

— Non, je ne pense pas. Il nous faudra simplement faire attention aux barrages routiers et aux check points. Nous sommes censés en franchir quelques-uns.

Ils se retrouvèrent coincés dans la circulation de Jérusalem, ce qui n'était pas surprenant, si l'on considère une population de près d'un million de personnes entassées dans une zone relativement petite et très urbanisée. Une fois à l'extérieur de la cité, la route tournait vers le nord-est et filait droit vers le sud de Jéricho, la plus ancienne ville fortifiée du monde, avant de virer à l'est en direction de la frontière avec la Jordanie. Lorsqu'ils atteignirent l'extrémité nord de la mer Morte, Angela donna des instructions à Bronson pour qu'il tourne à droite, et ils roulèrent vers le sud, traversant le kibboutz israélien de Nahal Kalya, et vers la côte occidentale de la mer Morte elle-même, le point le plus bas à la surface terrestre de la région. À quelques kilomètres, au-delà, se trouvait Qumrān. La circulation était toujours dense, même après avoir échappé aux embouteillages qui paralysaient les rues bondées de Jérusalem, ils avaient plusieurs voitures devant et derrière eux. Ce que Bronson n'avait pas remarqué, en revanche, c'était que l'un de ces véhicules, une Peugeot blanche avec deux occupants, les suivait depuis leur départ de Tel-Aviv, en veillant bien à ne pas s'approcher à plus de soixante-dix mètres, mais sans jamais les perdre de vue.

Lorsqu'ils traversèrent les territoires de la Cisjordanie, le paysage avait changé, les terres fertiles de l'ouest de Jérusalem laissant la place à un paysage beaucoup plus accidenté et inhospitalier, et à l'approche de Qumrān, le paysage changea à nouveau, révélant une chaîne de collines rocailleuses ponctuées de ravins.

Qumrān elle-même était située à mi-chemin en haut d'une colline, sur un plateau d'environ un kilomètre et demi vers l'ouest de la rive de la mer Morte, offrant un panorama spectaculaire sur le désert plat, en contrebas. Le site antique était partiellement entouré de collines marron-beige, striées par diverses nuances de couleur indiquant les différentes strates de la roche. Certaines d'entre elles étaient criblées d'ouvertures sombres, ovales et généralement irrégulières. Et pour Bronson, c'était un lieu extraordinairement intimidant.

— Ce sont les grottes ? demanda-t-il, en pointant du doigt vers l'ouest alors qu'ils atteignaient le plateau.

— Oui, les célèbres grottes, admit Angela. Il y en a près de deux cent quatre-vingts au total, et la plupart se trouvent comprises entre cent et mille six cents mètres de la communauté. On a découvert des vestiges dans près de soixante d'entre elles, mais la majeure partie des manuscrits de la mer Morte ne provenait que de onze grottes. La grotte la plus proche est située à environ cinquante mètres du bord du plateau, ce qui peut expliquer pourquoi le père Roland de Vaux était intimement convaincu que les habitants de Qumrān étaient bien les auteurs des manuscrits. Il refusait tout simplement de croire que les Esséniens, ou quiconque ayant vécu en ces lieux, n'aient rien su au sujet des grottes et de ce qu'elles renfermaient. Ce qui est censé être les restes de fouilles a été découvert dans l'une des grottes, et cela conduit à une théorie selon laquelle les grottes ont pu être utilisées par les habitants de Qumrān en tant que bibliothèque. Mais, comme je l'ai déjà dit, il existe un tas de problèmes à résoudre quant à l'hypothèse : « Qumrān et les Esséniens ».

Elle retira son chapeau et s'épongea le front avec un mouchoir déjà trempé de sueur.

La chaleur était presque insoutenable et ils transpirèrent abondamment, une fois grimpé le promontoire situé à deux pas de l'endroit où ils venaient de garer la voiture. Bronson était bien content de s'être arrêté à une boutique près de leur hôtel de Tel-Aviv pour y acheter des chapeaux à large bord et plusieurs bouteilles d'eau. Ils risquaient la déshydratation s'ils ne faisaient pas preuve de prudence.

— Si les grottes sont aussi proches, observa Bronson, ce qui m'étonne, c'est que les gens qui vivaient ici ignoraient ce qu'elles renfermaient.

— Je suis d'accord, mais ça ne veut pas dire qu'ils les avaient écrits. Au mieux, ils se sont peut-être considérés comme des gardiens.

Bronson contempla le paysage désolé au bas du plateau, le désert terne, uniquement relevé par d'occasionnels carrés de verdure où avaient pris vie quelques petits massifs arborés. À mi-distance, la mer Morte formait une masse d'un bleu brillant et mordant, une bande de couleurs vives cachant la triste réalité des eaux sans vie.

— Nom de Dieu, marmonna-t-il, en s'épongeant le front. Qui diable aimerait vivre dans un endroit pareil?

Angela lui sourit.

— Au début du Iᵉʳ millénaire, c'était une zone extrêmement fertile et prospère, lui apprit-elle. Tu vois ces arbres en bas? (Elle indiqua les taches vertes disséminées à la surface du désert, déjà remarquées par Bronson.) Ces rares arbres sont tout ce qui reste des anciennes plantations de dattiers. L'histoire nous rappelle que durant les temps bibliques, toute la zone s'étendant des rives de la mer Morte jusqu'à Jéricho et au-delà était tapissée de plantations de dattiers. Jéricho elle-même était connue comme la « ville des dattes », et les dattes de Judée étaient extrêmement convoitées, d'abord comme denrée alimentaire et pour leurs vertus médicinales, disait-on. En réalité, le dattier est devenu une sorte de symbole de la Judée. Tu peux facilement le voir sur les pièces de monnaie *Judea Capta* estampées par les Romains après la chute de Jérusalem et la conquête du pays. Elles représentent toutes un dattier sur le côté pile. Mais il ne s'agissait pas seulement de dattes. Cette zone produisait également de la balsamine, apparemment la meilleure de toute la région.

— Et la balsamine, c'est quoi exactement?

— Ça peut être un tas de choses, à vrai dire : c'est une fleur, et même un arbre, le sapin baumier. Mais en Judée, le mot se réfère à un large arbuste. Il produisait une résine à la douce odeur qui avait de nombreuses propriétés dans le monde antique, ça pouvait aller de la médecine jusqu'à l'élaboration de parfum. La région était également une grande source de bitume produit de façon naturelle. L'un des anciens noms de la mer Morte est Lacus Asphaltites, ou lac Asphaltitus, le « lac d'asphalte ». C'est un nom plutôt étrange pour une étendue d'eau, et la raison d'un tel nom est due au fait que de larges mottes de bitume, également connu sous le nom d'« asphalte », étaient dissimulées sous ses eaux.

— Tu veux dire le bitume et l'asphalte comme pour la construction des routes ? Le truc noir qui colle tout ensemble ? Pourquoi s'en servir il y a deux mille ans ?

— Pour une nation de marins, le bitume était vital, car ils pouvaient l'utiliser pour calfater le fond de leurs bateaux et les rendre ainsi étanches, mais les Égyptiens étaient les principaux clients du bitume de la mer Morte, et ils l'utilisaient d'une tout autre manière.

— De quelle façon ? demanda Bronson.

— Cela faisait partie du processus d'embaumement, le crâne était rempli de bitume en fusion et de résines aromatiques. Il faut garder à l'esprit que environ 300 ans avant Jésus-Christ, l'Égypte approchait les sept millions de personnes, il y avait donc de nombreux embaumements et le commerce du bitume était très lucratif. Tu peux me croire sur parole, c'était un lieu très important en Judée.

Bronson contempla le paysage lunaire. Il avait du mal à le croire. Pour ses yeux de novice, Qumrān ne ressemblait qu'à un enchevêtrement de pierres, dont très peu semblaient former des murailles. Il songea à l'histoire turbulente de la région, aux effroyables privations que les Esséniens avaient dû endurer et à leurs efforts pour affronter la chaleur extrême, le manque d'eau douce, et un environnement connu comme le plus implacable et hostile de la planète. À ses yeux, et en dépit du soleil brillant, Qumrān et toute la zone qui l'entourait semblaient sinistres, peut-être même dangereux, et ce d'une manière indéfinissable. Il eut un léger frisson malgré la fournaise ambiante.

— En tout cas, je suis prêt à foutre le camp d'ici et retrouver le confort de la civilisation, fit-il remarquer.

Angela fronça les sourcils et posa la main sur son bras.

— Je sais ce que tu ressens. Moi non plus, je n'apprécie pas vraiment cet endroit. Mais avant de partir, j'aimerais quand même faire un tour dans une ou deux grottes, si ça ne t'ennuie pas.

— On est vraiment obligés ?

— Écoute, tu peux retourner à la voiture et enclencher la clim, si ça te chante, mais moi, j'y vais. J'en ai lu un paquet sur les grottes et les manuscrits de la mer Morte, et une bonne part de mon boulot a quelque chose à voir avec cette région, mais c'est la première fois que j'ai l'occasion de visiter un ancien site de Judée. On a fait tout ce long chemin, et j'ai hâte d'aller jeter un œil dans une ou deux grottes, juste pour voir à quoi elles ressemblent. Je ne serai pas longue, promis.

Bronson soupira.

— J'avais oublié combien tu pouvais te montrer déterminée, fit-il avec un sourire. Je viens avec toi. Ce sera une bonne chose de se mettre à l'abri du soleil, même si c'est seulement à l'intérieur d'une grotte pendant quelques minutes.

# 53

Yacoub porta son téléphone portable à son oreille et écouta Hassan faire ses commentaires en direct tout en suivant des yeux Bronson et Angela autour de la commune antique. Bien qu'il soit habitué à de telles températures au Maroc, Yacoub trouvait la chaleur ambiante étouffante, même s'il portait la veste et le pantalon les plus légers qu'il avait pu trouver. Il aurait de loin préféré une djellaba et un keffieh, mais ce style de vêtements l'aurait de suite identifié comme un Arabe, et en Israël, inutile de dire qu'il préférait l'éviter. Il risquait trop d'attirer l'attention.

— Ils se comportent comme des touristes, signala Hassan. Ils ont marché près des ruines, mais là, on dirait bien qu'ils s'apprêtent à partir. (Il se tut pendant quelques secondes, puis l'homme reprit son commentaire :) Non, ils ne se dirigent pas vers le parking. Ils m'ont l'air de marcher vers les grottes.

— Très bien, déclara Yacoub. Il y a une référence à Qumrān sur ma tablette, il est donc possible qu'ils croient que les reliques sont cachées quelque part. Suis-les, et essaye de te rapprocher suffisamment pour écouter ce qu'ils disent. S'ils pénètrent dans une grotte, suis-les à moins que la distance ne soit trop réduite. Souviens-toi : tu es juste un touriste de plus, et ils ne connaissent pas ton visage. Il ne devrait pas y avoir de danger.

— Et s'ils trouvent les reliques ?

— Ça me paraît évident, rétorqua Yacoub. Tu les tues et puis tu m'appelles.

— Ce n'est pas très profond, remarqua Bronson, alors qu'ils se tenaient prudemment devant l'entrée de l'une des grottes, près du plateau de Qumrān. Ça ressemble plus une grosse fissure dans la roche qu'à une véritable caverne.

L'entrée faisait à peine un mètre de large et un mètre cinquante de haut, mais la grotte elle-même s'enfonçait sur moins de cinq mètres dans la roche et elle était entièrement vide.

— Non, admit Angela, mais il en existe dans les parages qui sont bien plus grandes que celle-ci. Allons en vérifier une autre, puis nous nous en irons.

— Tope là, dit Bronson, en la précédant pour sortir de la grotte. (Une fois à l'extérieur, il regarda autour d'eux, puis il indiqua un point un plus haut sur la colline.) Celle-là m'a l'air plus grande, dit-il, en pointant du doigt une ouverture ovale plus large sur la façade rocheuse, à environ soixante-dix mètres. Tu veux qu'on y fasse un tour ?

Angela observa le flanc de colline et hocha la tête. Ils avaient tous les deux du mal à parler tant la chaleur était oppressante.

Tandis qu'ils se dirigeaient vers l'autre grotte, en grimpant la pente avec lenteur et précaution, Bronson jeta un œil derrière lui. Il aperçut un homme qui grimpait dans leur direction, se dirigeant apparemment vers l'une des grottes. Il y avait plusieurs personnes à Qumrān et sur les collines avoisinantes, et rien de particulier ne permettait de distinguer cet homme solitaire des nombreux touristes qui arpentaient le site, mais sa présence préoccupa Bronson.

Lorsqu'ils étaient sortis de la première petite grotte, l'homme s'était dirigé immédiatement vers eux, ou vers la grotte elle-même, mais maintenant, il avait changé de direction et marchait vers la grotte plus vaste que Bronson et Angela s'apprêtaient à rejoindre. Soit il se promenait, soit le suiveur tentait de les intercepter. De toute façon, Bronson se dit qu'il valait mieux le surveiller d'un peu plus près.

Angela atteignit l'entrée de la grotte la première et fit un pas à l'intérieur. Bronson la suivit quelques secondes plus tard, non sans avoir jeté un dernier coup d'œil en bas de la pente. L'homme se trouvait à moins de cinquante mètres et il semblait toujours se promener, apparemment en toute innocence, tout en se rapprochant d'eux.

Faisant signe à Angela de ne pas bouger, Bronson fit quelques pas jusqu'à l'entrée et scruta l'extérieur, en prenant soin de bien rester dans l'ombre. La silhouette à l'approche fit une pause à moins de trente mètres. Tandis que Bronson l'observait, il fit glisser un téléphone portable dans sa poche de veste.

— Et merde, marmonna Bronson. (L'homme dégaina un pistolet semi-automatique de sa ceinture, sortit le magasin de la crosse pour le vérifier, puis l'y replaça et arma le pistolet.) Il y a un type qui file droit vers nous avec un revolver.

— Un policier ?

— Oh, que non ! observa Bronson. Pas avec une telle arme. (Il jeta un œil à l'intérieur de la grotte. Il y avait des couloirs étroits de chaque côté de l'entrée, tous deux en partie encombrés par des éboulis rocheux. Ils pouvaient se transformer en pièges fatals, mais uniquement si l'homme qui approchait savait que quelqu'un s'y cachait.) Vite, fit Bronson, en indiquant un point vers la droite. File dans ce couloir et cache-toi derrière le tas de rochers.

— Et toi, tu seras où ?

— Par là, plus loin dans la grotte. Je vais faire un peu de bruit et essayer d'attirer son attention. Dès qu'il te dépasse, tu sors et tu fonces à la voiture.

— Non, Chris. (Bronson pouvait percevoir de la peur dans sa voix.) Je ne te laisse pas tout seul.

— Je t'en prie Angela, fais ce que je te dis. Je me sentirai mieux si je te sais en sécurité et loin d'ici. Je te suivrai le plus vite possible.

Bronson fit demi-tour et marcha d'un bon pas en s'enfonçant plus loin dans l'obscurité et l'odeur de moisi. Il n'avait pas de revolver, mais il avait une torche, qu'il n'avait pas oublié d'acheter au cas où ils visiteraient l'une des grottes. Il l'alluma, plutôt soulagé de l'avoir sous la main. Dans son dos, il entendit les pas rapides d'Angela et se retourna pour la voir disparaître dans le couloir latéral.

C'est alors que l'ovale de lumière scintillante qui marquait l'entrée de la grotte fut partiellement obscurci par une silhouette venant de l'extérieur.

# 54

Bronson recula un peu plus dans l'obscurité.

La grotte semblait s'étendre un peu plus loin dans la colline, peut-être sur trente ou quarante mètres et l'espace entre les parois se réduisait très sensiblement à mesure qu'il s'enfonçait plus avant dans la caverne. Le sol formait une sorte de tapis de pierres, accidenté et cabossé, de rochers branlants et de sable. Les murs étaient fissurés, torturés, et s'ouvraient fréquemment sur des impasses s'enfonçant d'à peine un mètre dans la roche. Il faisait chaud. Vraiment chaud. L'atmosphère était comme figée, alourdie par la chaleur.

Il se retourna et regarda vers l'entrée. La silhouette semblait immobile, tout près de l'entrée de la grotte et attendait vraisemblablement que ses yeux s'habituent à la pénombre. Mais tandis que Bronson l'observait toujours, l'homme fit volte-face et fit quelques pas en direction du couloir où Angela avait trouvé refuge. Sans hésiter, Bronson donna un grand coup de pied, envoyant quelques pierres sur le sol rocailleux et ralluma sa lampe torche.

— Voilà qui est intéressant, lança-t-il, en haussant délibérément la voix tandis qu'il dirigeait le faisceau de la torche plus profondément à l'intérieur de la grotte. Allons voir ça d'un peu plus près.

En entendant Bronson, la silhouette s'arrêta net et se retourna, en alerte, à l'écoute de la voix qu'il venait d'entendre et attiré par la lumière, puis il fit quelques pas dans la grotte.

Bronson vit la silhouette tendre son pistolet, une forme noire facilement reconnaissable qui prolongeait son bras droit de manière sinistre. Le bon côté des choses, c'est que l'homme s'était éloigné de la cachette d'Angela, mais le problème était qu'il se dirigeait maintenant droit sur lui. Conscient que ses chances de pouvoir bouger se réduisaient, Bronson recula de nouveau d'un pas dans la grotte qui devenait encore plus étroite et obscure.

Il orienta le faisceau de sa torche vers l'extrémité de la caverne, en quête d'inspiration. Il cherchait une cachette ou quelque chose qui pourrait distraire son poursuivant. Mais il y avait peu de recoins où il aurait pu se cacher et il n'en trouva aucun qui pouvait le séduire.

— Je crois qu'on a trouvé, tu sais, fit-il à voix haute, laissant ainsi entendre qu'Angela se trouvait toujours avec lui. Reste où tu es et tiens la torche bien droite.

Bronson plaça la lampe sur un rocher, illuminant un petit tas de pierres sur l'un des côtés de la grotte qui ressemblait à s'y méprendre à un tumulus.

Puis il traversa le faisceau de lumière, tout en prenant soin de fermer les yeux afin de préserver sa vision nocturne. Son mouvement dessina une ombre sur les murs de roche au fond de la grotte. Cela devait faire croire à l'intrus, du moins l'espérait-il, qu'il se trouvait bien plus loin que la torche, tout en cherchant un point de fuite dans l'espace ainsi éclairé.

Mais ce n'est pas là qu'il avait l'intention de se diriger. À peine était-il sorti du faisceau lumineux qu'il se tapit sur le sol et fit demi-tour pour se diriger vers l'entrée de la grotte. En restant plaqué contre la paroi de la roche, il observa la silhouette à l'approche qui ne se trouvait plus qu'à quatre ou cinq mètres.

L'attention de l'homme semblait concentrée sur le faisceau de la torche qui éclairait toujours le tumulus. Il se dirigeait lentement, avec précaution, vers la lumière, en restant au centre de la grotte, tout en veillant bien à ne faire aucun bruit.

Bronson avait besoin d'y attirer son poursuivant. Afin qu'il continue à scruter le fond de la grotte. Il ramassa deux petits cailloux et les lança derrière lui, un vieux tour, certes, mais efficace. Ils rebondirent sur le sol de la caverne quelque part près de la torche immobilisée.

La silhouette continuait de marcher, approchant lentement, et Bronson pouvait clairement distinguer le pistolet qu'il tenait fermement de la main droite.

Soudain, un raclement se fit entendre, suivi d'un fracas. C'était Angela qui s'échappait de sa cachette et fonçait vers l'entrée de la grotte.

L'homme fit demi-tour, tendit son pistolet et appuya sur la détente. La détonation fut effroyablement assourdissante dans l'espace confiné et Bronson n'eut pas le temps de vérifier si Angela avait été touchée : il s'était déjà mis en mouvement sans attendre.

Faisant fi des tirs en provenance de l'intrus, Bronson se mit à courir. Il s'arracha du mur de la grotte et fila à vive allure sur le sol rocailleux. Il frappa l'homme à l'estomac d'un coup d'épaule. L'inconnu, pris par surprise, suffoqua de douleur et s'effondra sur le sol. Il lâcha le pistolet qui tournoya avant d'atterrir avec fracas un peu plus loin.

Bronson ne lui laissa pas le temps de reprendre ses esprits. Tandis qu'ils luttaient et se débattaient sur le sol irrégulier de la grotte, il parvint à libérer son bras droit et frappa du poing le plexus solaire de son adversaire, laissant s'échapper le peu d'oxygène qui restait dans ses poumons. Puis il le frappa du genou dans l'aine. Cela ne se révéla pas une bonne idée, car la rotule de Bronson racla contre les rochers, dans l'action, provoquant une vive douleur dans sa jambe droite.

Mais l'homme qu'il venait d'attaquer se crispa, porta les mains à son entrejambe, et Bronson sut qu'il l'avait immobilisé. Du moins, pour quelques secondes.

Il se releva tant bien que mal et baissa les yeux sur la silhouette recroquevillée qui geignait, étendue sur le sol. Il lui fallait s'emparer de l'arme et prendre ainsi l'avantage, mais il ne la voyait nulle part. Sprintant vers le fond de la grotte, il saisit la torche et retourna vers son adversaire gémissant. Il dirigea le faisceau partout autour de lui, en quête d'un éclat de métal révélateur. Rien. Son attention fut alors attirée par un faible scintillement et il se rapprocha pour y voir d'un peu plus près.

C'était bien le pistolet, mais il avait glissé entre deux rochers, dans une fissure quasi verticale et à peine plus large que l'arme elle-même. Et impossible d'y insérer sa main assez loin pour pouvoir le toucher. Pour l'atteindre, il aurait fallu soit déplacer l'un des rochers, ce qui était impossible, soit trouver quelque chose comme un bâton qu'il pourrait utiliser comme levier. Et il n'avait pas le temps pour ça, car l'homme qu'il venait d'assaillir s'était déjà agenouillé.

Tandis qu'il se relevait, Bronson tenta de le frapper à la mâchoire. L'homme chancela en arrière et il manqua son coup. Un déclic menaçant se fit entendre et il aperçut l'éclair d'acier d'un cran d'arrêt que l'on actionne. Bronson recula vivement lorsque l'homme tenta de le poignarder à l'estomac, puis il attaqua son assaillant avec la seule arme dont il disposait : sa torche.

Dans la boutique ce matin-là, il avait vu plusieurs types de lampes torche, mais Bronson achetait de la qualité dès qu'il le pouvait, et la lampe qu'il avait choisie avait la forme d'un tube en aluminium, solide et résistant, contenant trois grandes piles. À cet instant, il ne regretta pas d'avoir payé plus cher pour acheter ce modèle.

La lampe s'écrasa sur le côté du crâne de l'homme qui s'écroula tête la première sur le sol. La torche, aussi étonnamment que ça puisse paraître, fonctionnait toujours, même si Bronson avait eu le temps de noter une bosse impressionnante sur l'un des côtés du tube.

Il observa la silhouette immobile pendant quelques secondes, puis il baissa le bras, l'attrapa par l'épaule et le fit rouler sur le dos. Il éclaira son visage à l'aide de la torche pendant un instant, puis hocha lentement la tête.

— Pourquoi ne suis-je pas surpris ? marmonna-t-il.

Il tenta en vain de dégager à nouveau de la crevasse le pistolet de l'intrus, puis il sortit de la caverne.

Angela l'attendait à environ vingt mètres de là, bien cachée derrière un affleurement rocheux, et elle serrait une pierre de la taille d'une balle de cricket dans la main droite.

— Dieu soit loué, fit-elle, en se levant quand Bronson fit son apparition. Est-ce que ça va ?

Il posa la main sur son épaule, puis lui caressa gentiment la joue, à l'endroit où elle était zébrée de poussière.

— Je vais bien, oui. Tu n'as pas été touchée ?

Angela fit non de la tête.

— J'ai cru qu'il te tirait dessus, observa-t-elle. Que s'est-il passé là-dedans ?

Bronson sourit.

— Nous avons eu une divergence de point de vue, mais heureusement je l'ai eu par surprise.

— Il est mort ?

— Non, il fait juste un gros dodo. Heureusement que j'avais cette torche. (Bronson indiqua l'arme de fortune qu'elle tenait dans la main et qu'elle venait juste de lâcher. La pierre dégringolait à présent sur le flanc de la colline.) Qu'avais-tu l'intention de faire avec ça ? demanda-t-il.

— Je n'en ai aucune idée, mais impossible de te laisser là-dedans.

— Merci, fit-il, se sentant beaucoup plus heureux. Mais on fiche le camp d'ici. J'ai fait la rencontre de ce type. Cela ne veut pas dire qu'il n'y en a pas d'autres qui nous observent. Il faut dégager et *fissa*.

# 55

— Bon alors, qu'est-ce qu'on fait, on continue ? demanda Bronson, tandis qu'ils roulaient en direction de Tel-Aviv.

Ils avaient dévalé la colline jusqu'au parking en un temps record, et roulaient désormais aussi vite que les conditions de circulation le permettaient. Ne restait plus qu'à espérer que personne ne les avait suivis de leur hôtel de Tel-Aviv jusqu'à Qumrān. Chris avait bien l'intention de retourner dans la ville pour trouver un autre hôtel le plus vite possible.

— Oui, on continue, répondit Angela. C'est rien de le dire, mais j'ai vraiment hâte de mettre la main sur le Rouleau d'argent et l'Alliance Mosaïque, sachant surtout que nous ne sommes pas seuls sur la piste. Et je ne crois pas me tromper, n'est-ce pas ? (Bronson acquiesça, tout en restant concentré sur la route.) Mais ce que je n'arrive pas à piger, poursuivit Angela, c'est qui d'autre que nous est en quête de ces reliques.

— Je l'ignore, mais quand j'ai dévisagé l'homme de la grotte, je me suis dit que je l'avais déjà vu quelque part. J'ai une assez bonne mémoire des visages, et je suis certain qu'il s'agissait d'un des types que l'on peut voir sur les photographies prises par Margaret O'Connor dans le souk à Rabat. Ce qui signifie qu'il s'agissait bien de l'un des membres du gang marocain. À mon avis, il a reçu l'ordre de nous suivre pour récupérer la tablette d'argile. Yacoub pense que nous l'avons en notre possession, j'en suis persuadé.

— Tu aurais dû le tuer. Et récupérer son arme.

Bronson fit non de la tête.

— Le tuer aurait été une bien mauvaise idée, dit-il. Le fait de le laisser dans la grotte dans son état, je veux dire avec un bon mal de crâne, signifie que la police israélienne ne risque pas d'entrer dans le jeu, et ça me convient tout à fait. Quant à son pistolet, j'aurais bien aimé le récupérer mais il est tombé dans une crevasse entre les rochers et impossible de l'y attraper. (Bronson fit une pause et regarda Angela.) Si on continue, ça pourrait bien devenir dangereux pour nous deux. Tu penses y être préparée?

— Oui, répondit fermement Angela. Nous devons absolument trouver ce rouleau.

Ce soir-là, Bronson et Angela dînèrent assez tôt dans la chambre d'Angela, au petit hôtel qu'ils s'étaient déniché à la hâte dès leur retour de Qumrān. Bronson avait choisi un lieu suffisamment éloigné du centre de Tel-Aviv, où ils risquaient peu de se faire repérer par leurs guetteurs, et où une quelconque surveillance lui serait plus facile à détecter. Une fois leur repas terminé, il leur restait plus d'une heure avant leur rendez-vous avec Yosef Ben Halevi, ils en profitèrent pour examiner une fois encore la traduction de l'inscription.

Angela se connecta à Internet sur le site de traduction en araméen qu'elle avait trouvé plus tôt, et elle commença à saisir tous les mots en araméen qu'elle pouvait lire, y compris ceux de la tablette conservée au musée parisien, juste au cas où ils auraient fait des erreurs de traduction. Pendant ce temps, Bronson étudiait ces mêmes mots dans le dictionnaire araméen.

Une heure plus tard environ, elle s'assit de nouveau sur sa chaise.

— On dirait bien qu'il y a peu de changements possibles, observa-t-elle, et aucun d'entre eux ne semble déterminant. À mon avis, en tout cas. Dans la première ligne, nous avons « communauté » qui peut également vouloir dire « groupe d'habitations »; « dissimulé », dans la troisième ligne, pourrait être « caché » ou « camouflé »; le site Internet suggère « caverne » au lieu de « grotte » dans la quatrième ligne et « puits » plutôt que « citerne » dans la cinquième ligne. Mais il s'agit juste de mots ayant à peu près le même sens. Ce n'est ici qu'une affaire d'interprétation.

Bronson retira deux bouteilles de gin du minibar, prit deux verres, y versa du tonic et tendit l'un d'eux à Angela.

— Tu as pu traduire les mots que tu avais du mal à trouver? demanda-t-il.

— Certains, oui. J'aurais parié que le premier mot à droite de la première ligne était « Elazar », à savoir une partie du nom Elazar Ben Ya'ir. Et j'ai fini par traduire ce mot.

Elle indiqua « Gedi », qu'elle avait inscrit sur la quatrième ligne de leur traduction de la tablette de Rabat, remplissant ainsi le blanc qui s'y trouvait auparavant.

— Et il vient d'où ce mot? demanda Bronson.

— Comme je n'ai trouvé ce mot dans aucun des dictionnaires, je me suis demandé s'il ne pouvait pas s'agir d'un nouveau nom propre, comme « Elazar », alors j'ai commencé à chercher des versions en araméen de noms de famille ou de noms de lieu et c'est ce que j'ai trouvé.

— « Gedi »? demanda Bronson, en le prononçant: « Jedi », comme dans *Star Wars*.

— Oui. Mais je ne connais aucun emplacement près de Qumrān portant ce nom. J'espère que Yosef pourra nous aider à ce sujet.

— Et pour le mot d'après? Tu as trouvé quelque chose?

Angela hocha lentement la tête.

— Oui, fit-elle. Ça se traduit ainsi: « Mosheh », à savoir la version araméenne de Moïse. Et cela signifie que la phrase peut maintenant se lire ainsi: « les tablettes de – – – – temple de Jérusalem – – – – – – – Moïse le – – – – – – – – ». Si l'on essaie de deviner ce qui se trouve dans le blanc, le texte original doit probablement vouloir dire « les tablettes du temple de Jérusalem et de Moïse le grand guide », ou peut-être « célèbre prophète », quelque chose dans le genre. (Angela fit une pause, regarda brièvement Bronson et poursuivit:) Mais ce qui est évident, c'est que Yacoub avait raison: les « tablettes du temple » signifient certainement l'Alliance Mosaïque, les pierres du prophète Moïse, l'alliance originelle passée entre Dieu et les israélites.

Bronson secoua la tête.

— Tu parles sérieusement, là ?

— Non, répondit Angela, mais celui ou celle qui a écrit cette inscription en était apparemment convaincu.

— Tu veux dires les dix commandements ?

— Non. Tout le monde pense qu'il s'agissait des dix commandements, mais en fait, ce n'était pas le cas. Tout dépend du chapitre de la Bible que tu étudies, mais les deux meilleures listes se trouvent probablement dans l'Exode 20 et le Deutéronome 5, et ces deux sources affirment que Moïse est descendu du mont Sinaï avec quatorze commandements.

— Les quatorze commandements ? C'est nouveau ça.

Angela lui sourit.

— Non, pas vraiment. Mais si tu étudies l'ensemble de l'Exode, tu peux trouver plus de six cents commandements, avec des perles telles que: « Tu ne devras pas autoriser une sorcière à vivre » et « Tu ne devras jamais contrarier un étranger ».

— À quelle période Moïse a-t-il vécu, en supposant qu'il ait réellement existé ?

— Eh bien, comme toujours dans ce genre de cas, la réponse dépend de la source que tu choisis. D'après le Talmud, il est né aux alentours de 1400 avant Jésus-Christ et il était le fils d'une juive baptisée Jochebed ou Jocabed. Quand le pharaon Feraoun a ordonné que tous les nouveau-nés hébreux soient tués, elle l'a mis dans un panier de joncs et l'a laissé dériver sur le Nil. Il a été trouvé par des membres de la famille royale égyptienne pour être ensuite adopté par eux. C'est l'histoire que nous connaissons tous et c'est à peu près la même que celle du roi Sargon d'Akkad au XXIVe siècle avant Jésus-Christ, sauf que le fleuve sur lequel il flotta était l'Euphrate. Il existe un tas de versions différentes des mythes et légendes concernant Moïse, mais la plupart des chrétiens et des juifs croient qu'il était l'homme qui a libéré les israélites de l'esclavage et celui qui les a guidés en Terre promise, à savoir Israël. Ce qui est plus intéressant encore, c'est de noter que Moïse apparaît souvent dans les livres de religions différentes. Dans le judaïsme, par exemple, il apparaît dans tout un tas d'histoires que l'on trouve dans l'apocryphe juif, ainsi que dans la Mishnah et dans le Talmud. Dans la Bible chrétienne, il apparaît à la fois dans l'Ancien et dans le Nouveau Testament, et c'est l'une des figures les plus importantes du Coran. Les Mormons font état du Livre de Moïse, la traduction de ses écrits selon leur interprétation des écritures. À noter également que le fondateur de la Scientologie, L. Ron Hubbard, a prétendu que Moïse était armé d'un pistolet désintégrateur fort utile pour combattre les extraterrestres qui ont envahi l'ancienne Égypte.

Bronson secoua la tête.

— Bon, alors, Moïse a existé, oui ou non ? Et s'il n'a pas existé, comment l'Alliance Mosaïque a-t-elle pu exister ?

— Nul ne sait si Moïse était bien un homme de chair et de sang, répondit Angela, mais la validité historique de l'Alliance Mosaïque est sacrément difficile à contester, tout simplement parce qu'il existe tout un tas de références contemporaines à l'Arche, la boîte en or dans laquelle elle était enfermée. Les juifs y transportaient quelque chose, quelque chose qui était d'une importance cruciale pour leur religion. (Elle consulta sa montre et se leva.) Nous devons y aller. Yosef doit nous attendre. (Elle fit une pause.) Écoute bien, Chris, ne faisons surtout aucune référence aux tablettes d'argile, et encore moins à l'Alliance Mosaïque. Mieux, tu ne dis rien et tu me laisses parler, OK ?

# 56

Leur nouvel hôtel se trouvait près de Namal Tel-Aviv, le port situé à l'extrémité nord de la ville, dans un dédale de rues à sens unique, mais proche de l'avenue Rokach. Ce qui leur permettrait, du moins Bronson l'espérait-il, de filer le plus rapidement possible de Tel-Aviv, si jamais ils y étaient contraints. Angela s'était arrangée pour rencontrer Yosef Ben Halevi dans un bar à deux pas de Jabotinsky, près du jardin Ha'Azma et de la plage du Hilton.

Compte tenu de la faible distance, ils pouvaient aisément s'y rendre à pied, dans la fraîcheur toute relative du soir, mais Bronson décida qu'il valait mieux emprunter un itinéraire plus élaboré, afin tout simplement de s'assurer qu'ils n'étaient pas suivis. Et au lieu de traverser Hayark ou Ben Yehuda, ils empruntèrent la voie piétonne Havakook, près de la plage du Sheraton, avant de couper directement par l'hôtel Hilton.

La ville bourdonnait littéralement, des couples élégamment vêtus flânaient à deux pas des eaux profondes et bleu azur de la Méditerranée tandis que le soleil commençait à se coucher à l'ouest, proposant des couleurs vives et brutes d'une palette d'artiste, avec son assortiment de rouges, de bleus et de jaunes. Mais dès qu'ils eurent franchi l'enchevêtrement de rues et ruelles à l'est du jardin Ha'Azma, dont la plupart portaient le nom de villes importantes, telles que Bâle, Francfort ou Prague, le paysage changea du tout au tout. Les hôtels faisaient place à des immeubles résidentiels peints en blanc et peu élevés, de quatre ou cinq étages au mieux, et l'on distinguait d'innombrables caissons de clima-tisation accrochés aux façades. Dans la rue, les bars et les boutiques se succédaient, ornés d'enseignes exotiques et peu compréhensibles, en hébreu. Toutes les places de parking étaient prises, au désespoir des véhicules qui roulaient au pas pour se garer parmi une foule de piétons. C'est alors qu'ils repérèrent le lieu de rendez-vous.

— Nous y sommes, observa Bronson, tout en traversant la rue et en précédant Angela en direction du bar.

Personne ne semblait leur prêter attention, ce qui était plutôt encourageant.

Bronson, curieusement, s'attendait à ce que Yosef Ben Halevi ressemble à un vénérable professeur, courbé, voûté, aux cheveux gris et la soixantaine bien tapée. Mais l'homme qui se leva pour les accueillir alors qu'ils entraient dans le petit bar tranquille avait une tout autre allure. La trentaine, il était grand, mince et sacrément beau garçon. Et avec sa crinière de cheveux noirs, il ressemblait à un personnage de Byron.

— Angela, fit-il, son sourire éclatant révélant une denti-tion parfaite, dont la blancheur se dessinait, scintillante, sur son visage bronzé.

Bronson le détesta presque instantanément.

— Salut, Yosef, dit Angela, en s'avançant pour recevoir un baiser sur les joues. Je te présente Chris Bronson, mon ex-mari. Chris, voici Yosef Ben Halevi.

Ben Halevi se tourna vers Angela tandis qu'ils s'asseyaient.

— Tu étais très mystérieuse au téléphone, fit-il remarquer. Que fais-tu en Israël et en quoi puis-je t'aider ?

— C'est un petit peu compliqué…, commença Angela.

— C'est toujours un peu compliqué, n'est-ce pas ? l'inter-rompit Ben Halevi, avec un nouveau sourire éclatant.

— Nous sommes en vacances, mais on m'a également demandé de faire quelques recherches sur certains aspects de l'histoire juive du I$^{er}$ siècle, car on a retrouvé des écritures à Londres.

— Des vacances d'étude, en quelque sorte ? suggéra Ben Halevi, levant furtivement les yeux sur Bronson.

— Exactement. Et pour être plus précise, je voudrais en savoir un peu plus au sujet d'événements survenus à proximité de Qumrān, vers la fin du I$^{er}$ siècle après Jésus-Christ.

Yosef Ben Halevi acquiesça.

— Au sujet des Esséniens et des sicaires, je présume ? Des légions romaines et des empereurs Néron, Vespasien et Titus, probablement, non ?

L'homme connaissait apparemment le sujet sur le bout des doigts et Bronson se félicita qu'Angela ait choisi un endroit si tranquille pour le rencontrer. Il n'y avait que quelques personnes dans le bar. Ils pouvaient donc parler librement à leur table sans prendre le risque d'être écoutés.

Angela hocha la tête.

— L'une des choses qui me pose problème est le mot « Gedi », qui me semble être un nom propre, ou peut-être une partie d'un nom propre. Est-ce que ça te dit quelque chose ?

— Ça se pourrait bien, en effet. Tout dépend du contexte, en fait, mais la réponse la plus plausible est qu'il s'agit d'une référence à Ein-Gedi. Et si c'est le cas, il y a un lien probable avec les sicaires. Comment es-tu tombée là-dessus ?

— Ça fait partie d'une inscription que nous avons dénichée, répondit Angela à voix basse.

— C'est bien ça, Ein-Gedi, observa Ben Halevi. C'est une oasis très fertile qui se trouve à l'ouest de la mer Morte, à laquelle les anciens avaient donné le nom de lac Asphaltitus, non loin de Qumrān et de Masada.

— C'est seulement une oasis ? demanda Bronson. Pas très excitant, tout ça.

— Non, il ne s'agit pas seulement d'une oasis. Ce lieu a été mentionné plusieurs fois dans la Bible, tout spécialement dans les Chroniques, Ézéchiel et Joshua. Je crois même qu'on y fait référence dans la Chanson de Salomon : Ein-Gedi est l'interprétation la plus évidente du mot « Engaddi » qui apparaît dans l'un des vers. Et on prétend que le roi David s'y était caché lorsqu'il était pourchassé par Saül. Ce fut un lieu très important pendant une assez longue période de l'histoire juive.

— Et les sicaires ?

— J'allais y venir. Selon Josèphe – tu as en a déjà entendu parler j'espère ? –, lorsque les Romains assiégeaient Masada, certains membres de la garnison des sicaires ont réussi à s'éclipser et mener un raid dans une communauté juive à Ein-Gedi. C'était une offensive majeure, et ils ont massacré plus de sept cents personnes. Il faut garder en mémoire que durant cette période de l'histoire, il était commun de voir des Juifs combattre d'autres juifs. On sait très peu de chose sur les habitants d'Ein-Gedi, à cette époque, mais l'oasis a dû être suffisamment prospère pour pouvoir accueillir autant de monde. Les sicaires devaient probablement rechercher de la nourriture ou des armes, ce genre de choses, afin de les aider dans leur lutte contre les forces romaines encerclant Masada. Bien évidemment, conclut Ben Halevi, cela ne fut pas très efficace, car la citadelle tomba peu de temps après, et tous les sicaires qui s'y trouvaient périrent.

— C'est très intéressant, Yosef, admit Angela, en prenant bien soin de garder tout cela en mémoire, avant de changer totalement de sujet. Nous nous intéressons également à l'histoire entourant l'Alliance Mosaïque. Pour que Chris comprenne bien, pourrais-tu nous en parler un peu ?

— L'Alliance Mosaïque ? répéta Ben Halevi, en regardant Angela intensément. (Un peu trop intensément, aux yeux de Bronson.) Pas de problème. Eh bien, selon la Bible, et plus précisément l'Ancien Testament, l'un des objets les plus sacrés possédés par les israélites était l'Arche d'Alliance, qui a été conservée dans plusieurs sanctuaires différents en Judée, au fil des ans, dont Shiloh et Shechem. Lorsque Jérusalem est tombée aux mains du roi David, il a décidé de bâtir un lieu pour entreposer durablement la relique. Le mont du Temple, dans la partie la plus ancienne de la cité, constituait un choix évident. Salomon était le deuxième fils de David et il a accédé au trône en tant que roi d'Israël en 961 avant Jésus-Christ. Il a poursuivi l'œuvre de son père et a entrepris et achevé la construction du Temple en 957 avant Jésus-Christ. L'édifice n'était pas seulement la demeure de l'Arche elle-même, qui y avait une salle réservée et baptisée *devir*, ou le Saint des Saints, mais il était également un lieu d'adoration pour le peuple. D'après la légende, et bien que le Temple fût très petit, il possédait une cour suffisamment vaste pour accueillir un nombre non négligeable d'adorateurs. Apparemment, on avait essentiellement employé du cèdre pour la construction, mais utilisé également de nombreux ornements en or à l'intérieur. Ce lieu fut connu ensuite sous le nom de « Temple de Salomon », et plus tard, en tant que « premier Temple ». Il a résisté au temps pendant près de trois cent soixante-dix années jusqu'à ce que Nabuchodonosor, roi de Chaldée, rase littéralement Jérusalem et détruise complètement l'édifice. L'Arche d'Alliance a alors disparu des pages d'histoire pendant quelque temps au cours de cette période.

— De quoi était composée l'Arche ? demanda Bronson. D'or, je présume ?

Ben Halevi secoua la tête.

— De nombreux témoignages affirment qu'il s'agissait d'or, mais nous pensons aujourd'hui qu'elle était en réalité faite à base d'acacia recouvert de feuilles d'or. Elle comportait apparemment beaucoup de décorations, avec un couvercle ornementé et des anneaux sur les côtés qui permettaient de la porter à l'aide des perches que l'on glissait à l'intérieur. Si cette description est correcte, il est fort possible que le bois se soit dégradé et que l'Arche elle-même se soit aujourd'hui désintégrée, elle n'a donc sûrement pas été dérobée. Quoi qu'il en soit, poursuivit Ben Halevi, près d'un demi-siècle plus tard, l'on a commencé à bâtir le « second Temple », dont l'architecture était probablement similaire à celle du Temple de Salomon, mais dont l'échelle était plus modeste. Il fut détruit en 70 après Jésus-Christ par les Romains et, comme vous le savez sûrement, il n'y a pas eu de temples juifs sur le mont depuis, et c'est un problème pour de nombreux juifs.

Ben Halevi fit un geste au serveur, qui leur apporta une bouteille de vin rouge et remplit de nouveau leurs verres.

— Parce que vous n'avez pas de lieu d'adoration, c'est ce vous voulez dire ? demanda Bronson.

Ben Halevi fit non de la tête.

— Ce n'est pas uniquement pour cette raison. Même si c'est de toute évidence un point important. Non, pour bien comprendre à quel point l'absence de Temple est sérieuse, il faut se plonger dans votre Ancien Testament, le Livre de la Révélation, en fait. Ce n'est plus un secret pour vous, j'espère ? demanda-t-il, avec un nouveau sourire.

Bronson et Angela secouèrent la tête.

— Honte sur vous, plaisanta Ben Halevi. Laissez-moi vous expliquer : le Livre de la Révélation est censé avoir été rédigé par un homme du nom de Jean de Patmos, qui devait probablement être l'apôtre Jean, car l'on raconte qu'il a été contraint à l'exil sur l'île de Patmos dans la mer Égée, tard durant le

I<sup>er</sup> siècle après Jésus-Christ. C'est probablement le livre de votre Bible le plus difficile à comprendre, car il est entièrement apocalyptique et qu'il renvoie au Second Avènement du Messie et la fin du monde. Ce qui peut expliquer la raison pour laquelle les premières versions du livre étaient connues sous le nom de l'« Apocalypse selon saint Jean ». Aujourd'hui, la vérité est celle-ci : personne ne sait si l'auteur était l'apôtre Jean ou quelqu'un d'autre, tout comme personne ne sait si l'homme qui l'a écrit était un authentique visionnaire, un voyant, décrivant avec précision des visions et des images envoyées par Dieu en personne, ou – pourquoi pas – un dingue inoffensif qui aurait disjoncté à force de vivre sur un bout de rocher baigné de soleil et entouré par des chèvres, en plein cœur de la mer Égée. Le problème, c'est que de nombreuses personnes ont considéré les écrits du Livre de la Révélation comme parole d'évangile, en croyant à la lettre ce qui avait été écrit. Et comme l'on pouvait s'y attendre, la plupart de ces adorateurs fondamentalistes vivent aux États-Unis, ce qui représente une sacrée distance avec Israël, je l'avoue. Mais il existe également une flopée de personnes, chez nous, qui partagent les mêmes croyances. Et l'une des idées cruciales recueillies dans la Révélation est qu'il y aura un Second Avènement, un jour d'apocalypse, quand Jésus reviendra sur Terre, mais cette fois en tant que guerrier, et non plus en tant que Messie. Et son retour annoncera la bataille finale entre le bien et le mal. Après cette bataille, durant laquelle les forces du bien l'emporteront, Jésus régnera sur une Terre en paix pendant un millier d'années.

— Vous croyez à ce genre de trucs ? demanda Bronson, sur un ton manifestement sceptique.

— Je suis juif, répondit Ben Halevi. Je ne fais que vous rappeler ce que raconte *votre* Bible. Mes croyances n'ont rien à voir là-dedans.

— Mais est-ce que vous y croyez, vous ? insista Bronson.

— Pour vous répondre : non. Mais une grande majorité croit que c'est important, et vous seriez surpris de voir combien de personnes s'attendent à assister à la fin du monde selon les prédictions de la Révélation.

— Et ça tourne autour du troisième Temple ? suggéra Angela.

— Exactement. Selon une interprétation de la Révélation, et tout le monde n'est pas d'accord avec ça, Jésus ne retournera sur Terre que lorsque les juifs auront pris possession de la totalité de la Terre promise. Nous sommes passés à deux doigts en 1967, lorsque nos soldats ont pris Jérusalem, et c'était la première fois après près de deux mille ans que nous reprenions le contrôle du Mur occidental et du mont du Temple lui-même. Mais le contrôle du mont fut presque immédiatement rendu aux musulmans par Moshe Dayan.

— Pourquoi avoir fait une chose pareille ?

— Eh bien, Dayan était ministre de la Défense à cette époque, la décision lui revenait, et l'on peut même dire que c'était la bonne décision à prendre. Le mont du Temple était déjà occupé par le dôme du Rocher et la mosquée Al-Aqsa, deux des sites sacrés de l'islam. Si Israël avait conservé le contrôle du mont, il y aurait eu d'énormes pressions pour détruire ces édifices et pour y bâtir le troisième Temple, et si tel avait été le cas, nous nous serions très certainement retrouvés en guerre avec l'ensemble du monde musulman. Une guerre que nous n'aurions probablement pas pu remporter. Ce qu'a fait Dayan, il l'a au moins fait pour la paix : Un pas vers la paix. Un espoir tendant vers la paix.

Il soupira, et Bronson comprit de suite qu'il songeait aux troubles récents et terribles et à la lutte ininterrompue entre Palestiniens et Israéliens.

Angela se pencha légèrement en avant et regarda Ben Halevi.

— Pour conclure, Yosef, quelle est ton opinion au sujet du Rouleau de cuivre ? Penses-tu qu'il s'agisse de la liste authentique de je ne sais quel trésor, ou que c'est juste un canular ?

L'Israélien sourit légèrement.

— Il est facile d'y répondre, dit-il. Selon moi, de nombreux chercheurs pensent que le Rouleau de cuivre constitue une vraie liste décrivant un réel trésor. D'autres ont aussi suggéré qu'il avait pour but d'indiquer l'emplacement des cachettes renfermant le trésor pendant une courte période, sachant qu'il serait récupéré au bout de quelques mois, voire de quelques années au maximum, après avoir été caché. Mais si c'est le cas, pourquoi alors les auteurs du Rouleau n'ont-ils pas utilisé du papyrus à la place ? Pourquoi auraient-ils consacré autant de temps et pourquoi se seraient-ils donné autant de mal pour confectionner un document qui n'était appelé à durer que quelques années ? Et si le Rouleau de cuivre est bien une véritable liste, cela suppose que la référence à un autre document, le soi-disant Rouleau d'argent, est également bien réelle. Et dans ce cas, l'argument d'une cachette à court terme ne tient plus. Pourquoi produire le Rouleau de cuivre et ensuite un autre, probablement fait à base d'argent, pour contenir quelque chose de si éphémère ? Personne, jusqu'ici, n'a fourni de raison convaincante à une telle contradiction. La seule suggestion plausible que j'ai lue était celle-ci : les deux rouleaux devaient être lus en même temps si on voulait en déchiffrer le contenu. En bref, le Rouleau d'argent a pour but d'identifier de manière positive la zone où quelque chose a été caché, et ce n'est qu'ensuite que la référence plus détaillée et inscrite dans le Rouleau de cuivre pourra mener au lieu exact qui renferme le trésor. Si j'ai raison, on peut alors comprendre pourquoi on a choisi de dissimuler les rouleaux dans deux endroits différents, ce que nous savons être le cas. Vous ne trouverez aucune trace d'un Rouleau d'argent caché dans les environs de Qumrān. (Bronson et Angela échangèrent un regard. C'était en quelque sorte une confirmation de ce qu'ils avaient déduit de l'inscription sur les tablettes d'argile.) Dans une certaine mesure, conclut Ben Halevi, cet argument est étayé par le fait que le Rouleau de cuivre n'était pas réellement caché. Il avait juste été placé dans une grotte avec de nombreux autres rouleaux. Et il fait vraiment référence à un Rouleau d'argent étant bel et bien dissimulé quelque part, mais ailleurs. Alors, existe-t-il ? Je n'en ai aucune idée, mais nous savons que le Rouleau de cuivre est vrai et tout le monde s'accorde pour reconnaître que son contenu est authentique. Ce qui m'amène à penser qu'il pourrait bien y avoir un second document, un autre rouleau, caché quelque part. Malheureusement, je n'ai aucune idée de l'endroit où il se trouve. (Il consulta sa montre, se leva, serra la main de Bronson et embrassa Angela.) Il est tard et je suis censé travailler demain, fit-il. Lisez entre les lignes, j'ai comme dans l'idée que vous êtes sur une piste intéressante, peut-être même quelque chose d'important. On reste en contact, n'est-ce pas ? Et quelles que soient vos interrogations, je ferai de mon mieux pour vous aider.

# 57

— Où sont-ils ? demanda Yacoub, d'une voix calme et maîtrisée.

— Ils ont quitté leur hôtel.

— Je le savais déjà, Musab, ajouta l'homme au visage figé, d'une voix toujours aussi calme. Et ce n'est pas la question que j'ai posée. Où sont-ils, « en ce moment » ?

Musab, l'un des trois hommes que Yacoub avait sélectionnés pour l'accompagner en Israël le temps de l'opération, détourna le regard, incapable de fixer son patron dans les yeux.

— Je l'ignore, Yacoub, admit-il. Je ne m'attendais pas à ce qu'ils quittent leur hôtel, car ils avaient réservé leurs chambres pour une semaine.

— Et qu'est-ce que tu comptes faire ?

— Nos contacts vérifient chaque hôtel de Tel-Aviv. Nous les trouverons, vous avez ma parole.

Pendant quelques secondes, Yacoub resta silencieux, se contentant de jeter un regard en biais sur son subordonné.

— Je te crois, finit-il par déclarer. Ce qui me préoccupe, c'est le temps que ça va prendre. Si nous ignorons où ils se cachent, impossible de savoir ce qu'ils trament, et ce n'est pas le moment de les perdre de vue.

— Dès que j'aurai des nouvelles, Yacoub, je vous tiendrai au courant.

— Et supposons qu'ils se soient rendus à Jérusalem ? Ou à Haïfa ? Ou je ne sais où en Israël ? S'ils ont quitté le pays et qu'ils se trouvent ailleurs au Moyen-Orient ? Qu'est-ce qu'on fait ? (Musab blêmit. De toute évidence, il n'avait anticipé aucune de ces possibilités.) Je veux qu'on les trouve, Musab, et je veux qu'on les trouve maintenant. Ensuite, nous leur mettrons le grappin dessus parce qu'ils ont peut-être déjà trouvé les reliques. Et même s'ils ne les ont pas, il est temps qu'ils nous racontent ce qu'ils savent. Tu as bien compris ?

Musab acquiesça servilement.

— Je vais envoyer quelqu'un surveiller d'autres emplacements sur-le-champ.

Yacoub se tourna vers l'autre homme, debout près de la porte de leur chambre d'hôtel.

— Va chercher la voiture, ordonna-t-il. Nous allons inspecter la ville et voir si on ne peut pas les repérer. La plupart des hôtels se trouvent à l'ouest, près de la mer.

— Vous voulez que je vienne aussi ? demanda Hassan.

Il était allongé sur le lit, un pack de glace qu'il maintenait sur le côté du crâne, à l'endroit où Bronson l'avait frappé à l'aide de sa torche.

— Non, rétorqua Yacoub. Tu restes là où tu es. (Il regarda de nouveau Musab.) Quand tu les auras retrouvés, appelle-moi.

— Dans une heure, je les aurai trouvés, je vous le promets.

— Ça vaudrait mieux pour toi, ta vie dépend du résultat, désormais. Mais je vais être généreux. Je te donne quatre-vingt-dix minutes.

Pendant que Musab tentait de saisir le combiné du téléphone, il prit conscience avec effroi qu'il tremblait comme une feuille.

# 58

— Toutes ces explications t'ont-elles aidée ? demanda Bronson.

Ils avaient quitté le petit bar et se dirigeaient lentement vers leur hôtel, en traversant les rues de Tel-Aviv. La nuit était chaude et la ville en effervescence, des dizaines de personnes flânaient toujours sur les trottoirs, en se promenant délibérément, ou formaient des petits groupes qui discutaient à l'extérieur des bars. Bronson songea un instant qu'il aurait aimé n'être qu'un touriste en vacances en Israël ; et que lui et Angela retournaient nonchalamment jusqu'à leur hôtel après un dîner en amoureux. Mais au lieu de cela, il se retrouvait à devoir scruter les ombres alentour de crainte de voir surgir des hommes armés, tandis qu'ils se demandaient tous deux par où commencer pour retrouver des reliques mythiques qui avaient disparu de la surface du globe depuis plus de deux millénaires.

— Ça commence à faire sens à présent, lui avoua Angela. D'après moi, lorsque les sicaires ont mené leur raid sur Ein-Gedi, ils ont mis la main sur quelque chose de bien plus important que de la simple nourriture ou des biens, et c'est exactement ce que l'inscription nous révèle. Il est plus que probable que les sicaires aient découvert toutes les reliques auxquelles font référence les tablettes d'argile pendant ce raid. On a fait état à l'époque d'importants trésors sortis de Jérusalem pour les mettre en lieu sûr pendant les guerres contre les Romains. Et comme Yosef l'a fait remarquer, Ein-Gedi était une communauté importante, probablement même la communauté juive la plus importante, proche de la ville à cette période. Elle a peut-être été choisie pour recueillir divers objets, et les garder en lieu sûr. Mais avant même que ces objets n'aient pu être rendus au Temple de Jérusalem ou je ne sais où, les sicaires ont pris d'assaut l'oasis et y ont dérobé tout ce qu'ils pouvaient. Et selon l'inscription codée que nous avons déchiffrée sur ces tablettes d'argile, cela inclut explicitement le Rouleau de cuivre et le Rouleau d'argent, ainsi que les tablettes du Temple de Jérusalem.

— Cela signifie qu'on est sur la bonne voie ? demanda Bronson.

— Oh, que oui ! Tout ce qu'il nous reste à faire désormais, c'est de décider par où commencer notre recherche.

Pendant près d'une minute, ils marchèrent en silence, Angela perdue dans ses pensées tandis que Bronson poursuivait à observer les alentours, de crainte d'être surveiller ou pis encore. Mais, tout autour de lui, les gens n'avaient rien d'inquiétant ni de menaçant, et il parvint progressivement à se détendre. L'idée qu'il avait eue de changer d'hôtel de façon intempestive avait peut-être fonctionné et ils avaient alors semé les hommes de Yacoub. En tout cas pour le moment. Car Bronson était certain d'avoir reconnu leur assaillant à Qumrān.

Cette sensation de sécurité ne dura pas longtemps. Ils marchèrent jusqu'à l'avenue Nordau, le large boulevard qui coupe la ville du nord à l'est, à l'extrémité nord du jardin Ha'Azma.

Ils traversèrent la bande médiane à trois voies, et durent ensuite s'arrêter au bord de l'une des chaussées pour laisser le passage à plusieurs voitures. La dernière était une Peugeot blanche, qui roulait presque au pas, et on avait peine à distinguer les silhouettes du conducteur et du passager à la faible lueur des réverbères.

Lorsque le véhicule passa devant eux, Bronson regarda distraitement le conducteur, un homme au teint basané et aux cheveux noirs, qu'il n'avait jamais vu. Le passager se pencha légèrement en avant, en parlant vivement dans un téléphone portable. Bronson eut le temps de voir clairement son visage, au moment même où l'homme dans la voiture relevait la tête, et pendant une fraction de seconde, leurs regards se croisèrent. L'instant d'après, la voiture avait disparu.

— Bon sang ! fit Bronson, en titubant et en se retenant au bras d'Angela. C'était ce satané Yacoub !

— Oh, Seigneur, non, gémit Angela. Mais il est mort. Comment est-ce possible ?

Mais alors qu'ils faisaient demi-tour et se mettaient à courir, Bronson entendit le crissement soudain de pneus derrière eux tandis que la Peugeot s'arrêtait net après un tête-à-queue. Ils entendirent ensuite des cris en arabe, et le bruit de pas sur le trottoir filant droit dans leur direction.

— Attends ! s'écria Angela alors qu'ils atteignaient le côté sud de l'avenue Nordau.

— Quoi ?

Bronson la regarda, puis se retourna. Leur poursuivant – il ne distinguait qu'une silhouette, et il était certain qu'il ne s'agissait pas de Yacoub – ne se trouvait plus qu'à cinquante mètres derrière eux.

Angela agrippa son bras, fit sauter l'un de ses talons hauts, puis se baissa pour arracher l'autre.

Au même moment, on entendit un coup de feu, la balle allant s'écraser sur le mur du bâtiment, à seulement quelques centimètres au-dessus de leurs têtes, puis elle ricocha au loin dans l'obscurité. La détonation se répercuta entre les immeubles de béton qui les entouraient et sembla figer les bruits de la nuit.

— Doux Jésus, murmura Bronson.

— Allons-y, s'écria Angela, en laissant ses chaussures sur le trottoir.

À une centaine de mètres derrière eux, Yacoub contourna la Peugeot et s'enfonça lourdement dans le siège conducteur. Il claqua la porte, enclencha la première et accéléra. Au premier croisement, il vira à gauche, évitant de peu une voiture qui arrivait en face, dans un hurlement de Klaxon. Yacoub l'ignora et accéléra le long de Dizengoff, n'attendant que le carrefour suivant pour tourner à gauche dans le but de stopper net la course des deux fuyards.

Musab s'était montré on ne peut plus efficace. Son contact avait identifié l'hôtel réservé par Bronson et la femme, et il avait fourni l'information à Yacoub par téléphone en moins d'une heure. Aussi étrange que cela puisse paraître, Yacoub était sur le chemin de l'hôtel et s'entretenait avec Musab sur son téléphone portable quand, alors qu'il jetait un œil à travers le pare-brise, il avait aperçu Bronson et la femme se tenant sur le côté de la route, juste en face de lui.

Yacoub ne connaissait pas cette partie de la ville, mais il en déduisit que s'il tournait à gauche trois fois, il pourrait se retrouver face à ses proies. La première rue qu'il emprunta, rue de Bâle, était en sens interdit, avec une file de voitures déjà engagées, mais la suivante, Jabotinsky, était un autre large boulevard. Il tourna à gauche, en ralentissant, puis tourna de nouveau à gauche, dans le labyrinthe de rues étroites à proximité des rues principales.

Cette fois, il était certain de se trouver au bon endroit.

On entendit des cris lors de la détonation, et tandis que Bronson et Angela couraient le long de Zangwill, des gens se mirent à hurler et commencèrent à fuir de tous les côtés.

293

La confusion et la panique étaient totales dans la foule. Et Bronson espéra un instant que cela leur permettrait de fuir plus facilement. Poursuivre deux silhouettes qui traversent une foule en courant est une chose, mais lorsque tout le monde se met à courir, alors c'est une autre paire de manches.

Zangwill est une rue à sens unique, et trois voitures y étaient engagées et se dirigeaient droit vers eux, mais elles ralentirent rapidement dès qu'elles aperçurent les piétons effrayés qui envahissaient l'espace, en tentant de localiser d'où provenait le coup de feu.

— Par là, fit Bronson, désignant du doigt une direction.

Ils contournèrent la première voiture, à présent immobilisée, du côté gauche de la rue. Un groupe quitta précipitamment le bar où ils se trouvaient, attirés par le bruit à l'extérieur. Bronson heurta l'un des curieux, le faisant tomber au sol, mais il ne stoppa aucunement sa course, jetant juste un œil derrière lui, pour s'assurer qu'Angela le suivait bien, puis il se remit à courir.

L'homme qui les avait pris en chasse tenait un pistolet, et il venait de leur donner la preuve qu'il était prêt à s'en servir. Bronson savait que leur seul espoir de lui échapper était de continuer de courir et de le semer. Cela n'avait rien d'un plan en béton, se dit-il, mais pour l'heure, il n'avait pas de meilleure idée. Et il se faisait du souci au sujet d'Angela. Elle le suivait de près, mais pieds nus. Elle risquait de se couper avec un tesson de verre sur le trottoir, voire de se blesser plus gravement. Il fallait absolument qu'il trouve un moyen de semer l'homme de main de Yacoub ou, d'une façon ou d'une autre, de le désarmer.

Ce qui était sûr, c'est que leur poursuivant n'avait pas ouvert le feu une deuxième fois. Peut-être craignait-il de toucher quelqu'un dans la foule ou plus probablement avait-il dissimulé son arme pour éviter de se faire repérer. Il y avait peut-être des officiers de police israéliens ou des soldats dans le secteur, qui n'auraient eu aucun scrupule à abattre un homme armé au beau milieu de ces rues bondées.

Bronson jeta un œil derrière eux, à la recherche de leur poursuivant, mais en cet instant, au cœur de la mêlée formée par les silhouettes qui couraient, il fut incapable de retrouver sa trace. Cela pourrait être à leur avantage, ou tout du moins, leur laisser quelques secondes de répit.

— Entrons ici, fit Bronson, haletant.

Il saisit Angela par le bras et l'entraîna à l'intérieur d'un bar.

Une douzaine de jeunes Israéliens, hommes et femmes, les fixèrent alors qu'ils passaient littéralement en travers de la porte.

Angela se courba en avant, mains sur les cuisses, haletante et recherchant son souffle. Bronson se retourna, scrutant l'extérieur à travers la vitrine du bar, pour voir le tireur. La scène au-dehors était chaotique, la foule se dispersant et courant dans tous les sens, et pendant quelques secondes, il se dit qu'ils avaient réussi à le semer.

C'est alors qu'il le vit, moins de trente mètres plus loin, foncer droit vers la porte du bar. Le tireur eut un léger sourire en croisant le regard de Bronson.

Ce dernier fit volte-face, attrapa Angela par le bras et se mit à courir, en la traînant presque vers l'arrière du bar. Il y avait une voûte sur le côté droit, une plaque en émail vissée sur le mur avec deux mots inscrits, l'un en hébreu, l'autre en arabe. Du moins, ça en avait tout l'air. Il ne comprenait le sens d'aucun des deux, mais directement sous cette plaque se trouvait une nouvelle plaque, plus petite, et représentant deux silhouettes, dont l'une était vêtue d'une robe : le signe universel pour les toilettes.

— Rentres-y, fit-il instamment, et ferme la porte à clé.

Angela fit non de la tête.

— Je viens avec toi, dit-elle en haletant.

— Ne discute pas. Je peux courir plus vite sans toi. Je vais déguerpir par la porte arrière. Une fois que tout est calme, tu sors de là et tu files vers le Hilton. On se retrouve là-bas.

Il poussa Angela sous la voûte, puis entama un sprint vers le fond du bar. Bronson frappa la barre de sécurité avec le pied en atteignant la porte. Elle s'ouvrit avec fracas, se balançant et grinçant sur ses gonds, et il reprit sa course folle à l'arrière du bâtiment. Il traversa une petite cour, avec des murs de pierre décolorés sur trois côtés, et des caisses de bouteilles vides entassées sur l'un deux. Il avisa dans le mur de droite une porte entrouverte qui semblait donner sur une ruelle. Il se retourna une dernière fois en direction du bar, prêt à filer.

La porte principale du bar s'ouvrit violemment et l'homme aux cheveux noirs entra d'un pas assuré, la main sous sa veste.

Bronson se baissa et plongea sur sa droite. Puis les vitres de la porte du fond explosèrent littéralement sous l'impact de la balle, et le bruit de verre brisé resta presque inaudible, étouffé par une détonation assourdissante. Des cris et des hurlements de terreur s'élevèrent à l'intérieur du bar. Bronson se risqua à jeter un œil derrière lui pour s'assurer que l'homme courait toujours dans sa direction, puis il prit ses jambes à son cou. Il devait à tout prix éloigner ce « bandit » d'Angela.

Il franchit la porte au pas de course puis regarda dans les deux directions. Il n'avait pas le choix. La ruelle était une impasse. Elle longeait le bar et se terminait par un mur de brique de trois mètres, en cul-de-sac. Bronson courut vers la droite, directement vers la rue. Dans son dos, un nouveau coup de feu se fit entendre au moment où son poursuivant faisait son apparition à la porte arrière du bar. La balle heurta le mur si près de Bronson qu'il reçut des éclats de pierre.

La foule grouillait littéralement dans la rue, mais Bronson comprit immédiatement qu'il ne pouvait prendre le risque de se cacher parmi un groupe de passants. L'homme de main de Yacoub risquait d'ouvrir le feu. Il en avait la certitude. Et il pouvait l'abattre, lui et quiconque se mettrait en travers de son chemin.

Il se fraya un chemin dans la foule, en zigzaguant de gauche à droite, puis parvint à s'en libérer, et courut droit vers le bout de la rue.

Yacoub entendit distinctement deux coups de feu, très proches l'un de l'autre, lorsqu'il vira à gauche avec la Peugeot, rue de Bâle, avant de prendre la direction de la côte. Face à lui, il distingua des silhouettes qui couraient. Des hommes et des femmes qui venaient de la route fuyaient, paniqués, en se frayant un chemin dans la circulation pour se mettre à l'abri du tireur.

Au loin, il entendit le son plus qu'irritant des sirènes de police. Quelqu'un, probablement l'un des serveurs du bar ou du restaurant, avait dû les prévenir, et Yacoub sut qu'il ne leur restait plus que quelques minutes pour finir le travail, avant que toute la zone ne grouille de policiers.

Cela devait être exactement à l'endroit où Bronson et la femme avaient pris la fuite. Avec un peu de chance, son homme de main lui servirait de rabatteur, et guiderait les proies jusqu'au prédateur. Tout ce qu'il lui restait à faire, c'était de rester assis là et de les attendre sagement. Bronson pouvait mourir, comme il l'avait ordonné à son homme de main, mais il voulait cette Lewis vivante. Il pourrait, il en était persuadé, la convaincre de lui apprendre tout ce qu'il voulait savoir. Un sourire cruel et narquois se dessina sur son visage lorsqu'il y songea. Mais ce sourire s'effaça presque instantanément. Il fallait d'abord qu'il la trouve.

Il ralentit, tout comme les véhicules devant lui, et immobilisa la voiture au bord de la route. Mais il resta à l'intérieur. Il savait combien sa silhouette était singulière et reconnaissable ; il ne comptait se montrer qu'en dernier ressort.

Sans même y penser, et tandis que ses yeux scrutaient toujours les passant qui couraient, Yacoub baissa la vitre côté conducteur, glissa sa main dans sa veste et en sortit son pistolet. Il fit glisser la coulisse, puis la remit en position pour charger son arme. Il ôta le cran de sûreté sur le côté gauche et tint le revolver négligemment de la main droite, juste sous le niveau de la vitre. Il se contenta de regarder autour de lui et attendit patiemment.

Bronson finit par atteindre l'intersection en T, au bout de la rue et tourna à droite, filant droit vers Hayark, la route parallèle à la côte. Partout autour de lui, les gens couraient, pris de panique, mais il ne ralentit pas la cadence. Il ignorait à quelle distance se trouvait son poursuivant, et n'osa pas regarder dans son dos par peur de faire un faux pas, de trébucher ou simplement de heurter quelqu'un ou quelque chose.

Il esquiva un groupe d'adolescents tout en surveillant le bout de la route, traversa pour rejoindre le trottoir opposé et courut de plus belle.

Yacoub vit Bronson émerger à sa droite et courir le long de la rue. Il leva son pistolet, mais le rabaissa aussitôt : sa cible était beaucoup trop loin pour tenter d'ouvrir le feu.

Il regarda vers la droite, dans l'espoir de voir Angela Lewis sur les pas de Bronson, mais aucun signe de la jeune femme. Puis il aperçut son homme de main qui sprintait à

une cinquantaine de mètres, la main serrée sur son pistolet. Et Yacoub n'eut aucun mal à deviner ce qui s'était passé.
Lewis leur avait échappé, et c'est la femme qu'ils voulaient,
pas Bronson.

Yacoub pencha la tête à travers la vitre et fit signe de la
main à son sbire, tout en faisant un appel de phares et en
actionnant le Klaxon. Son homme de main jeta un œil sur la
gauche, vit la voiture et changea immédiatement de direction.
Il cacha son pistolet sans cesser de courir. Il s'immobilisa,
haletant, près de la portière de la voiture et se pencha.

— Où est la fille ? demanda Yacoub.

— Je l'ai prise en chasse. Elle était avec Bronson.

— Et moi, je te dis que non, espèce d'imbécile ! Tu n'as
vu que Bronson et il était tout seul. Fais le chemin en sens
inverse. Elle doit sûrement se cacher quelque part dans cette
rue.

— Le bar. La dernière fois que je les ai vus ensemble, elle
entrait dans un bar, avec Bronson.

— Parfait. Retournes-y, ordonna Yacoub, et trouve-la.

— Et qu'est-ce qu'on fait de Bronson ?

— Laisse-le. Occupe-toi de la femme.

À près de soixante-dix mètres de là, Bronson se cachait,
accroupi entre deux voitures en stationnement. Il inspec-
tait du regard le chemin qu'il venait de parcourir. Pour la
première fois depuis qu'il s'était mis à courir, il ne vit aucun
poursuivant. Il y avait des gens un peu partout sur la route,
mais l'homme qui l'avait pris en chasse n'était visible nulle
part.

Il était certain que le tireur s'était lancé à ses trousses
lorsqu'il avait quitté le bar en courant. À moins qu'il ne
l'ait semé en traversant la foule. Une seule explication lui
venait à l'esprit : ils voulaient le tuer, c'était un fait, mais

ils tentaient surtout de s'emparer d'Angela. Le tireur avait dû comprendre qu'elle ne se trouvait plus à ses côtés, et il avait vraisemblablement fait demi-tour pour se lancer à sa recherche.

Pendant quelques secondes, Bronson fut incapable de prendre la moindre décision. Il avait dit à Angela de quitter le bar et de se rendre à l'hôtel Hilton, mais si elle n'avait pas réussi à s'enfuir ? Et si Yacoub et son homme de main l'avaient même trouvé, et qu'ils la traînaient, hurlante, hors du bar pour la faire entrer de force dans une voiture ?

Il ne lui restait plus qu'une seule chose à faire.

Bronson observa une dernière fois la rue, puis il se releva et se remit à courir aussi vite qu'il pouvait, filant droit vers Zangwill et le bar où il avait laissé Angela.

Yacoub regardait dans la mauvaise direction, suivant des yeux son homme qui repartait vers le bar. Et il ne vit pas Bronson courir de l'autre côté de la rue.

Le sifflement strident des sirènes était de plus en plus assourdissant à présent, et en jetant un œil dans les rétroviseurs, il aperçut la première voiture de police surgir derrière lui, les gyrophares bleus en action, et repartir au bout de la rue. Il la laissa passer puis il prit la direction opposée et roula tranquillement le long de Bâle jusqu'au bout, et il tourna à gauche, loin du tumulte.

Bronson ralentit son allure à l'approche du bar. Quelques minutes s'étaient écoulées depuis le dernier coup de feu et l'excitation de la foule ambiante semblait s'être apaisée, une fois dissipé le danger immédiat provoqué par le tireur isolé. Bronson ne voulait pas attirer l'attention en se mettant à courir de nouveau, même si chacune des fibres de son corps lui sommait de se dépêcher.

Deux voitures de police s'immobilisèrent dans un crissement de pneus, bloquant instantanément la route. Des officiers vêtus d'uniformes bleus en sortirent brusquement, l'arme au poing, et furent immédiatement cernés par une foule agitée. Bronson préféra les ignorer et passa calmement devant eux, avant de s'arrêter à quelques mètres du bar.

L'établissement semblait presque vide. Il ne restait plus que deux personnes qui se tenaient debout près de la porte et regardaient attentivement vers l'extérieur. Bronson aperçut soudain le sbire de Yacoub sortant de la ruelle, les mains vides. Au même instant, le Marocain l'aperçut, puis il vit les policiers armés, à quelques mètres.

Pendant un long moment, les deux hommes ne se quittèrent pas des yeux. Puis l'un des passants poussa un cri en désignant le Marocain. Bronson vit alors l'homme qui dégainait son pistolet, le canon noir de l'arme se dessinant devant lui.

Les passants se mirent à courir, terrifiés à la vue du pistolet automatique. Bronson fit demi-tour, courut quelques mètres et alla se tapir à l'arrière d'une voiture en stationnement, même si l'acier plutôt fin de la carrosserie ne pourrait le protéger bien longtemps des balles. Il se plaqua au sol, afin de se faire aussi petit que possible.

Le Marocain ouvrit le feu et la balle à enveloppe de cuivre fit exploser la vitre et la portière arrière. Elle s'écrasa sur le bitume à quelques centimètres de la tête de Bronson et se perdit dans la nuit en sifflant.

Avant même que le bruit de détonation ne se soit évanoui, l'homme tira une nouvelle fois, cette fois-ci au-dessus des têtes des passants qui étaient toujours regroupés autour des voitures de police. Tous plongèrent au sol, pour se mettre à couvert, y compris les policiers, et avant qu'ils n'aient repris leurs esprits, le tireur se trouvait déjà à cinquante mètres, fuyant à perdre haleine le long de la rue.

Les policiers ne pouvaient ouvrir le feu à cause du nombre de civils qui grouillaient toujours dans la rue. Et le fuyard se trouvait déjà trop loin pour pouvoir être abattu. Les voitures de police israéliennes n'étaient pas garées dans le bon sens, et les trois officiers qui tentèrent de le prendre en chasse se retrouvèrent embarrassés par leurs gilets pare-balles et leurs ceintures suréquipées. Le tireur avait toutes les chances de s'en sortir.

Mais au moment où le Marocain atteignait le bout de la rue, une autre voiture de police surgit à l'angle et pila sur place. Bronson vit l'homme lever son arme et tirer sur le véhicule tout en poursuivant sa course, mais deux officiers de police israéliens étaient déjà hors de leur véhicule, et ils lâchèrent une salve. Le Marocain sembla trébucher, puis s'écroula lourdement au sol, sur la surface rigide du bitume, et y demeura immobile.

Les policiers s'approchèrent avec prudence, leurs pistolets bien tendus en direction de la silhouette qui gisait sur l'asphalte. L'un d'eux donna un coup de pied sur un objet situé tout près du Marocain, probablement le pistolet de l'homme, puis il pressa son arme contre le dos de la victime tandis que son acolyte lui passait les menottes. Ils firent un pas en arrière et rengainèrent leurs armes. En les observant attentivement, Bronson en déduisit que le tireur était soit mort, soit grièvement blessé.

Du point de vue qu'il s'était déniché, à environ une centaine de mètres plus loin, à l'extrémité est de la rue de Bâle, Yacoub prit place sur le siège conducteur de sa Peugeot de location et contempla, sans grande passion, le dernier acte du drame qui se déroulait sous ses yeux. Dès qu'il avait vu son sbire pointer son arme vers la voiture de police israé-lienne, Yacoub avait compris que son compte était réglé. Il aurait mieux fait de continuer à courir devant le véhicule et de garder son pistolet hors de vue. C'était une erreur stupide et il l'avait payée de sa vie.

Bronson et Angela allaient très certainement changer une nouvelle fois d'hôtel. Musab et ses contacts n'auraient plus qu'à les traquer de nouveau. Mais, songea Yacoub, Musab semblait de plus en plus efficace à ce petit jeu-là.

Bronson n'avait que faire de Yacoub ou de son tireur. Il était surtout préoccupé par le sort d'Angela.

Il se fraya un chemin jusqu'au bar. Les deux Israéliens à l'intérieur l'observèrent, mais ils ne firent rien pour l'arrêter. Quelque chose sur son visage avait dû les en dissuader. Il entra dans les toilettes et ouvrit toutes les portes. Il n'y avait personne à l'intérieur, mais sur le sol de l'une des cabines pour femmes, il découvrit une tache de sang.

Bronson fit demi-tour, quitta le bar et fut de retour dans la rue. S'était-elle échappée ? L'attendait-elle au Hilton ? Ou le gangster à la solde de Yacoub l'avait-il trouvée, traînée hors du bar avant de la tuer, en laissant le cadavre dans l'arrière-cour ? Bronson ne put écarter cette pensée sordide tandis qu'il marchait à grands pas dans la ruelle adjacente jusqu'à l'arrière-cour.

Des éclats de verre scintillaient tels des bijoux de pacotille, sous la lumière venant du bar, mais la cour était vide. Bronson eut un long soupir de soulagement. Il avait vu l'homme de main de Yacoub quitter la ruelle. Si le corps d'Angela ne se trouvait ni dans le bar ni dans l'arrière-cour, cela voulait dire qu'elle était encore en vie, quelque part.

Il trottina jusqu'à la rue et regarda de nouveau autour de lui. Il devait absolument se rendre au Hilton. Et *fissa*.

À peine avait-il commencé à marcher qu'il entendit quelqu'un prononcer son nom :

— Chris ?

Il se retourna et la vit. Ses vêtements étaient tout froissés, son visage couvert de poussière, de sueur et de larmes, et elle était toujours pieds nus. Mais Bronson se dit qu'Angela était la plus belle femme qu'il ait jamais vue.

— Mon Dieu, Angela. (Il fit quelques pas en avant et l'attira à lui.) Tu es saine et sauve.

— Maintenant, oui, bredouilla-t-elle, en enfouissant son visage sous l'épaule de Bronson.

Pendant un long moment, ils restèrent ainsi, ne prêtant pas attention à la foule autour d'eux.

— Le Hilton ? demanda gentiment Bronson, maintenant qu'Angela était rassurée.

— Je n'ai pas pu y aller, fit-elle. Je pense que j'ai marché sur un morceau de verre quelque part. Mon pied me fait terriblement mal.

Cela expliquait le sang sur le sol de la cabine.

— Tu peux marcher ? demanda-t-il.

— Pas très loin, et pas vite, répondit Angela.

Bronson jeta un œil autour d'eux. La rue était bondée, et l'on distinguait à présent quatre véhicules de police et au moins une douzaine de policiers armés. Angela était probablement plus en sécurité ici que n'importe où à Tel-Aviv.

La jeune femme entoura son bras autour des épaules de Bronson et boitilla jusqu'à la porte du bar. Il la poussa du pied et tira une chaise pour qu'elle s'y assoie. Un serveur s'approcha et Bronson commanda un brandy.

— Tu restes ici, dit-il, en se levant pour partir. Je vais chercher la voiture.

— Bonne idée. J'ai hâte de retrouver mon lit.

Bronson secoua la tête.

— Je suis navrée, ma belle, mais tu ne dormiras pas à Tel-Aviv cette nuit. Nous devons partir d'ici, et le plus vite possible. Le fait que Yacoub et son pote le tireur nous aient retrouvés ce soir n'a rien d'une coïncidence. Ils devaient savoir à quel hôtel on était descendus, d'une manière ou d'une autre. Je vais y retourner, récupérer nos affaires et après on file. (Il se leva.) Reste ici. Je serais de retour dès que possible, et après on prend la route.

# 59

— Yacoub est encore en vie. Comment est-ce possible, Chris ? demanda Angela, qui n'avait cessé de répéter la question encore et encore, en se remémorant ce qui avait été pour elle une nuit particulièrement longue et pénible. Tu es absolument sûr que c'était lui ?

Ils étaient assis dans leur voiture de location sur le parking d'un restaurant, dans les environs de Jérusalem, et attendaient qu'il ouvre pour prendre enfin leur petit déjeuner.

Bronson n'avait vu personne à proximité ou dans les alentours de l'hôtel lorsqu'il s'y était rendu à la hâte, après avoir laissé Angela dans le bar. Il avait inspecté le bâtiment aussi précautionneusement que possible, puis y était entré, avait récupéré le peu de bagages qu'ils avaient, payé la note en tendant une poignée de billets au réceptionniste perplexe, et filé en voiture. Puis ils avaient roulé toute la nuit, incapables de trouver un hôtel qui accepterait de nouveaux clients après minuit. Au final, Bronson avait laissé tombé et s'était dirigé vers Jérusalem, et le parking d'un restaurant lui avait semblé le bon endroit pour attendre la levée du jour.

Une fois à l'arrêt, il avait délicatement nettoyé la plaie sanguinolente sous le pied gauche d'Angela. Ce n'était pas très profond, bien que certainement douloureux. Il avait collé un fin pansement par-dessus et l'avait sécurisé avec des bandes de sparadrap, achetées dans une pharmacie de Tel-Aviv ouverte la nuit. Angela avait enfilé une paire de baskets et tenté de faire quelques pas. Les chaussures n'étaient pas des plus élégantes, mais au moins elle pouvait marcher. Il lui serait en revanche impossible de courir pendant un bon moment.

Bronson soupira.

— Écoute, fit-il. Yacoub a un visage qu'on n'oublie pas facilement. Et je ne te l'ai pas dit avant, mais ce que Jalal Talabani a fait lorsqu'il nous a sauvés à Rabat me paraissait bien trop facile. Il est difficile pour un seul homme, même avec l'effet de surprise jouant en sa faveur, de stopper trois hommes armés, surtout dans une maison où il n'a jamais mis les pieds. Je pense qu'il a reçu de l'aide, et la seule explication plausible, c'est que Yacoub a tout manigancé.

— Mais Talabani a bien tué ces hommes, n'est-ce pas? demanda Angela.

— Absolument. J'ai examiné le corps d'Ahmed moi-même.

Angela frissonna.

— Ce qui signifie que Yacoub a sacrifié au moins trois de ses sbires, Ahmed et les deux que nous avons vus en haut. Mais pour quelle raison?

— Tout simplement pour nous convaincre qu'il était mort. Yacoub, je veux dire. Et pour que nous tombions ainsi plus facilement dans son piège. Le mot « impitoyable » est faible pour définir ce qu'il est prêt à accomplir pour arriver à ses fins. Il voulait faire en sorte que nous soyons, ou plutôt à ce que *tu* sois déterminée à mettre la main sur le Rouleau d'argent et l'Alliance Mosaïque, au point de te rendre en Israël et de le mener directement aux reliques. Et ce n'était pas un mauvais cheval, à vrai dire, parce que tu as les contacts et l'expérience. Tout ce qu'il lui restait à faire, c'était de suivre ta trace, et c'est exactement ce qu'il a fait.

— Mais ce tireur a essayé de te tuer, Chris.

Bronson acquiesça.

— Je sais. À mon humble avis, Yacoub a simplement perdu patience. Il devait me vouloir mort pour mieux pouvoir te kidnapper. Puis il aurait essayé de te persuader de lui révéler où chercher les reliques.

Le visage d'Angela sembla bien pâle sous la lumière du petit matin.

— Doux Jésus ! Je suis bien contente que tu sois là, avec moi, Chris. Yacoub me terrifie. Il n'aurait même pas à me torturer : le simple fait de regarder son visage me suffirait à lui révéler tout ce que je sais.

Bronson quitta la route des yeux, au-delà du parking. Depuis leur arrêt, il avait examiné chacun des véhicules qui était passé devant eux, juste au cas où ils auraient eu à déguerpir. Il se tourna alors vers Angela.

— Écoute, fit-il, si tu veux qu'on abandonne, là, maintenant, ce n'est pas un problème. On pourrait se réserver un vol à Ben-Gourion et retourner en Grande-Bretagne en quelques heures, ne jamais remettre les pieds en Israël, et oublier ces fichues reliques perdues. C'est à toi de décider. Moi, perso, je suis prêt à mettre un terme à notre petite virée.

Angela resta silencieuse quelques instants. Elle demeura assise, la tête légèrement inclinée, les mains posées sur ses genoux. On aurait dit une madone. Puis elle secoua la tête et se tourna pour regarder Bronson.

— Non, fit-elle avec fermeté. Si j'abandonne maintenant, je le regretterai toute ma vie. C'est la plus belle chance de ma carrière, de la carrière de n'importe quel archéologue, à vrai dire, et je ne suis pas prête à jeter l'éponge. Il faut juste nous assurer de garder une longueur d'avance sur Yacoub et sa bande de *pistoleros*. Et ça, c'est ton boulot, Chris, ajouta-t-elle, sur le ton de la plaisanterie.

— Dans ce cas, si je comprends bien, pas de pression, fit remarquer Bronson, avec un sourire. OK, si tu es déterminée, décidons maintenant de la prochaine étape. Enfin, une fois que ce restau aura ouvert ses fichues portes et après un bon petit déj.

Tandis qu'il parlait, l'enseigne lumineuse du restaurant se mit à clignoter, et Bronson aperçut des silhouettes bouger à l'intérieur du bâtiment.

— Eh bien, ce n'est pas trop tôt! marmonna-t-il. Allons manger un morceau.

Une heure plus tard, ils étaient de retour à leur voiture.

— Bon, tu as une idée d'où commencer à chercher? demanda Bronson, en s'asseyant sur le siège conducteur.

Angela avait emporté plusieurs de ses notes dans le restaurant, et elle les avait lues attentivement. Elle n'avait pas beaucoup parlé durant le petit déjeuner.

— C'est possible. Laisse-moi juste quelques minutes.

Bronson hocha la tête, un peu comme s'il venait de prendre une décision, et se pencha vers Angela.

— Je peux te demander quelque chose? Quelque chose de personnel?

— Oui, répondit-elle avec prudence, en laissant traîner le mot. Quoi?

— Ce Yosef Ben Halevi? Tu as bossé avec lui, c'est bien ça?

— Oui, il y a environ cinq ans, je crois. Pourquoi?

— Donc, tu ne le connais pas tant que ça?

Angela haussa les épaules.

— Non, pas vraiment. C'était juste un collègue de boulot.

— OK, c'est juste que… Je ne sais pas… Il y a truc chez lui que je n'aime pas. C'est un peu comme s'il nous cachait quelque chose. Et je n'ai pas apprécié la façon dont il nous a sondés, en essayant de découvrir ce que nous recherchions vraiment.

Angela secoua de nouveau la tête.

— C'est un spécialiste en langues anciennes et en histoire juive. Le genre de questions que nous avons posées lui a sûrement mis la puce à l'oreille. Il a probablement senti que nous étions sur la piste de quelque chose, et à mon avis, il aimerait bien faire partie du voyage. Rien de plus, rien de moins. (Elle eut un léger sourire.) Tu n'es pas jaloux, quand même ? demanda-t-elle.

Bronson fit fermement non de la tête.

— Non. Certainement pas. J'aimerais juste qu'on en reste là avec ce type. Je n'ai pas vraiment confiance en lui.

Angela sourit à nouveau, en se demandant si la soudaine désapprobation de Bronson n'était pas due au physique plus qu'avantageux de Ben Halevi, ou s'il ne s'agissait que de simples instincts de policier. Non pas qu'elle suspectât l'Israélien de quoi que ce soit, mais elle reconnut qu'il valait peut-être mieux le mettre hors circuit à partir de maintenant. Car ils étaient tout près du but. Du moins, l'espérait-elle.

— Message reçu, dit-elle, en consultant de nouveau ses notes. J'ai essayé de me mettre à la place du groupe de sicaires, en 73 après Jésus-Christ. Ils ont eu à cacher trois importantes reliques juives. Ils en ont dissimulé une dans une grotte à Qumrān – ce qui n'était peut-être pas la plus sûre des cachettes, s'il s'agit bien du Rouleau de cuivre, caché en ses lieux, depuis deux millénaires – et se sont rendus autre part avec les deux reliques restantes, le Rouleau d'argent et l'Alliance Mosaïque. Mais même durant cette période, Jérusalem était la ville la plus importante de Judée, et ce ne serait pas une surprise qu'ils aient décidé d'y cacher les reliques.

— Mais, s'ils ont bien agi comme tu le penses, objecta Bronson, les reliques ont probablement été découvertes, aujourd'hui, Jérusalem n'a jamais cessé d'être occupée depuis au moins deux mille ans. Comment un truc aussi important que le Rouleau d'argent aurait-il bien pu rester caché ?

— À vrai dire, lui apprit Angela, le premier village sur le site date d'environ trois mille ans avant Jésus-Christ, mais je ne veux pas vraiment dire *à* Jérusalem même. Je pencherais plutôt pour le fait qu'ils aient choisi d'y cacher quelque chose en dessous. L'ensemble de la cité et le mont du Temple ressemblent à un nid d'abeilles. Il existe des tunnels et des galeries un peu partout. En 2007, à Jérusalem, un groupe d'ouvriers employés par des archéologues pour chercher la trace de l'ancienne route principale de la ville a découvert un petit canal de drainage, et ce dernier mène directement à un immense tunnel inconnu qui a très bien pu aller aussi loin que le fleuve Kidron, voire le bassin de Shiloah à l'extrémité sud de Jérusalem, en partant du mont du Temple. Il existe une possibilité qu'il ait été utilisé par les habitants de la cité pour quitter Jérusalem pendant le siège romain, en 70 après Jésus-Christ, et c'est probablement un lieu d'échappatoire pour certains des trésors du Temple. Le fleuve Kidron, ou *wadi* Qidron, coule vers l'est de la cité, mais environ à mi-chemin de la mer Morte, il se divise en deux, un des bras poursuivant sa route jusqu'à la mer Morte, et l'autre bras se dirigeant droit vers Khirbet Qumrān.

— Encore et toujours Qumrān, observa Bronson.

— Oui, fit Angela. Certains racontent que, au début du siège romain, de fidèles prêtres juifs, ainsi que des soldats, ont rassemblé tous les manuscrits présents dans le second Temple et se sont échappés, en les emportant avec eux, dans ce tunnel jusqu'à Qumrān, où ils ont caché les manuscrits dans des grottes près de la communauté. Ces mêmes documents qui sont actuellement connus sous le nom de « manuscrits de la mer Morte ». Et c'est la suggestion la plus convaincante que j'aie jamais entendue.

— Mais qu'en est-il des reliques que nous recherchons ? Où penses-tu qu'elles se trouvent ?

— Je n'en ai aucune idée. De toute évidence, les gens qui ont enterré le Rouleau d'argent ne pouvaient prévoir ce qui allait arriver et l'histoire tortueuse autour du mont du Temple, mais je pense qu'il y a une chance qu'ils aient choisi l'un des réseaux de tunnels existant, sous ou près de la roche, en tant que cachette sûre pour les reliques. Aujourd'hui, et compte tenu du climat politique à Jérusalem, il n'existe aucun moyen possible d'avoir accès aux tunnels sous le mont. De véritables archéologues israéliens n'y seraient pas autorisés. Mais, poursuivit-elle, l'inscription sur les tablettes d'argile fait explicitement référence à une sorte d'espace souterrain bien particulier : à savoir, une citerne. Je crois bien que près de quarante-cinq citernes différentes ont été identifiées dans les nombreuses grottes et salles souterraines existant sous le mont du Temple, donc tout cela a du sens. Je pense que les sicaires ayant délibérément dissimulé ces reliques ont choisi une cachette dans le sous-sol de ce que les trois principales religions mondiales, le christianisme, le judaïsme et l'islam, considèrent désormais comme le site le plus sacré de Jérusalem, peut-être même de la planète.

— Mais dans quelle citerne ? demanda Bronson. S'il en existe plus de quarante, et que nous ne pouvons pas nous rendre dans les tunnels, comme tu viens de le dire, même si nous pouvons découvrir exactement la citerne dans laquelle la relique est cachée, il est presque impossible de récupérer cette relique, non ?

— Pas nécessairement, répondit Angela, avec un léger sourire. J'ai bien étudié notre traduction de l'inscription, et je viens d'y remarquer quelque chose. L'inscription ne dit pas « une citerne », elle dit « *la* citerne », et cela suggère que ça se réfère à une citerne bien spécifique, une citerne dont l'emplacement est connu. Et au début du I^er millénaire, il n'existait qu'un seul endroit près du mont du Temple, connu comme abritant une citerne. Et l'auteur des tablettes devait certainement connaître cet endroit.

— À savoir ?

— Le tunnel d'Hezekiah, répondit Angela. J'espère que tu aimes l'eau.

# 60

— Ils sont sur le départ. (La jeune femme assise dans le hall de l'hôtel de Tel-Aviv baissa son journal et pencha sa tête légèrement en avant afin que ses lèvres soient suffisamment près du minuscule microphone épinglé sous le revers de sa veste.) Ils quittent l'hôtel tous les trois. Je suis juste derrière eux.

L'établissement avait été placé sous surveillance intensive de la part du Mossad, depuis que Hoxton, Dexter et Baverstock s'y étaient rendus en provenance d'Heathrow.

— Enregistré. À toutes les unités mobiles, on reste concentrés et en *stand-by*. Message reçu?

Un véritable chœur d'appels radio confirma le fait que toute l'équipe de surveillance du Mossad était sur le coup et parée à agir.

Levi Barak, assis sur le siège passager d'une berline, garée sur la route, à soixante-dix mètres de l'entrée du bâtiment, saisit une paire de jumelles compactes et fit le point sur l'hôtel. Il vit clairement trois hommes sortir de l'immeuble. Ils commencèrent à descendre la rue dans la direction opposée. Quelques secondes plus tard, une femme de petite taille et aux cheveux noirs fit son apparition dans la rue, juste derrière eux, un journal enroulé sous le bras. Elle commença à les suivre, en veillant bien à rester à environ trente mètres de distance.

— Parfait, vous savez ce qu'il vous reste à faire, déclara Barak. Tenez-moi informé, ajouta-t-il, alors qu'il sortait de la voiture.

Les trois hommes ignoraient bien évidemment qu'ils étaient sous surveillance, et ils se contentèrent de marcher d'un bon pas jusqu'à un petit parking, l'hôtel ne disposant pas de son propre garage.

Barak resta debout sur le trottoir pendant quelques instants, observant son équipe d'officiers de surveillance du Mossad se mettre délicatement en position, couvrant le parking et toutes ses issues possibles.

Quelques instants plus tard, une voiture blanche quitta le parking et s'engagea sur la route. Une seconde après, une grosse moto et une berline quelconque empruntèrent la même route, juste derrière l'autre voiture. Dès que les trois véhicules furent hors de vue, Barak traversa la rue en direction de l'entrée de l'hôtel.

Moins de cinq minutes plus tard, un technicien portant une grosse mallette fit son entrée dans le hall de l'hôtel. En le voyant, Barak hocha la tête, puis marcha jusqu'à la réception où le directeur de l'hôtel l'attendait déjà, en tenant un passe à la main. Les trois hommes entrèrent dans l'ascenseur, et l'homme muni du passe appuya sur le bouton du troisième étage.

La première chose que Barak aperçut dans la chambre de Tony Baverstock fut un ordinateur portable, posé sur le bureau jouxtant la fenêtre. Il fit un geste au technicien, qui s'en approcha et l'alluma, mais avant même que le système opératoire ne soit chargé, une demande de mot de passe apparut à l'écran, et l'homme jura, apparemment irrité. Aucun moyen de deviner ce fichu code, estima-t-il. Il devait même y avoir un système d'enregistrement dans le microprocesseur de l'ordinateur portable répertoriant toute tentative d'inscrire un mauvais mot de passe, c'est pourquoi il appuya sur la touche « start » jusqu'à ce que l'ordinateur s'éteigne. Il avait une solution beaucoup plus simple.

Dans l'une des poches au fond de sa mallette, il prit un CD-ROM, qu'il inséra dans le lecteur de disques. Il contenait un programme d'amorce qui démarrerait l'ordinateur de manière indépendante des programmes contenus sur le disque dur, en court-circuitant l'écran portant le mot de passe. Il prit place au bureau, ralluma l'ordinateur et observa l'écran. Le programme d'amorce lui donna accès à tous les dossiers du disque dur, et dès que le système eut fini de charger, il brancha un câble de connexion dans le lecteur USB, il le relia à un disque dur externe à haute capacité et copia toutes les données qu'il put trouver dans l'ordinateur, ainsi que les e-mails et la liste des sites Internet que l'utilisateur de la machine avait récemment visités. Pendant le processus de copie, il scanna rapidement les dossiers qui lui semblaient contenir des détails ou des photographies de la tablette, principalement les dossiers « documents » et « photos », mais sans trouver quoi que ce soit d'utile ou d'instructif.

— Vous trouvez quelque chose ? lui demanda Barak, qui tenait à la main plusieurs feuilles de papier.

— Rien de vraiment intéressant, répondit le technicien, tout en haussant les épaules tandis qu'il déconnectait le disque dur externe et le remettait dans sa mallette.

Il savait pertinemment que les techniciens de Glilot allaient lui trouver l'info. Du moins, si elle existait.

Barak hocha la tête lorsque l'homme quitta la chambre, après avoir terminé son travail, puis il regarda autour de lui. Ses recherches n'avaient pas été particulièrement fructueuses, mais il avait tout de même trouvé dans une valise, au fond de l'armoire, une boîte à moitié vide de munitions Parabellum de neuf millimètres, et cela avait considérablement accru son inquiétude quant aux trois Anglais. Il avait également trouvé plusieurs pages sur lesquelles des mots avaient été griffonnés, des mots dont il savait, après sa discussion avec Eli Nahman et Yosef Ben Halevi, qu'ils faisaient partie de l'inscription sur la tablette d'argile qu'ils recherchaient désespérément.

Et il y avait deux mots, inscrits sur l'un des bouts de papier, qui l'avaient intrigué. Quelqu'un y avait gribouillé « tunnel d'Hezekiah », et cela avait convaincu Barak de passer un coup fil urgent au chef de l'équipe de surveillance qui suivait la trace des Anglais. C'était une éventualité qu'il s'apprêtait à considérer.

Ben Halevi l'avait appelé le matin même pour lui faire part de ce que les deux autres personnes impliquées – Christopher Bronson et Angela Lewis – lui avaient demandé lors de leur rencontre, le soir précédent. Il semblait y avoir une réelle possibilité que l'un des deux groupes de chercheurs soit fin prêt à mettre la main sur les reliques. Tout ce que le Mossad avait à faire, à présent, c'était de rester calme et d'attendre, avant de passer à l'action au dernier moment. Tout se déroulait comme il le souhaitait, songea Barak.

Il passa un scanner manuel de poche au-dessus des pages qui l'intéressaient le plus, puis il replaça les feuilles de papier sur le bureau, à l'endroit exact où il les y avait trouvées. Il jeta un dernier coup d'œil à la pièce, fit un signe d'approbation au directeur de l'hôtel et quitta les lieux.

# 61

— On est au bon endroit, là? demanda Bronson, tout en s'éventant avec son chapeau.

Ils avaient fait un peu de shopping, et Bronson portait un sac étanche contenant des torches et des piles. Ils avaient l'un et l'autre enfilé un short et un tee-shirt et portaient des Crocs aux pieds.

Ils se tenaient à proximité de la partie basse de la vallée du Kidron, en forme de V, à regarder au loin en direction du village palestinien de Silwan. Sous leurs pieds et à leur droite, l'attention de Bronson avait été attirée par une série de marches en pierre qui descendaient abruptement vers une arche maçonnée, au-delà de laquelle régnait l'obscurité.

— C'est l'une des extrémités, en effet, confirma Angela. C'est l'entrée de la source du Gihon. Ce tunnel était une prouesse architecturale et technique, surtout si l'on garde à l'esprit qu'il a près de trois mille ans. Jérusalem se trouve sur une colline, et la ville était plutôt facile à défendre face aux assaillants, en raison de son élévation, justement. Le seul problème auquel les défenseurs devaient se confronter était celui-ci: leur principale source d'eau, qui est juste en face de nous, était située par là, dans la vallée du Kidron, et à une certaine distance des enceintes de Jérusalem. C'est pourquoi un siège, qui était à cette époque la façon la plus commune d'atteindre les objectifs militaires, se terminait inéluctablement par la prise de la ville, sachant que les réserves d'eau finissaient par s'épuiser. Au milieu du XIXᵉ siècle, un savant américain appelé Edward Robinson a découvert ce qui est aujourd'hui connu comme le « tunnel d'Hezekiah », qui tire son nom du dirigeant de la Judée qui l'a bâti dans les environs de 700 avant Jésus-Christ. Il est également baptisé tunnel de Siloam, car il s'étend de la source du Gihon jusqu'au bassin de Siloam. Le tunnel était censé fonctionner comme un aqueduc pour approvisionner l'eau jusqu'à la ville. Il a plus ou moins la forme d'un *S* et fait environ cinq cents mètres de long. Il existe même une pente d'environ un degré, sur toute la longueur, pour permettre à l'eau de s'écouler dans la bonne direction. Sa construction a dû représenter une entreprise colossale quand on connaît les outils dont disposaient les habitants de la ville, et on trouve aujourd'hui des théories suggérant que le tunnel est en partie construit à partir d'une grotte, qui couvrait déjà près de la totalité du parcours. Une inscription a été découverte à l'une des extrémités du tunnel et elle indique qu'il a été construit par deux équipes d'ouvriers, qui ont chacune commencé les travaux des deux côtés du tunnel. La source fut ainsi bloquée et de l'eau dérivée put s'écouler jusqu'à Jérusalem, elle-même. Voilà, en gros, la légende et plus ou moins ce que prétend la Bible. Mais en 1867, Charles Warren, un militaire britannique, alors qu'il explorait le tunnel d'Hezekiah, a découvert une autre construction, beaucoup plus ancienne, et aujourd'hui baptisée le « puits de Warren ». Cela consistait en un court réseau de tunnels, qui débutait à l'intérieur des murs de la ville et se terminait en un puits vertical situé directement au-dessus du tunnel d'Hezekiah, près de la source du Gihon. Cela permettait aux habitants de faire descendre des seaux dans l'eau du tunnel sans prendre le risque de s'exposer hors des enceintes de la ville. La datation précise a été difficile à estimer, mais nombreux sont ceux qui affirment qu'il a probablement été bâti aux alentours du Xᵉ siècle avant Jésus-Christ.

— Waouh! s'étonna Bronson. Il y a trois mille ans. C'est plutôt ancien, dis-moi. Et je suis sûr que tu comptes l'explorer en profondeur. Je me trompe? (Il contempla sans enthousiasme la cavité servant d'entrée à la source.) Allons donc y faire un tour. Tu as bien dit que je risquais d'être mouillé?

— C'est pourquoi nous portons ces vêtements. Ce n'est pas juste un vulgaire tunnel humide et moite. C'est un véritable aqueduc. Au mieux, nous aurons à patauger dans l'eau, et si c'est assez profond, on devra peut-être même nager.

— Génial, marmonna Bronson, en commençant à descendre les marches.

Ils descendirent les degrés en pierre et passèrent sous l'arche, puis s'arrêtèrent quelques secondes afin que leurs yeux s'habituent à l'obscurité.

— Ça me paraît profond, fit remarquer Bronson, en fixant l'eau, qui semblait presque noire dans cette cavité lugubre. Et glacial, ajouta-t-il. (Il ouvrit le sac étanche, en sortit les deux torches, vérifia qu'elles fonctionnaient bien, puis en tendit une à Angela et referma le sac qui contenait toujours les piles.) J'espère que ce type dans la boutique disait vrai en annonçant que ces torches étaient aussi étanches que le sac, observa-t-il.

— Du moment que l'une des deux fonctionne, ça devrait faire l'affaire. Il n'y a pas beaucoup de virages dans le parcours, nous n'avons donc plus qu'à continuer de marcher jusqu'à ce qu'on atteigne l'autre extrémité.

— Rappelle-moi juste ce que tu comptes trouver là-dedans.

— Ce tunnel avait déjà près de huit cents ans lorsque les sicaires cherchèrent un endroit où cacher le Rouleau d'argent, lui apprit Angela. Selon moi, la référence à une citerne, dans les tablettes d'argile, pourrait signifier qu'ils l'ont caché quelque part là-dedans. Il va donc nous falloir examiner les fissures dans la roche, tout ce qui pourrait dissimuler quelque chose, ou une cavité qu'ils auraient pu creuser eux-mêmes. Si cet endroit renferme bien quelque chose, j'espère que les archéologues l'ont manqué, car tout le monde pense que ce tunnel n'est qu'un aqueduc, rien de plus. Autant que je sache, aucun individu n'y a jamais entrepris une recherche sérieuse de reliques cachées, car personne, selon les avis éclairés, n'aurait pensé à les dissimuler dans un puits ou une citerne.

— Sauf que nous, on sait qu'ils l'ont fait.

— Précisément, répondit Angela. C'était mon idée, tu veux que j'y aille en premier ?

Bronson posa sa main sur l'épaule d'Angela, en se rappelant qu'elle n'avait jamais vraiment raffolé des espaces sombres et confinés.

— Non, j'y vais, fit-il, en allumant sa lampe torche, avant de faire un pas dans l'eau.

— Fais attention à ta tête, l'informa Angela, en veillant bien à rester derrière lui. La hauteur la plus basse du plafond est de moins d'un mètre cinquante.

Quelques minutes plus tard, ils se retrouvèrent tous deux dans l'eau – une eau très froide – jusqu'aux genoux. Leurs lampes torche illuminaient les murs et le plafond composé de roche marron-gris, mouchetés de milliers de petites taches blanches.

— Ce sont les marques laissées par les pioches et autres outils, lorsque les hommes du roi Hezekiah ont creusé ce tunnel, expliqua Angela.

— Tu as raison. Ça a dû être une opération colossale, observa Bronson, sa voix se répercutant légèrement tandis qu'ils s'enfonçaient plus profondément dans l'obscurité.

Le faisceau de sa lampe torche leur indiqua soudain que le tunnel bifurquait sur la gauche, la hauteur du plafond diminuant progressivement. Il tourna dans cette direction, et fut contraint de s'accroupir, tout en éclairant vers le haut à l'aide de sa torche. Le court tunnel se terminait de façon abrupte, mais au-dessus d'eux, ils distinguèrent une ouverture dans le plafond. Bronson s'immobilisa et se déplaça légèrement sur le côté afin qu'Angela puisse s'accroupir à ses côtés.

— Qu'est-ce que c'est que ce truc? demanda-t-il. On dirait un tunnel ou une cheminée qui monte.

— C'est exactement ça. Tu as sous les yeux l'entrée du puits de Warren. Tout en haut, les habitants de Jérusalem venaient avec leurs seaux pour récolter de l'eau. Ils les faisaient descendre dans ce puits.

Bronson put sentir son cœur battre la chamade, par anticipation, tandis qu'ils dirigeaient leurs torches sur les murs de pierre au-dessus de leurs têtes. Mais aucune trace, en revanche, de cachette possible.

— Je serais vraiment étonnée qu'il y ait quelque chose là-haut, avoua Angela. Cette zone et ce puits ont été minutieusement explorés dans les deux sens. Si le Rouleau se trouve quelque part par là, ce sera à un endroit beaucoup moins évident que celui-ci.

Ils reculèrent et poursuivirent leur route, le niveau de l'eau, ainsi que la hauteur et la largeur du tunnel, variaient considérablement à mesure qu'ils progressaient. Il faisait très froid et très sombre, et Angela tout comme Bronson commençaient à frissonner. Leurs vêtements étaient trempés. À la place des shorts et tee-shirts légers qu'ils portaient, Bronson se dit qu'ils auraient mieux fait d'enfiler des combinaisons de plongée, voire des cuissardes. Ils continuèrent de marcher, la température chutant toujours un peu plus et l'eau devenant plus profonde. Alors que ses frissons s'intensifiaient, Bronson se demandait combien de temps ils allaient être en mesure de poursuivre leur route.

# 62

— Vous êtes sûrs qu'on se trouve au bon endroit ? demanda Dexter, le faisceau de sa lampe torche illuminant les murs du tunnel.

Les trois hommes avaient de l'eau jusqu'aux cuisses, et leurs shorts et la partie inférieure de leurs chemises étaient trempés. Jusqu'ici, ils n'avaient rien trouvé.

— Je n'arrête pas de vous le dire : je n'en sais foutre rien, rétorqua Baverstock, avec de la colère dans la voix. Selon moi, c'est par ici, si je m'appuie sur la mention faite d'une citerne dans les tablettes d'argile. Le tunnel d'Hezekiah était la plus importante source d'eau dont disposaient les habitants de Jérusalem, il est donc logique de chercher dans les parages. Et c'est suffisamment proche du mont du Temple pour correspondre également à la référence : « la fin des temps ».

— Le seul souci, c'est que c'est juste un tunnel creusé dans la roche, observa Dexter. Il n'y a quasiment aucune cachette par ici, à mon avis.

— Mes chers amis, nous ne trouverons pas grand-chose si nous restons là à bavasser, grommela Baverstock. Continuez d'avancer, et gardez l'œil ouvert. Je n'ai l'intention d'explorer ce tunnel qu'une seule fois.

Bronson et Angela avaient marché pendant près de vingt-cinq minutes lorsque leurs torches illuminèrent une section du toit, plutôt basse et en forme de pagode, la roche au milieu formant une jolie courbe vers le bas, tandis que les bords s'écartaient légèrement vers le haut. Cette section du tunnel était assez large.

— C'est le lieu de jonction, fit Angela. C'est ici que les équipes qui ont creusé le tunnel se sont retrouvées en 701 avant Jésus-Christ.

— C'est incroyable, admit Bronson, surtout quand on connaît les chances de se manquer. Tu imagines un peu la technologie à mettre en œuvre dans le canal pour s'assurer que les deux équipes débarquent au même endroit, au même moment? (Ils avancèrent, et quelques secondes plus tard, Bronson s'arrêta de nouveau.) Il y a un autre tunnel très court, ici, fit-il. Il fait moins d'un mètre de long.

— Il en existe deux de ce type, lui apprit Angela. On dirait qu'ils ont été creusés par les ouvriers pendant les travaux. Ils ont dû se rendre compte qu'ils creusaient dans la mauvaise direction. Et ils ont probablement abandonné.

Ils examinèrent chaque centimètre du tunnel avorté, au-dessus et sous le niveau de l'eau, puis passèrent au second tunnel, où ils procédèrent de la même façon.

— Les murs et le plafond m'ont l'air plutôt bruts, je ne remarque rien qui puisse servir de cachette, même pour une boîte d'allumettes, alors encore moins pour un rouleau de soixante centimètres, observa Bronson. En admettant que nous recherchons quelque chose de cette taille, si j'ai bien compris?

— Probablement de cette taille en effet, peut-être même plus grand. (Au son de sa voix, on pouvait deviner qu'elle en avait assez.) Je pense toujours que c'est l'endroit le plus probable pour une cachette, mais j'ai peut-être mal interprété les indices. Quoi qu'il en soit, nous sommes ici, alors continuons à chercher.

Quelques minutes plus tard, tandis qu'ils s'approchaient du bassin de Siloam et que la hauteur du plafond augmentait considérablement, Bronson remarqua la présence d'un ovale sombre à même le mur, plus haut au-dessus de leurs têtes.

— Voilà qui mérite un coup d'œil, dit-il, en déplaçant la torche pour tenter de mieux éclairer l'ouverture. Ça m'a tout l'air d'une cavité.

Angela l'observa attentivement.

— Tu as peut-être raison, admit-elle, avec de l'espoir dans la voix.

Bronson trouva une petite saillie et y plaça délicatement sa torche pour l'éclairer.

— À mon avis, ça fait environ trois mètres de haut, fit-il. Si tu montes sur mes épaules, tu devrais pouvoir l'atteindre.

Angela éteignit sa torche et la glissa dans la poche de son short.

Bronson joignit ses deux mains. Angela posa le pied sur l'étrier qu'il venait de former, colla son dos contre le mur du tunnel et se souleva. Lorsqu'elle posa les pieds sur les épaules de Bronson, ce dernier se déplaça légèrement vers l'avant et se bloqua avec ses bras en prenant appui sur les deux côtés de l'étroit tunnel.

— Tu peux l'atteindre ? demanda-t-il.

— Oui. Je devrais pouvoir glisser ma main à l'intérieur. (Il y eut un silence, puis la voix d'Angela se fit entendre, haut perchée, le souffle coupé par l'excitation :) J'ai trouvé quelque chose !

# 63

— Vous entendez les voix devant nous ? demanda Dexter.

— Oui, mais ne vous en faites pas pour ça, fit Baverstock avec dédain. Les touristes viennent se promener ici. Ils pensent ainsi se rapprocher de Dieu. Contentez-vous de continuer à chercher.

— Vivement qu'on se tire d'ici, marmonna Hoxton. Cet endroit me fiche les jetons.

Bronson pouvait sentir les pieds d'Angela bouger légèrement sur ses épaules tandis qu'elle s'étirait pour glisser la main dans la cavité.

— Qu'est-ce que tu as trouvé ? demanda-t-il.

— Je ne sais pas. Quelque chose de rond et de solide. Attends. Je vais essayer de le sortir.

Elle leva de nouveau le bras et tenta d'extirper l'objet que ses doigts avaient déniché. L'on entendit un raclement et elle perdit l'objet. Quelque chose dégringola, cliqueta contre la paroi rocheuse, avant de plonger dans l'eau en un triste plouf.

— Et merde !

À moins de vingt mètres derrière eux, Tony Baverstock s'immobilisa et se tint silencieux, à l'écoute. Puis il se tourna vers Hoxton.

— Je reconnais cette voix, murmura-t-il. C'est celle d'Angela Lewis, ce qui veut dire que l'homme qui l'accompagne est probablement son ex-mari. Ce sont les deux personnes dont je vous ai parlé. Ça veut aussi dire qu'elle suit la même piste que nous. Elle a dû étudier les mêmes indices que moi et en arriver à la même conclusion.

— Mais a-t-elle découvert le Rouleau d'argent ? demanda Hoxton. C'est tout ce qui importe.

— Je l'ignore, admit Baverstock, mais on ferait mieux de les retrouver et de le vérifier par nous-mêmes.

Sans un mot, Hoxton et Dexter se remirent en route, s'enfonçant dans le tunnel, pour se rapprocher de l'endroit d'où venaient les deux voix. Hoxton en profita pour sortir un petit semi-automatique de sa poche.

— C'était quoi ce truc, Angela ? demanda Bronson.

— Un truc important, à coup sûr. Attends. Laisse-moi juste vérifier s'il n'y a pas autre chose dans la cavité. (Elle fit une pause, puis ajouta :) Non, et ce n'est pas vraiment une cavité, ça ressemble plutôt à un petit rebord.

Elle descendit rapidement des épaules de Bronson et posa les pieds sur le sol du tunnel.

— C'est tombé par là, l'informa Bronson, en éclairant l'eau à l'aide de sa lampe torche.

— Excellent, fit une nouvelle voix.

L'instant d'après, deux torches furent allumées, et leurs faisceaux lumineux aveuglèrent instantanément Bronson et Angela.

— Nom de Dieu, qui est là ? demanda Angela.

Elle ne reçut aucune réponse, mais Bronson perçut le bruit reconnaissable d'un pistolet semi-automatique que l'on arme.

— Reste derrière moi, Angela, fit-il.

— C'est très élégant de votre part, dit la voix, moqueuse. Mais si vous ne déguerpissez pas d'ici dans la seconde, je vous tue tous les deux. Vous avez cinq secondes.

— Nous…, commença Angela, mais elle se tut quand Bronson l'attrapa par le bras et l'entraîna dans le tunnel.

— Viens, Angela, dit Bronson. On se tire d'ici.

Hoxton attendit que les clapotis se soient totalement dissipés, tandis que Bronson et Angela s'enfonçaient au loin dans le tunnel, en direction du bassin de Siloam.

— Parfait, observa-t-il, en se tournant vers Dexter et en rengainant son pistolet. (Il pointa le faisceau de sa torche sur la surface sombre de l'eau.) Ils ont dit que c'était tombé par ici, alors pourquoi n'essayez-vous pas de voir de quoi il s'agit ?

— Moi ? demanda Dexter.

— Je ne vois personne d'autre ici, si ? Je vais monter la garde, pour m'assurer que ces deux foutus zigotos ne reviennent pas.

Dexter marmonna dans sa barbe, puis il tendit sa torche à Hoxton, prit une profonde inspiration et s'immergea. Sa tête disparut sous la surface de l'eau, tandis que ses mains palpaient le sol du tunnel. Quelques secondes plus tard, il se releva, tenant à la main un objet rond.

— Qu'est-ce que c'est ? demanda Baverstock, en marchant jusqu'à ses deux acolytes.

Hoxton pointa le faisceau de sa torche sur l'objet trouvé, puis jura, apparemment déçu. Ce que Dexter tenait n'était qu'un petit rocher arrondi, d'environ dix centimètres de diamètre.

— C'est tout ?

— C'est tout ce que j'ai pu trouver, affirma Dexter, mais je vais vérifier une nouvelle fois. (Il tendit la pierre à Hoxton et s'immergea de nouveau.) Il n'y a rien d'autre là-dessous, ajouta Dexter, quelques secondes plus tard, en se redressant et en s'ébrouant.

Hoxton pointa le faisceau de sa torche au-dessus de leurs têtes et autour d'eux, puis se concentra sur la même saillie que Bronson avait repérée.

— Ça doit absolument se trouver par ici, fit-il, la voix teintée d'amertume. Bordel!… Quelle déception! Je pensais vraiment qu'on l'avait déniché. Il doit se trouver sur ce rebord depuis des millions d'années. OK, on continue de chercher.

Bronson et Angela passèrent sous l'arche sombre et sortirent de l'obscurité, en clignant des yeux, aveuglés par les rayons du soleil au-dessus du bassin de Siloam. Leur petit trajet à travers le tunnel d'Hezekiah leur avait pris plus d'une heure, mais ils avaient parcouru la dernière section aussi vite que possible, sans chercher à savoir qui étaient ces hommes armés derrière eux, ni ce qu'ils voulaient. Et ils étaient toujours bredouilles, mais ils avaient conservé le petit sac étanche contenant les piles pour les lampes torche.

Le bassin se trouvait au bas d'un espace oblong niché entre de vieux bâtiments de pierre de l'ancienne Jérusalem. Presque à l'opposé de l'arche, un escalier en béton, dont la partie ouverte était protégée par une rampe d'acier, menait vers la rue au-dessus. Un petit groupe de jeunes enfants vêtus de shorts dépenaillés jouaient dans l'eau, s'éclaboussant, riant et s'appelant les uns les autres. Leur gaîté contrasta fortement avec l'humeur plus que morose de Bronson.

— Eh bien, ça a été une sacrée perte de temps, ronchonna-t-il, alors qu'ils empruntaient les marches pour quitter le bassin.

Ils étaient tous les deux trempés et frissonnaient de froid, malgré la chaleur du soleil qui avait déjà commencé à sécher leurs vêtements légers.

— Ça n'a pas été l'expérience la plus agréable de ma vie, admit Angela.

— Mais nous sommes sains et saufs, c'est le plus important. Tu es certaine que ce que tu as délogé de cette saillie était juste une pierre, pas un cylindre ou un truc dans le genre ?

— Non, rien de ce genre. C'était rond et lourd. Pour moi, c'est tombé comme une pierre, et ça en a eu le bruit en heurtant le mur du tunnel. Mais j'aimerais bien savoir qui étaient ces deux types. Tu as une idée ?

— Aucune. Tout ce que je peux dire, c'est qu'on court un sérieux danger. C'est la deuxième fois en deux jours qu'on se fait menacer par un homme avec un flingue. Et à chaque fois, on a eu sacrément de la chance de s'en sortir indemnes. J'ignore combien de temps la chance va durer. Je ne sais pas qui étaient ces deux gars, ils avaient un accent bien trop anglais pour appartenir au gang de Yacoub, mais de toute évidence, ils sont à la recherche de la même chose que nous. Écoute, pourquoi on ne se prendrait pas un jour de repos ? Aucune relique ancienne ne mérite que l'on meure pour elle, j'ai pas raison ?

— Je suis désolée, Chris, mais si notre déduction est la bonne, de nombreuses personnes sont déjà mortes au cours des siècles, soit en la cherchant, soit en essayant de la protéger. Je n'ai pas l'intention de jeter l'éponge, pas aussi près du but. Je suis déterminée à aller jusqu'au bout, quel qu'en soit le prix.

# 64

Bronson et Angela décidèrent de passer la nuit à Jérusalem. Leur idée de dormir à Tel-Aviv s'était avérée bien trop dangereuse, ou trop facile pour que quelqu'un les identifie, et Bronson était déterminé à éviter les lieux trop évidents.

Il roula dans les environs de la ville et finit par choisir un petit hôtel dans la banlieue nord-ouest de Giv'at Sha'ul. Le district était principalement édifié sur un flanc des collines de Judée et surplombé par un immense cimetière. L'hôtel se trouvait au bas d'une rue étroite, escarpée et dallée, à peine assez large pour qu'une petite voiture puisse y circuler. Bronson ne tenta même pas le coup, et gara la voiture de location à l'angle, puis il se rendit dans l'établissement et réserva deux chambres au troisième étage.

Giv'at Sha'ul formait un étrange mélange de styles architecturaux. En contraste avec le cœur antique de Jérusalem, où l'on peut effleurer des murs de pierre édifiés depuis des millénaires, la plupart des bâtiments de la banlieue étaient de petites maisons à un étage, presque toutes délabrées, et ce malgré leur centaine d'années seulement. Jouxtant ces maisons, l'on distinguait un nombre impressionnant d'immeubles d'appartements en béton, sans âme, de faible hauteur pour la plupart, même si quelques-uns affichaient ostensiblement une douzaine d'étages ou plus, et à l'occasion, un immeuble isolé, plus élégant et raffiné, faisait son apparition.

Quelques hôtels, des cafés et des restaurants complétaient le tableau.

L'architecture de pierre et de béton, aux formes carrées prédominantes, était relevée par quelques espaces ouverts et ombragés, mais Giv'at Sha'ul n'affichait aucune prétention : c'était un district où les gens vivaient, travaillaient et priaient. Le quartier était fonctionnel et basique, et Bronson n'avait qu'une envie : être ailleurs. Son principal souci, pour l'heure, était que le réceptionniste de l'hôtel avait insisté pour faire des copies de leurs passeports, car les hôtels israéliens sont censés facturer la TVA à tous ceux qui ne sont pas des touristes, et l'offre qu'avait faite Bronson de payer la taxe et la note de l'hôtel en liquide avait été rejetée. La loi, c'est la loi, avait expliqué le réceptionniste dans un anglais guindé et syncopé.

Une fois enregistrés, Bronson et Angela quittèrent le bâtiment à pied. Ils mouraient tous les deux de faim, n'ayant rien avalé depuis leur petit déjeuner pris très tôt, mais la petite salle à manger de l'hôtel n'ouvrait pas ses portes avant une heure. Ils marchèrent vers le centre de Giv'at Sha'ul et se trouvèrent rapidement un café qui servait déjà le dîner. Ils prirent une table au fond, ce qui permettait à Bronson de garder un œil sur la porte, et ils mangèrent en vitesse, avec un minimum de conversation.

Lorsqu'ils quittèrent le café, le jour se dissipait et un nouveau coucher de soleil spectaculaire irisa le ciel de l'ouest.

— Magnifique, n'est-ce pas ? murmura Angela, en s'arrêtant quelques secondes sur le trottoir lézardé, pour fixer les bandes irrégulières et les tourbillons de couleur accompagnant le coucher de soleil.

— Oui, vraiment splendide, admit simplement Bronson, en la prenant par la main.

De nouveau, il se mit à rêver qu'ils étaient de simples touristes, un couple en vacances, au lieu de se retrouver entraînés dans une quête qui lui semblait de plus en plus périlleuse à mesure que passaient les heures.

— Bon, rentrons à l'hôtel. On a pas mal de choses à faire.

Bronson eut un petit sourire ironique, en se tournant pour suivre Angela. Cinq secondes pour apprécier un coucher de soleil, puis retour au boulot. La quête des reliques lui tenait vraiment à cœur.

Aucune trace de minibar dans leurs chambres d'hôtel, alors, tandis qu'Angela montait l'escalier, Bronson prit deux bouteilles de gin et une bouteille de tonic au bar.

Lorsqu'ils furent bien installés dans la chambre, leurs verres posés sur la minuscule table ronde devant eux, Bronson posa « la » question embarrassante :

— Bon, comme on le sait, la visite du tunnel d'Hezekiah a été un échec total. Alors, on fait quoi, maintenant ?

— Ce que j'attends d'un officier de police qualifié, répondit Angela, en le regardant avec impatience. On étudie les preuves. On relit le texte en araméen et on l'évalue une nouvelle fois. (Elle s'adossa à sa chaise.) Comme je peux le constater, il n'existe que trois possibilités. Tout d'abord, et ça coule de source, nous avons bien fouillé le bon endroit, mais au cours des deux derniers millénaires, quelqu'un d'autre a exploré le tunnel d'Hezekiah, a découvert le Rouleau d'argent et l'a vendu, ou l'a fait refondre, et il n'est plus dans les parages. J'espère sincèrement que ce n'est pas arrivé.

— Tu penses que ça pourrait être le cas ? Que nous recherchions quelque chose qui ne s'y trouve plus ?

— C'est une possibilité, mais je ne crois pas que ce soit la bonne. Quelque chose d'aussi unique et robuste que le Rouleau d'argent a sûrement survécu et demeure intact. Et quiconque mettrait la main dessus en déduirait probablement que la valeur du métal, lui-même, est dérisoire par rapport à l'importance historique de l'inscription. Et s'il avait été découvert, je pense qu'on en trouverait une trace dans les pages d'histoire. La deuxième possibilité est celle-ci : la relique est toujours cachée quelque part à proximité du mont du Temple, mais pas dans le tunnel d'Hezekiah. Et si c'est le cas, nous avons un problème. C'est connu, il existe un tas de tunnels sous le mont, mais leur accès est impossible car les entrées ont été fermées avec des briques ou bloquées par des tonnes de décombres. Et puis il y a les quarante citernes sur le mont lui-même, dans ce qui est connu sous le nom de la « plate-forme inférieure », et certaines d'entre elles sont énormes. Il faut garder en mémoire que le mont du Temple constitue l'un des plus anciens sites architecturaux de l'histoire ; au fil des siècles, des douzaines d'architectes et de bâtisseurs y ont laissé leur marque. (Elle fit une pause, puis attrapa le sac contenant l'ordinateur portable.) Attends, ça sera plus simple si je te le montre avec une photo. (Elle fit apparaître un plan du mont du Temple et commença à pointer du doigt les points les plus remarquables.) Le mont est bâti à partir de quatre murailles qui entourent une colline naturelle et forment une vaste structure dont le dessus est plat. Les murs à l'est et au sud sont visibles, mais celui qui renforce le côté nord est complètement caché derrière des maisons et autres bâtiments construits plus tard. L'extrémité nord du mur occidental est également dissimulée par des constructions tardives, et une vaste section se trouve en dessous du sol. Il existe une autre plate-forme plate bâtie au sommet du mont, et cette section inclut également le soubassement de la colline originelle elle-même. Le dôme du Rocher – c'est une structure spectaculaire arborant un dôme d'or en son sommet – est le site musulman le plus sacré de Jérusalem, et il est construit sur cette plate-forme. Le soubassement, à savoir la Pierre de la fondation, forme le centre du bâtiment, car c'est de cet endroit que les musulmans pensent que Mahomet a entamé son voyage vers le paradis. Sous la Pierre de la fondation se trouve une petite grotte connue comme le puits des Âmes, où les musulmans pensent que les esprits des morts vont se réunir pour le jugement de Dieu quand viendra la fin du monde.

— OK, observa Bronson. Pour l'instant, je te suis.

— Super, fit Angela avec un sourire, et Bronson dut se retenir de ne pas se pencher pour l'embrasser. Maintenant, tout ça est situé sur la plate-forme supérieure, mais c'est la plate-forme inférieure qui couvre la majeure partie de la surface du mont du Temple. À l'une des extrémités se trouve la mosquée Al-Aqsa : c'est le bâtiment avec le dôme gris. Avec des jardins sur les côtés est et nord et une école islamique juste à la pointe nord. Il y a une fontaine, celle d'Al-Kas, sur la plate-forme et qui prélevait à l'origine son eau dans ce qui était connu comme les bassins de Salomon, à Bethléem, alimentés par un autre aqueduc. Aujourd'hui, tout est relié aux réserves d'eau de Jérusalem. (Angela indiqua un point sur le bord du plan du mont.) Il y a plusieurs portes dans les murailles, et la plus connue est probablement la Porte dorée. Selon la tradition, c'est la porte qu'utilisera le Messie juif lorsqu'il entrera enfin dans Jérusalem, mais il ferait mieux de se munir d'un marteau et d'un burin, car l'entrée est totalement bloquée, au moment même où je te parle. À vrai dire, toutes les portes sont condamnées. Les autres incluent les deux portes de Huldah, connues comme les portes triples et doubles, car l'une d'entre elles possède trois arches et l'autre, deux. Elles formaient l'entrée et la sortie originelles accédant au mont depuis la partie la plus ancienne de Jérusalem, à savoir l'Ophel. Puis on trouve la porte de Barclay – mais je te rassure tout de suite, rien à voir avec la banque – et la porte de Warren. Elle tire son nom de Charles Warren. Je t'en ai déjà parlé une ou deux fois, mais tu devrais quand même savoir qui c'était.

— Moi ? Pourquoi ?

— Tu n'as jamais entendu parler de Jack l'Éventreur ?

— Ce Charles Warren-là ? Le préfet de police de Scotland Yard ? Qu'est-ce qu'il foutait à Jérusalem ?

Angela lui sourit à nouveau.

— Avant qu'il n'échoue dans sa tentative d'arrêter le *serial killer* le plus célèbre de l'histoire britannique, c'était un officier, un lieutenant pour être tout à fait exacte, dans l'Ingénierie royale. En 1867, il a eu pour tâche d'explorer le mont du Temple, au cours d'une expédition financée par le Fonds d'exploration de la Palestine. Les fouilles ont révélé plusieurs tunnels passant sous Jérusalem et le mont du Temple, dont certains circulaient directement sous les quartiers généraux des chevaliers de l'ordre du Temple. D'autres tunnels finissaient leur course dans diverses citernes, et des aqueducs aujourd'hui tombés en désuétude. En plus de ces tunnels, il a également exploré l'intérieur de nombreuses portes condamnées. La Porte dorée, la porte de Warren et la porte de Barclay ouvraient sur des passages et des escaliers qui menaient à l'origine jusqu'à la surface du mont du Temple. Derrière les portes de Huldah se trouvaient des tunnels qui s'enfonçaient, sur une certaine distance, sous le mont avant que des escaliers ne mènent à la surface nord de la mosquée Al-Aqsa. Là où ça devient intéressant, c'est que, à l'est du passage venant de la porte triple, se trouve une vaste salle voûtée, généralement baptisée les écuries du roi Salomon, bien qu'il n'existe aucun lien direct avec Salomon. Cette salle a été bâtie par Hérode lorsqu'il menait ses travaux d'extension, et il existe des preuves attestant l'idée que la zone servait d'écurie, probablement pour les croisés. Warren a affirmé que l'une des fonctions de cette section était d'assurer un renfort pour le coin du mont du Temple lui-même. Warren a également découvert l'existence de nombreux tunnels passant sous le passage de la porte triple, et sous le niveau de base du mont. Ils allaient dans différentes directions, mais il ignorait tout de leur fonction ou de leur but. Et comme de bien entendu, depuis les recherches entamées par Warren au XIX<sup>e</sup> siècle, personne d'autre n'a été autorisé à pénétrer à l'intérieur du mont pour les explorer.

— Et nous ne pouvons pas nous rendre derrière les portes ou les tunnels ?

— Non, répondit Angela. En 1910, un Anglais du nom de Montague Parker a corrompu les gardes musulmans sur le mont du Temple et a commencé à creuser, de nuit, près du puits de Warren. Il y a eu un énorme tollé lorsqu'on l'a découvert, et même des émeutes, et il a vraiment eu du pot de s'en sortir vivant. C'était une histoire compliquée, impliquant un mystique finlandais prétendant avoir trouvé des indices codés dans la Bible hébraïque, dans le Livre d'Ézéchiel en fait, indiquant la cachette de l'Arche d'Alliance. C'est ici, ajouta-t-elle, je vais te montrer sur Internet. (Elle entama une recherche sur Google, choisit l'une des entrées et double-cliqua sur le lien. La page s'ouvrit, et elle la fit défiler vers le bas.) Voilà Montague Parker, dit-elle, en pointant du doigt la photographie de l'homme, aux traits indistincts et coiffé d'une casquette d'officier de la Royal Navy, debout à la terrasse d'un hôtel dont le nom était en partie visible à l'arrière-plan.

Elle effleura de nouveau la tablette tactile, mais Bronson lui fit signe d'arrêter.

— Tu as lu ça ? demanda-t-il, en indiquant le texte sous la photographie.

— Non, admit Angela, en y regardant d'un peu plus près. (Au bout de deux minutes, elle examina l'écran et s'assit à nouveau.) Punaise ! J'aurais bien aimé consulter ce site avant d'aller à la source du Gihon. J'ignorais qu'ils avaient fait ça. (Le texte qu'ils avaient sous les yeux expliquait en détail comment l'expédition de Montague Parker avait consacré près de trois années à creuser et à élargir le tunnel d'Hezekiah, dans une quête désespérée pour découvrir l'Arche d'Alliance.) C'est vraiment rageant, ajouta Angela, l'irritation durcissant ses traits. J'aurais dû faire plus de recherches. Non seulement, c'était un fiasco, mais en plus, on a failli se faire tuer.

— Et que sait-on de ces autres citernes ? demanda Bronson, en changeant de sujet avec tact.

— OK, pour la plupart, elles sont de conception et de construction variées, du fait qu'elles ont été édifiées par plusieurs groupes de personnes au cours des siècles. Certaines d'entre elles ne sont que des chambres grossièrement creusées dans la roche, tandis que d'autres ont été bâties avec plus de soin et d'attention. Deux d'entre elles, plus connues comme les citernes un et cinq, ont peut-être eu une fonction religieuse, en relation avec l'autel du second Temple, en raison de leur emplacement sur le mont. La citerne numéro cinq contenait également une porte bloquée avec de la terre, il est donc possible qu'il y ait une autre chambre, voire plusieurs chambres restées inexplorées, au-delà.

— Quelle taille font ces citernes ? Est-ce qu'elles contiennent juste quelques dizaines de litres d'eau, ou sont-elles vraiment vastes ?

— Certaines d'entre elles sont énormes. La citerne numéro huit peut contenir jusqu'à cinq cent mille litres et la citerne numéro onze a une capacité de près de cinq millions de litres. La plupart des autres citernes sont plus petites, mais elles ont toutes été conçues comme de véritables réservoirs, avec des capacités plus que raisonnables. N'oublie pas, durant l'Antiquité, la conservation d'eau était absolument essentielle, et ces citernes étaient censées contenir chaque goutte d'eau de pluie qui tombait.

— Mais d'après ce que tu as dit, il est difficile de les dater avec exactitude, par conséquent, nous ignorons celle ou celles qui existaient déjà à l'époque des sicaires, quand ils recherchaient une cachette pour leurs reliques.

— Tu as tout à fait raison.

— Laisse-moi encore jeter un œil à notre traduction, s'il te plaît, demanda Bronson.

Angela ouvrit son sac à main et en retira une demi-douzaine de feuilles de papier pliées. Bronson farfouilla dans ces notes.

— C'est bien ce que je pensais, observa-t-il. Le texte fait spécifiquement référence à « la citerne », et c'est suivi de deux mots que nous n'avons pas encore déchiffrés, puis encore « endroit de », un autre blanc et ensuite « fin des temps ». Notre interprétation est celle-ci : « la citerne à l'endroit de la fin des temps ». S'il y avait plus d'une seule citerne à l'endroit où les sicaires ont caché la relique, n'aurait-il pas été plus simple d'écrire : « la citerne à la bordure nord du mont », ou un truc dans le genre ? Selon moi, ce qu'ils ont écrit implique qu'il n'y avait qu'une seule citerne à l'emplacement choisi, et qu'il s'agissait d'une citerne connue de tous.

— C'est pourquoi j'ai pensé que le tunnel d'Hezekiah était le bon emplacement. Il devait certainement exister à cette époque, et c'était la plus imposante et la plus célèbre de toutes les citernes proches de Jérusalem. Mais cette dernière information détruit cette théorie.

— Dans ce cas, il n'y a plus qu'une seule conclusion possible, fit remarquer Bronson.

— Quelle est cette conclusion ?

— La réponse, c'est que nous n'avons pas cherché au bon endroit. J'ignore où les sicaires ont caché les reliques, mais ce n'était probablement pas à Jérusalem. (Il ne put réprimer un bâillement : la journée avait été particulièrement longue.) Il va nous falloir revoir toute l'inscription depuis le début.

# 65

— J'étais pourtant certaine d'être dans le vrai, avoua Angela. Tout semblait si bien coller, surtout quand on sait que le tunnel d'Hezekiah est la citerne la plus évidente de toutes.

C'était le petit matin dans la plus sainte des cités et un ciel rose saumon annonçait une nouvelle journée chaude et étouffante. Ils avaient été réveillés par les lamentations des muezzins en provenance des mosquées de Jérusalem, amplifiées par l'électronique des haut-parleurs, et appelant à l'aube les fidèles pour la prière en un cœur discordant et inoubliable, dans l'atmosphère figée du petit matin.

Ils étaient à nouveau assis dans la chambre d'Angela et buvaient un café instantané rendu encore plus infect par le lait en poudre. Bronson avait dormi comme un bébé, mais le visage d'Angela était pâle et elle avait des cernes sous les yeux. Il en déduisit qu'elle avait dû rester éveillée durant presque toute la nuit, à chercher la signification de l'inscription et l'emplacement du Rouleau perdu.

Bronson saisit les feuilles de papier sur lesquelles ils avaient noté la traduction de l'inscription et ils étudièrent le texte confus, en espérant trouver l'inspiration.

— Cette phrase au sujet de la « fin des temps » correspondrait très nettement avec le puits des Âmes, la grotte sur le mont du Temple où les musulmans croient que les morts se rassembleront pour attendre le Jugement dernier lors de la fin des temps, fit-il, avant de faire une pause. Non… Attends une minute. Les sicaires n'étaient pas musulmans. En fait, l'islam en tant que religion n'a existé qu'un demi-millénaire après la chute de Masada, c'est pourquoi notre postulat au sujet de l'emplacement doit être faux.

Angela secoua la tête.

— Ce n'est pas aussi simple, Chris. Je n'ai pas émis l'idée que le lieu de la cachette avait quelque chose à voir avec le puits des Âmes. Mon interprétation de l'expression « fin des temps » signifiait qu'elle se référait aux croyances juives en relation au troisième Temple : ils pensent en effet que ce n'est qu'après sa construction que la fin du monde adviendra. Yosef Ben Halevi nous en a parlé, si tu te rappelles bien. Tout comme les musulmans, les juifs pensent que « l'endroit de la fin des temps », le lieu où se déroulera la fin du monde, sera fort probablement le mont du Temple.

Bronson parut découragé.

— Merde alors, marmonna-t-il. Je pensais avoir trouvé la faille dans ton raisonnement. Donc si l'Armageddon est vraiment censé se dérouler ici à Jérusalem, les sicaires ont dû cacher le Rouleau d'argent quelque part par là. Ce dont on peut être certains, c'est qu'ils ne l'ont pas planqué dans le tunnel d'Hezekiah.

Pendant quelques secondes, Angela se contenta de le fixer intensément, avec une expression impénétrable.

— Quoi ? demanda Bronson.

— On ne t'a jamais dit que tu étais un génie ? s'étonna Angela, les yeux brillants.

— Non, pas assez souvent, à mon grand regret, avoua modestement Bronson. Qu'est-ce que j'ai encore fait, cette fois ?

— Tu viens de trouver le lien évident qui m'échappait. J'étais tellement sûre de moi au sujet du mont du Temple que j'ai complètement oublié l'Armageddon… Et c'est un emplacement totalement différent.

— Mais je croyais que l'Armageddon était un événement, pas un endroit ?

— Lorsque la plupart des gens en parlent, ils pensent qu'il s'agit de la fin du monde. Mais en réalité, c'est un lieu bien réel. On l'appelle Har Megiddo, la « colline de Megiddo », et elle se situe à environ une soixantaine de kilomètres au nord de Jérusalem. C'est ici, selon la Bible, que « la bataille de la fin des temps » se déroulera, lorsque les forces du bien et les forces du mal lutteront pour la dernière fois.

— « L'endroit de la fin des temps », ça pourrait coller, alors ?

— Oui, ça pourrait très bien correspondre à l'expression. Je n'en sais pas beaucoup au sujet de ce site archéologique, il va donc me falloir faire de nouvelles recherches.

— Mais comment obtiens-tu « Armageddon » en partant de « Har Megiddo » ? demanda Bronson.

— Eh bien, ce n'est pas à proprement parler une erreur de traduction de la Bible, observa Angela, pas comme c'est le cas pour le chameau passant à travers le chas d'une aiguille.

— Pourquoi dis-tu cela ? C'est une erreur de traduction ? demanda Bronson. Je l'ignorais.

— Oui. Pourquoi à ton avis un chameau aurait-il l'idée de vouloir passer dans le chas d'une aiguille ? Encore une nouvelle expression biblique qui n'a pas de sens, mais qui a été répétée inlassablement dans les chaires par les prêcheurs pendant des siècles, sans que personne n'essaie de comprendre ce que l'expression pouvait bien vouloir dire. Bien sûr que c'est une erreur de traduction.

— Que devrait-on dire alors ? demanda Bronson.

— Une grande partie de l'Ancien Testament, à l'origine, a été écrit en hébreu, avec les chapitres d'Ezra et de Daniel, rédigés en araméen, mais le Nouveau Testament a été écrit en grec koinè. On doit la première traduction à un homme appelé John Wycliffe et elle a été finalisée par John Purvey en 1388. Pour la Bible du roi James, un groupe de plus de cinquante savants ont travaillé non seulement sur les versions originelles des deux livres, en hébreu et en grec, mais se sont également inspirés de toutes les traductions disponibles à l'époque. C'était une traduction réalisée en comité, et, bien sûr, il y a eu des erreurs. Il existe deux mots très similaires en grec : *camilos*, qui signifie « corde », et *camelos*, que l'on traduit par « chameau ». La personne qui a traduit cette partie du Nouveau Testament a mal lu le « i » en grec et l'a remplacé par un « e », et l'Église a dû composer avec cette erreur depuis. Étonnant, n'est-ce pas ?

Bronson secoua la tête.

— Maintenant que j'y réfléchis, c'est étonnant, en effet. Bon, qu'en est-il d'Armageddon ?

— Ah, oui, pardon. Le nom de l'emplacement est Megiddo, et reçoit normalement le préfixe « tel », qui signifie « tertre » ou « monticule », soit plus communément « har » ou « colline ». Il est facile de voir comment le nom « Har Megiddo » a pu se transformer, au fil des ans, par « Armageddon ». Megiddo était l'une des villes les plus anciennes et des plus importantes de ce pays, et la plaine en contrebas fut le site de la toute première bataille rangée jamais répertoriée. En fait, il y a eu des dizaines de batailles – plus de trente en tout, si ma mémoire est bonne – à cet emplacement, et trois « batailles de Megiddo ». La dernière s'est déroulée en 1918 entre les forces britanniques et les troupes de l'Empire ottoman. Mais la plus célèbre fut la toute première bataille, au XVe siècle avant Jésus-Christ, entre les forces égyptiennes commandées par le pharaon Touthmôsis III, et une armée cananéenne menée par le roi de Kadesh, qui avait rejoint les forces du souverain de Megiddo. Kadesh se trouvait sur une terre qui porte aujourd'hui le nom de Syrie, et pas très loin de la ville moderne d'Émèse, et tout comme Megiddo, c'était une ville fortifiée de première importance. Nous en savons très peu au sujet de cette bataille : un tailleur de pierres y fit juste référence en inscrivant ce qui s'était passé sur les murs du temple d'Amon, à Karnak, en Égypte.

— C'était donc le site de la première bataille jamais répertoriée dans les livres d'histoire, tu crois que ce sera aussi le site où se déroulera la dernière bataille ?

— Si tu crois ce qui est écrit dans le Livre de la Révélation, oui. D'après cette source, Har Megiddo, ou Armageddon, sera le lieu de la « bataille de la fin des temps », la bataille finale entre les forces du bien et les forces du mal. C'est vraiment le lieu où se déroulera la fin du monde.

## 66

Dexter tourna le volant de la Fiat de location à droite et accéléra le long de la rue qui passait derrière l'hôtel de Giv'at Sha'ul où, d'après l'un des contacts de Hoxton à Jérusalem, Angela Lewis et Chris Bronson s'étaient réservés deux chambres.

Sur le siège passager, à ses côtés, Hoxton glissait avec précaution les cartouches Parabellum de neuf millimètres dans le chargeur de son pistolet semi-automatique Browning Hi-Power. Sur le sol, devant lui, hors de vue, se trouvait un autre pistolet – un vieux mais bien pratique Walther P38 – qui avait déjà été inspecté et rechargé.

Deux jours plus tôt, il avait eu rendez-vous avec un ancien officier de l'armée israélienne, dans les environs de Tel-Aviv. Le prix que l'homme avait exigé pour les armes et les munitions – il lui avait acheté trois pistolets – était, Hoxton le savait bien, totalement exorbitant, mais l'Israélien était la seule personne qu'il connaissait dans le pays susceptible de lui fournir ce qu'il voulait et, plus important, il ne posait aucune question.

— Arrêtez-vous quelque part par là, ordonna Hoxton. (Dexter se trouva une place libre sur le côté droit de la route et gara la voiture sous le soleil du petit matin.) Leur hôtel se trouve juste au coin, les informa Hoxton, en lui tendant le Walther.

— Je ne suis pas très habile avec les armes à feu, marmonna Dexter, en baissant la tête pour observer l'acier bleuté du pistolet qu'il tenait à la main. Je suis vraiment censé prendre ce truc ?

— Et comment, mon cher ! Je suis allé bien trop loin pour laisser ce couple prendre l'avantage, moi je vous le dis. Nous allons trouver le Rouleau d'argent, et la seule façon d'y parvenir, c'est de saisir toutes les infos – photos, traductions, que sais-je encore – que ces deux là ont récupérées. Et s'il nous faut tuer Bronson et la femme pour mettre la main dessus, alors nous les tuerons. (Dexter semblait toujours aussi contrarié.) C'est un jeu d'enfant, fit Hoxton. Vous tenez le pistolet en position et vous appuyez sur la gâchette. Nous tuerons Bronson en premier – c'est le plus dangereux – et Angela Lewis se montrera beaucoup plus coopérative si elle assiste à la mort de son ex-mari.

Les deux hommes sortirent de la voiture, chacun dissimulant les armes dans la ceinture de leur pantalon, sous leur veste. Ils tournèrent à l'angle puis descendirent la rue jusqu'à l'hôtel et entrèrent directement dans le hall.

## 67

— Bon alors, où se trouve Megiddo ? Nous allons y aller, je présume ?

— Oh, oui. C'est au nord d'Israël, dans la plaine d'Esdrelon, donnant sur la vallée de Jezréel. (Angela effleura la tablette tactile de son ordinateur portable et fit apparaître une carte détaillée d'Israël.) Voici Esdrelon, fit-elle, en indiquant une zone proche de la frontière nord du pays. La vallée de Jezréel a un peu la forme d'un triangle s'étendant à ses côtés, avec la pointe sur la côte méditerranéenne et la base parallèle au fleuve Jourdain, juste ici. Toute cette zone était autrefois submergée. En fait, il s'agissait de la voie navigable qui reliait l'étendue d'eau à l'intérieur des terres, que l'on appelle aujourd'hui la mer Morte, à la Méditerranée. Il y a environ deux millions d'années, le mouvement de la plaque tectonique a fait que la terre qui s'étendait de la vallée du Grand Rift, en Afrique, à cette extrémité de la Méditerranée s'est élevée, et la voie navigable est devenue une terre sèche. Une fois la mer Morte isolée, sans voie navigable, sa salinité a commencé à accroître, avec le résultat que nous connaissons aujourd'hui.

— Et que va-t-on trouver à Megiddo ? Un château en ruine, quelque chose comme ça ?

— Plus ou moins. Ce qu'il faut retenir au sujet de Megiddo, c'est que le site avait une énorme importance stratégique. Dans l'Antiquité, il existait une route commerciale et militaire, de première importance, que l'on appelait en latin la *via* Maris, à savoir la « route de la Mer », ou Derekh HaYam en hébreu. Elle partait d'Égypte et traversait l'étendue plane près de la Méditerranée jusqu'à Damas et la Mésopotamie. C'est pourquoi quiconque occupait Megiddo contrôlait la portion de cette route, connue comme la Nahal Iron – le mot *nahal* signifie le « lit asséché d'une rivière » – et pouvait ainsi contrôler tout le trafic le long de la route elle-même. En raison de son emplacement, Megiddo est l'un des lieux habités les plus anciens de cette partie, voire de n'importe quelle partie du globe. Le premier village date d'environ sept mille ans avant Jésus-Christ, il y a plus de neuf mille ans, et il fut finalement abandonné au V$^e$ siècle avant Jésus-Christ, le site fut donc continuellement occupé pendant à peu près six mille cinq cents ans.

— Mais alors, lorsque les sicaires s'y sont rendus, en considérant que tu dis vrai, le lieu était déjà en ruine, si j'ai bien compris ?

— Oh, oui, admit Angela. Le site devait être déserté depuis plus d'un demi-millénaire, à cette époque.

— Et tu crois qu'il pourrait s'agir de l'emplacement auquel les inscriptions font référence ? C'est-ce que tu penses maintenant, plutôt que le tunnel d'Hezekiah ou quelque part sur le mont du Temple ?

— Oui, je le pense. (Angela eut l'air de s'excuser.) Avec un peu de recul, j'aurais dû y réfléchir à deux fois et vérifier ce qui avait été réalisé dans le tunnel d'Hezekiah par le passé. Et, comme tu l'as fait remarquer, avec toute l'activité sur et à l'intérieur du mont du Temple au cours des années, les chances pour que l'on y retrouve quelque chose comme le Rouleau d'argent sont extrêmement minces.

— Et qu'en est-il de Megiddo, dans ce cas ? Des archéologues y ont-ils également effectué des fouilles détaillées, non ? demanda Bronson, d'une voix incertaine.

— Aussi étrange que cela puisse paraître, non. Le lieu a fait l'objet de fouilles, bien sûr, mais pas aussi souvent, ou pas aussi complètes que l'on pouvait s'y attendre, compte tenu de son histoire. Personne ou presque n'avait entrepris de fouilles avant 1903, époque à laquelle un homme baptisé Gottlieb Schumacher a décidé de mener une expédition, financée par la Société allemande pour la recherche orientale. Vingt ans plus tard, John D. Rockefeller a financé une expédition, avec l'Institut oriental de l'université de Chicago, et ça a ainsi continué jusqu'au déclenchement de la Seconde Guerre mondiale.

— Attends un peu, ça fait une fouille sur près de quatorze ans, observa Bronson. Ils ont bien dû couvrir la totalité du site ?

— C'est une longue période, je l'admets, mais Megiddo est tout simplement immense. Comme je l'ai dit, le monticule sur lequel se trouve la cité couvre environ six hectares, et la plupart des fouilles archéologiques sont restées concentrées sur une zone plutôt réduite, et elles ont été réalisées verticalement plutôt qu'horizontalement. Ils ont surtout creusé vers le bas, à travers les différentes couches représentant les diverses civilisations ayant occupé le site, et c'est certainement ce que l'équipe de Chicago a entrepris. Depuis ce temps, il ne s'est pas passé grand-chose à Megiddo. Un archéologue israélien du nom de Yigaël Yadin y a fait quelques fouilles dans les années 1960, et depuis, il y a eu des excavations sur le site, chaque année, financées par l'Expédition de Megiddo, basée à l'université, ici, à Tel-Aviv.

— Ça fait quand même un tas de fouilles dans le coin, observa Bronson, sceptique.

— Oui, peut-être, admit Angela, mais le fait est que si l'une de ces expéditions avait mis la main sur le Rouleau d'argent, le monde entier serait déjà au courant. Et n'oublie pas, aucun de ces archéologues ne recherchait une chose décrite comme un trésor enfoui. Ils ont simplement tenté de mettre au jour toute l'histoire entourant le site. Ce n'est pas notre cas. Nous allons nous y rendre pour rechercher un objet bien précis à un endroit bien spécifique.

— Alors, il existe une citerne quelque part sur la colline ? demanda Bronson.

— En fait, non, il n'y en a pas, dit Angela, avec un léger sourire, et c'est plutôt une bonne nouvelle. Une citerne est un lieu où tu *conserves* de l'eau, mais un puits est une source. Cela correspond parfaitement : une *source* d'eau. Lorsque nous avons étudié nos traductions en nous servant du dictionnaire en ligne, nous avons appris que le mot araméen que j'avais traduit par « citerne » signifiait plus précisément un « puits ». Et ce qui se trouve à Har Megiddo est bien un puits et non pas une citerne. C'est un nouvel indicateur : nous suivons bien la bonne piste.

— Parfait, fit Bronson. Il n'y a pas une minute à perdre. Je vais juste aller préparer mes affaires. On pourra étudier le trajet une fois dans la voiture et en direction du nord. (Il consulta sa montre.) On dit dans cinq minutes ?

# 68

— Ils sont au troisième, marmonna Hoxton, en appuyant sur le bouton de l'ascenseur. Chambres mitoyennes: 305 et 307. Ça ne devrait pas nous prendre trop de temps. (Ils sortirent de l'ascenseur et marchèrent le long de l'étroit couloir. Ils s'immobilisèrent devant la chambre 305. Hoxton se pencha en avant et colla son oreille contre la porte.) Il y a du mouvement à l'intérieur, murmura-t-il, en reculant d'un pas et en dégainant le Browning de sa ceinture. Vous couvrez l'autre porte, ordonna-t-il à Dexter. (Il observa son acolyte s'avancer de quelques pas dans le couloir.) Prêt?

Dexter eut une moue de contrariété mais il agrippa le pistolet et acquiesça. Hoxton toqua brutalement à la porte.

— Qui est-ce? demanda Bronson.
— Service d'entretien, fit une voix masculine. Il y a un souci avec l'une des ampoules de votre chambre. On est là pour réparer.

Bronson recula légèrement. Deux choses l'ennuyaient. *Primo*, chacun des membres de l'hôtel qu'il avait croisés jusqu'à maintenant parlaient plus ou moins l'anglais, certains d'entre eux de façon hésitante, d'autres plus couramment. Mais l'homme de l'autre côté de la porte ne faisait pas que *parler* anglais: pour Bronson, il *était* anglais. Pourquoi un Anglais travaillerait-il comme homme d'entretien dans un petit hôtel de Jérusalem?

Deuzio, toutes les ampoules de la chambre et de la salle de bains fonctionnaient parfaitement.

— Je sors juste de la douche, dit Bronson. Laissez-moi le temps de m'habiller. (Traversant la pièce d'un pas rapide, il entassa le reste de ses affaires dans le sac de voyage qu'il avait préparé, puis il franchit la porte donnant sur la chambre 307 et frappa doucement.) Je n'en ai que pour quelques secondes, fit-il à voix haute, alors que la porte reliant les deux chambres s'ouvrait. Bronson se glissa promptement dans la chambre d'Angela et referma la porte à clé. On a de la visite, lui apprit-il. Fais ta valise. Il faut qu'on se tire d'ici. Et le plus vite possible.

À la hâte, Angela entassa tous ses vêtements dans son sac. Bronson éteignit son ordinateur portable et le glissa, ainsi que les feuilles de papier et les notes, dans l'étui en cuir de l'ordinateur. C'est alors qu'il entendit un bruit en provenance de la chambre adjacente.

Bronson marcha à grands pas jusqu'à la porte, prit son sac de la main gauche et tourna délicatement la poignée de la main droite. Mais tandis qu'il entrouvrait la porte, une silhouette de l'autre côté y donna un violent coup de pied, la faisant claquer contre le mur, en manquant Bronson de peu. En inspectant le couloir, Bronson remarqua immédiatement le pistolet que son agresseur tenait à la main.

Il réagit presque instantanément. Il frappa l'homme au visage à l'aide de sa trousse de toilette, puis lui assena un violent coup de pied. Le coup toucha l'avant-bras du tireur, envoyant valser le pistolet, et Bronson cogna l'homme à l'estomac de la main droite. Le tireur se plia en deux, pris de haut-le-cœur. Puis Bronson porta un violent coup de genou dans le visage de sa victime.

Le tireur hurla de douleur. Le sang gicla de son nez cassé, éclaboussant la moquette dans l'entrée.

— Cours! s'écria Bronson, en indiquant la sortie de secours.

Angela entama un sprint dans le couloir, Bronson baissa le bras dans l'espoir de récupérer le pistolet, mais le tireur fut plus rapide et l'agrippa le premier. Bronson assena un nouveau coup de pied, envoyant l'arme ricocher sur le sol, et hors de portée, puis il fit demi-tour et courut vers Angela. Il entendit des jurons, entre deux cris de douleur, et en déduisit que son assaillant venait de le prendre en chasse.

Il y avait un virage à quatre-vingt-dix degès dans le couloir que Bronson négocia à toute vitesse, avant de s'arrêter net. Le corridor se prolongeait en ligne droite, et Angela n'était toujours qu'à mi-chemin. À moins de neutraliser leur poursuivant, ils risquaient tous deux de devenir des cibles faciles lorsque l'homme passerait le virage.

Il regarda autour de lui, à la recherche d'une arme. N'importe laquelle. La seule et unique chose qu'il trouva était un extincteur fixé sur le mur à côté de lui. Cela devrait faire l'affaire, se dit-il. Il lâcha son sac et arracha l'extincteur.

Bronson s'avança prudemment jusqu'au coin, puis il écouta les bruits, en tentant d'évaluer la distance qui le séparait de l'homme à ses trousses. Puis il fit quelques pas en avant, en soulevant l'extincteur, dans un arc vicieux, à hauteur de la taille.

L'homme qui courait vers lui, un pistolet automatique dans la main droite, n'eut pas la moindre chance de réagir. L'extincteur le frappa directement dans l'estomac et il tomba en arrière, le souffle coupé. Mais il tenait toujours le pistolet. Et tout en s'effondrant sur le sol, il appuya sur la détente.

La détonation fut assourdissante dans l'espace confiné. La balle manqua de peu Bronson, ricochant sur les murs et le plafond. Il savait que l'homme allait rapidement reprendre ses esprits et il n'hésita pas: il lança l'extincteur sur son assaillant, attrapa son sac et se mit à courir.

Au bout du couloir, Bronson aperçut les sorties de secours. Il rattrapa Angela, et frappa violemment la barre de sécurité qui maintenait les portes fermées. Lorsqu'elles s'ouvrirent dans un claquement, une alarme se mit à hurler. Bronson poussa Angela à l'extérieur au moment où un nouveau coup de feu éclatait dans le couloir, la balle finissant sa course folle, avec fracas, dans le mur situé juste derrière eux.

Ils se trouvaient devant un petit palier carré en béton et des marches qui descendaient en zigzag jusqu'à la rue, en contrebas. Un autre escalier menait aux étages supérieurs du bâtiment.

— Toi d'abord, vite, ordonna Bronson.

Il se retourna vers le couloir de l'hôtel. Au bout, il vit l'homme qu'il avait frappé, approchant dans sa direction, la main gauche pressée sur l'estomac et la main droite tenant toujours le pistolet.

En entendant la déflagration du deuxième coup de feu, Bronson comprit qu'il n'y avait plus de temps à perdre.

Il passa son sac de la main droite à la main gauche, sauta les marches quatre à quatre jusqu'au palier inférieur, et vira pour rejoindre le palier suivant.

Plus bas, Angela était déjà proche de la sortie.

— Cours ! s'écria Bronson. File te cacher sur le côté du bâtiment.

Quelques secondes plus tard, il la vit sprinter et quitter la sortie de secours, son sac à la main.

Une fois au bas de l'escalier, il releva la tête. Son assaillant se trouvait sur le palier et se penchait au-dessus de la balustrade, en le mettant en joue avec son pistolet. Bronson se savait protégé par le palier et les marches. Il savait également que, en quittant cette position, il devenait une cible facile.

Mais Bronson devait partir. Et le plus sûr était de suivre Angela – le coin de la rue ne se trouvait qu'à six mètres –

mais il en déduisit que l'homme au pistolet n'attendait que ça. Alors, il sauta par-dessus le garde-fou et courut de l'autre côté de l'hôtel en zigzaguant.

Il entendit le tireur passer de l'autre côté du palier, puis deux détonations coup sur coup. Les balles s'écrasèrent sur les dalles, tout près de lui. Mais il atteignit le coin de la rue et tourna. Il était sauf. Du moins, pour le moment.

En sprintant jusqu'à la façade de l'hôtel, il retrouva Angela qui se tenait debout près du mur, regardant nerveusement derrière elle.

— Je suis là, fit-il, en la prenant par le bras. Vite. Suis-moi.

Ils s'éloignèrent de l'hôtel en courant, le long de la rue et jusqu'à l'endroit où Bronson avait garé la voiture. Il ouvrit le véhicule, jeta leurs sacs sur le siège arrière, démarra le moteur et partit à toute allure, sans quitter les rétroviseurs des yeux.

Angela tremblait légèrement, de fatigue ou de peur, ou plus probablement des deux.

— Ne dis rien, murmura-t-elle.

— Je n'en ai pas l'intention. Tu sais très bien que ce que nous faisons est dangereux, mais je suis avec toi, jusqu'au bout. Armageddon : nous voilà !

— Ce salopard m'a cassé le nez, marmonna Dexter, tandis que les deux hommes quittaient rapidement l'hôtel. Ça fait mal.

— C'est la cinquième fois que vous me le dites, dit hargneusement Hoxton, la respiration sifflante. Fermez-la et contentez-vous de marcher.

— Où allons-nous ?

— On retourne à l'hôtel pour voir si Baverstock a avancé sur l'inscription.

— Et que fait-on de Bronson et Lewis ?

— Pour l'instant, on les a perdus, mais tôt ou tard, mes contacts nous mèneront à eux – ils vont se réserver un autre hôtel, à coup sûr – et ils nous fileront leurs infos. On ne peut plus reculer, désormais.

— Et Bronson ? demanda Dexter.

— C'est un homme mort, tonna Hoxton.

# 69

— On cherchait au mauvais endroit, annonça Baverstock avec excitation, tandis qu'il ouvrait la porte de sa chambre d'hôtel pour laisser entrer Hoxton. Que vous est-il arrivé ? demanda-t-il, lorsqu'il vit Dexter, debout dans le couloir, la chemise rouge de sang.

— Il saigne du nez, fit Hoxton avec dédain. Vous dites que le Rouleau ne se trouve pas sous le mont du Temple ?

— Oui. Je viens de réaliser où se trouvait « l'endroit de la fin des temps », et ce n'est pas du tout à Jérusalem.

Hoxton s'assit.

— Et ça se trouve où ?

— À Har Megiddo, ou Armageddon. C'est l'endroit mentionné dans le Livre de la Révélation où se déroulera la bataille finale, la lutte ultime entre le bien et le mal, et qui provoquera la fin du monde, tel que nous le connaissons.

— Pas de messianisme avec moi, Baverstock. Dites-moi juste où ça se trouve, bordel.

— Ici. (Baverstock déplia une carte détaillée d'Israël et pointa un doigt velu sur le point situé juste au sud-est de Haïfa.) C'est là que les sicaires ont caché le Rouleau d'argent, j'en suis certain.

— Vous étiez aussi persuadé qu'ils l'avaient caché dans le tunnel d'Hezekiah, observa Hoxton. Vous en êtes certain à combien de pour cent cette fois-ci ?

— À quatre-vingt-dix pour cent, admit Baverstock, en raison de la référence à *la* citerne ou au puits. J'aurais dû comprendre plus tôt. Jérusalem et la zone autour de la cité sont truffées de réserves d'eau. Je pensais que les sicaires avaient choisi le tunnel d'Hezekiah parce que c'était la réserve principale d'eau douce de la ville, mais en étudiant à nouveau l'inscription, j'ai réalisé que j'avais tout faux. Le tunnel d'Hezekiah n'est pas du tout une citerne : c'est un aqueduc qui mène à la ville en provenance de la source du Gihon. Une citerne est une infrastructure destinée à stocker de l'eau, et celle-ci est souvent souterraine. Si les sicaires y avaient dissimulé les reliques, je me serais attendu à ce qu'ils utilisent une expression différente.

— Et y a-t-il une citerne à Megiddo ?

Baverstock hocha la tête.

— En réalité, il s'agit d'une autre source, mais le plus important, c'est la description de Har Megiddo elle-même. Je suis quasiment sûr que l'auteur du Rouleau en parlait.

Hoxton se tourna vers Dexter.

— Allez vous nettoyer le visage, fit-il. Je n'ai aucune envie que vous versiez du sang partout sur les sièges de la voiture. Et faites vite. Ensuite, nous nous y rendrons. (Il regarda de nouveau Baverstock.) Bronson et Lewis nous ont échappé aujourd'hui, mais je suis prêt à parier qu'ils savent déjà que le Rouleau d'argent est caché quelque part à Har Megiddo. Nous n'avons pas de temps à perdre.

Le trajet de Bronson et Angela les avait conduits au nord-ouest de Jérusalem, contournant la Cisjordanie et Tel-Aviv, à travers Tiqwa et Ra'annana avant de rejoindre la route de la côte à Netanya. La route était parallèle à la côte méditerranéenne, le long de la bordure de la plaine de Sharon, jusqu'à Haïfa.

Mais avant de se mettre en route pour Megiddo, Bronson avait l'intention d'acheter certaines choses, et il guida la Renault en direction de l'ouest, vers le centre d'Haïfa.

— C'est l'heure du shopping ? demanda Angela.

— Exactement. À mon avis, inutile d'acheter des palmes, parce que je ne pense pas devoir nager très loin. En revanche, il va certainement me falloir un masque, et probablement une corde.

Vingt minutes plus tard, ils retournèrent à la voiture. Bronson tenait un petit sac en plastique et un sac à dos vide, qu'il glissa dans le coffre. Puis ils quittèrent Haïfa, en direction du sud-est, vers Afoula. La route qu'ils empruntèrent n'était pas le trajet le plus direct pour Har Megiddo, mais il leur évitait de devoir grimper la crête du mont Carmel qui séparait les deux zones aplanies dominant la région, à savoir les plaines de Sharon et d'Esdrelon. Ce parcours était plus facile et probablement plus rapide.

— On n'est qu'au milieu de l'après-midi, fit remarquer Bronson. Pourquoi ne pas filer droit là-bas et fouiller les lieux ? Si tu as raison et que nous recherchons bien un tunnel souterrain, peu importe que l'on s'y rende de jour ou de nuit.

— C'est vrai, admit Angela, mais il faudra être prudents la nuit à Har Megiddo et bien faire attention à ne pas nous faire repérer avec nos torches. Des lumières après l'heure de fermeture risquent de trop attirer l'attention.

— Que veux-tu dire par « heure de fermeture » ? demanda Bronson.

— Eh bien, le site est un important lieu touristique, tu sais. À cette période de l'année, il ferme à cinq heures. Et il va nous falloir payer pour y entrer.

# 70

Levi Barak semblait satisfait en consultant les notes qu'il avait prises pendant ses échanges radio avec les divers membres de son équipe de surveillance. Les deux groupes de suspects semblaient se diriger exactement au même endroit, au nord d'Israël. Bronson et Lewis étaient les premiers : ils avaient atteint la périphérie d'Haïfa après une brève halte dans la ville.

— Bronson vient juste de tourner en direction du sud-est, déclara l'un des officiers de surveillance, dont la voix grésillait dans le haut-parleur. Il a emprunté la route vers Afoula, ou alors il se dirige peut-être vers Nazareth.

— Continuez à les surveiller, ordonna Barak, et assurez-vous qu'ils ne vous voient pas. Je ne veux surtout pas les effrayer. Je vous recontacterai bientôt.

— Vous nous rejoignez ? demanda l'homme, d'une voix étonnée.

— Oui. Informez-moi quand ils s'arrêteront de nouveau, même si c'est juste pour manger ou boire quelque chose.

— Compris.

Barak s'éloigna du microphone radio et décrocha le téléphone interne.

— C'est Barak, annonça-t-il. Je voudrais que vous me trouviez la ligne directe de l'officier de commandement de la Sayeret Matkal. Et quand vous l'aurez, je veux un hélicoptère militaire en *stand-by*, ici dans les trente minutes, avec le plein de carburant et deux pilotes. Si c'est possible, dénichez-en un équipé d'un scanner infrarouge à détection thermique et d'une caméra à vision nocturne. (Il consulta sa montre, puis regarda à travers la fenêtre, tout en calculant le temps et les distances.) Et assurez-vous qu'il soit là à l'heure. Nous sommes proches de la fin de la partie.

# 71

La plaine d'Esdrelon s'étendait sous leurs yeux. C'était un patchwork de champs verts et fertiles ponctué de petits bois et bosquets. La route serpentait au loin de Har Megiddo vers les pentes plus douces d'une rangée de collines qui se dressaient par vagues vers l'horizon lointain, et disparaissaient graduellement dans la brume de chaleur.

Bronson se fia aux panneaux de signalisation, écrits en hébreu et en anglais, il tourna vers le nord à la jonction de Megiddo, et emprunta la route numéro soixante-six. Quelques minutes plus tard, il tourna à gauche une première fois, et tourna de nouveau à gauche, presque immédiatement. Il gara la Renault dans une des places libres du parking, au pied de la colline, et coupa le moteur.

Pendant quelques instants, Angela et lui restèrent assis, silencieux, à fixer la pente escarpée qui se dressait devant eux.

— C'est imposant.

— Je t'ai dit que la zone de la cité s'étendait sur environ six hectares.

— Je sais. Six hectares, ça ne semble pas aussi grand quand tu le dis, répondit Bronson, mais quand tu vois un truc comme ça, en vrai, c'est un chouia intimidant. Tu es certaine de savoir où commencer à chercher ?

— Oui. Il n'y a qu'une seule source d'eau par ici, et l'entrée du tunnel qui y mène est aujourd'hui l'une des structures les plus imposantes du site. Toutes les garnisons qui y ont stationné au cours des millénaires avaient le même problème, exactement comme à Jérusalem : la seule source d'eau fiable se trouvait hors des murailles de la forteresse. Et dans les deux cas, ils ont fait exactement la même chose. Ils ont creusé un tunnel souterrain menant directement à la source d'eau.

— OK, fit Bronson. On n'avance à rien à rester assis dans la voiture à en parler. Allons donc jeter un œil sur place. (Sur l'un des côtés du parking se trouvait un bâtiment peu élevé et abritant le musée et le centre dédié aux visiteurs.) Mais allons d'abord faire un tour là-dedans, suggéra Bronson, en consultant sa montre. Il nous reste pas mal de temps avant la fermeture.

Le musée était assez instructif, avec de nombreuses vitrines dévoilant les différentes sections du site et une impressionnante maquette montrant ce à quoi Megiddo devait ressembler durant l'Antiquité. En quittant le bâtiment, ils eurent tous deux une bien meilleure idée de la disposition des ruines. Et Bronson avait acheté un guide en anglais qui contenait une carte détaillée de tout le site.

Ils empruntèrent le sentier menant à l'entrée située à l'extrémité sud de la colline, et commencèrent à grimper, presque immédiatement entourés par l'architecture antique.

— D'après ce bouquin, indiqua Bronson, en pointant du doigt une ancienne structure qui se dressait à droite du sentier, ce sont les ruines d'une porte datant du XVe siècle avant Jésus-Christ, et juste dans ce coin-là, nous devrions trouver l'entrée principale de la forteresse, que l'on a baptisée la « porte de Salomon ». (Construite en pierres massives et de toute évidence conçue pour résister non seulement aux attaques ennemies, mais également aux ravages du temps, la porte était assez bien conservée. Il y avait trois chambres situées sur le côté, en bon état elles aussi.) Chacune de ces chambres, l'informa Bronson, en se référant de nouveau à son guide, était conçue pour contenir un char blindé et deux chevaux, probablement pour pouvoir filer rapidement en bas vers la plaine et intervenir si nécessaire. Un peu comme une voiture de police moderne.

Ils tournèrent à gauche, suivant un sentier bien tracé, et passèrent devant les écuries d'Ahab – même si, aux yeux de Bronson, les vestiges ne ressemblaient pas vraiment aux écuries qu'il avait déjà visitées, mais plutôt à un ensemble délabré de murs bas et de maçonnerie antique – et devant le point de vue qui offrait un panorama spectaculaire sur le nord, au-delà de la plaine de Jezréel et vers la ville de Nazareth, nichée au cœur des collines de Galilée.

Ils s'arrêtèrent près d'une vaste structure, presque circulaire, jouxtant un escalier d'environ une demi-douzaine de marches, sur le côté.

Angela emprunta le guide à Bronson et indiqua :

— C'est l'autel circulaire qui a été rénové – pas construit, mais *rénové* – il y a quatre mille ans, dit-elle. Il était probablement destiné aux sacrifices d'animaux. Ce temple (elle indiqua une nouvelle pile de maçonnerie délabrée) a été bâti presque à la même période. On l'appelle le temple de l'Est, et lors de sa construction, il était équipé d'un vestibule, d'une chambre principale et du Saint des Saints, à l'arrière, qui était la partie du bâtiment la plus proche de l'autel circulaire. (Elle fit une pause.) C'est phénoménal, n'est-ce pas ? Je n'arrive pas à croire que ce soit aussi ancien. (Elle regarda Bronson, les yeux brillants et le visage illuminé par l'excitation, et Bronson sentit son cœur battre la chamade.) C'est totalement différent pour toi, je m'en rends compte. Ta vie et ton boulot sont absolument contemporains, mais je vis et je respire pour ce genre de choses, et je ne peux pas passer sans réagir à côté d'un édifice aussi intéressant.

Elle lui prit la main et ils marchèrent ensemble vers la section sud de la vieille cité.

— Oh, là, voilà qui est très impressionnant, déclara Bronson, se dirigeant vers un rail de métal circulaire qui encerclait une immense fosse. (Il baissa les yeux. Cela devait faire dans les douze ou quinze mètres de diamètre et à peu près la même distance en profondeur : un immense trou creusé à même le sol et entouré de pierres. Il supposait que cela avait dû être un chantier massif.) C'est la citerne ? demanda-t-il.

— C'est le silo de Jéroboam. Il date du VIIIᵉ siècle avant Jésus-Christ et servait à conserver les céréales. Apparemment, il conservait dans les quinze mille boisseaux.

— Et qu'est-ce qu'un boisseau ?

— C'est une unité de volume sec : ça équivaut plus ou moins à trente-six litres. Tu vois ce double escalier ?

Bronson releva la tête et vit ce qu'Angela montrait du doigt. Formant une partie du mur lui-même, se trouvaient deux escaliers rugueux, chacun mesurant à peine plus de cinquante centimètres de large, et qui descendaient en spirale du sommet du silo jusqu'à la base, situés l'un en face de l'autre sur les côtés de la structure.

— Je suppose qu'ils ont construit deux escaliers afin que les ouvriers qui transportaient ou récoltaient les céréales puissent descendre par un escalier et remonter par l'autre, au même moment, non ? suggéra Bronson. (Angela hocha la tête, et baissa les yeux en direction du fond du silo.) Je ne m'aventurerais pas à y descendre moi-même. Ils sont tous les deux plutôt étroits, et ça fait une sacrée chute jusqu'au fond, ajouta Bronson.

— Ce qui explique la barrière d'acier, fit Angela en reculant d'un pas.

Le silo était la partie des ruines la plus intacte qu'ils avaient eu l'occasion de contempler jusqu'ici, et il était entouré par les formes d'anciens bâtiments, désormais réduits à l'état de petits murs, d'à peu près trente centimètres de haut. Des palmiers – des dattiers, en déduisit Bronson – se dressaient sur ce qui avait autrefois été le sol de salles, ou peut-être de passages. Et partout autour d'eux, les vestiges de maçonnerie, gris clair, presque blancs, offraient cette impression caractéristique du passé, et des centaines, voire des milliers d'années. Il remarqua qu'Angela frissonnait légèrement, malgré la chaleur ambiante. Il entoura délicatement son bras autour de ses épaules et ils poursuivirent leur route.

— Ici se trouvent ce que l'on pense être les écuries de Salomon, déclara Angela. Mais la date a été discutée et l'on pense aujourd'hui qu'elles ont probablement été bâties à l'époque d'Ahab, sûrement sur le site du palais de Salomon. Ahab était le roi d'Israël au IX^e siècle avant Jésus-Christ, et il a été estimé que les écuries auraient pu contenir près de cinq cents chevaux et abritaient les chars de guerre. À cette époque, Megiddo était connue comme la « cité des chars », et les chars constituaient une arme décisive dans n'importe quelle échauffourée ou bataille sur les plaines, en contrebas. Cela représentait les troupes de choc blindées de l'époque. (Elle regarda autour d'elle.) OK, suivons ce sentier vers le sud-ouest. Il devrait nous conduire à l'entrée du tunnel qui mène à la citerne.

— De quand date le tunnel ? demanda Bronson, lorsqu'ils commencèrent à marcher.

— À l'origine, l'on raconte qu'il a été bâti vers le XIII^e siècle avant Jésus-Christ, mais des recherches plus récentes l'ont daté du IX^e siècle avant Jésus-Christ, ce qui lui fait – elle fit une pause, pour effectuer ses calculs – dans les trois mille ans.

Elle releva la tête et sourit à Bronson.

— Alors, la réserve d'eau se trouvait hors des enceintes de la ville ?

— Oui. La réserve d'eau était une source dans une grotte des environs, lui apprit Angela, en indiquant la zone devant eux. Lorsque Salomon régnait en ces lieux, il a ordonné à ses hommes de creuser un puits à travers les murs de la grotte, pour fournir un meilleur accès à la source, mais cela n'aurait pas vraiment aidé si Megiddo s'était retrouvée assiégée. Ahab fut un petit plus ambitieux. Il fit construire un large puits, ce qui signifiait creuser les différentes couches, du sommet de la colline jusqu'en bas, jusqu'au soubassement lui-même. Le puits devait avoir environ soixante mètres de profondeur, et c'est là que le plus dur a commencé. Ses hommes ont creusé une galerie horizontale à travers la roche de la grotte, sur une distance de près de cent vingt mètres, ce qui leur fournissait un accès caché et imprenable jusqu'à la source. Et pour finir le travail en beauté, Ahab a fait bloquer l'entrée originelle de la grotte avec une muraille de pierres massives, et a ensuite recouvert le mur de terre, afin qu'aucun ennemi potentiel ne puisse deviner qu'une grotte s'y trouvait.

Tout en discutant, ils avaient atteint le bord de l'entrée du puits : il s'agissait d'un immense trou dans le sol avec des côtés en pente, tellement massifs qu'ils rendaient le silo à céréales presque insignifiant, en comparaison. Contrairement au silo, cette structure semblait ne jamais avoir été complètement doublée de pierre, tout simplement parce que ce n'était pas nécessaire, mais les vestiges de plusieurs murs porteurs et de terrasses étaient encore visibles, sur plusieurs niveaux, jusqu'au fond aplani. Les vestiges désagrégés d'un vieil escalier en pierre descendaient sur le côté de la fosse, là où la pente était plus douce. Bronson se dit que l'escalade avait dû être particulièrement éprouvante pour les défenseurs de la cité, surtout s'ils étaient chargés de récipients d'eau.

On distinguait une barrière de sécurité en acier, fixée au sommet d'un mur de pierre peu élevé et qui entourait presque tout le périmètre. Dans l'une des sections, il y avait un espace permettant l'accès à un nouvel escalier, en béton et protégé par des rails de sécurité, ainsi qu'une succession de plates-formes pour faciliter la descente, ce qui permettait aux touristes de descendre en toute sécurité.

— Ça fait quand même une sacrée montée, fit remarquer Angela. Il y a près de deux cents marches, mais pour ta gouverne, nous n'aurons qu'à descendre. Ils ont aménagé une sortie à l'autre bout, à travers le mur qu'Ahab a bâti il y a trois millénaires.

Bronson jeta un œil autour d'eux. C'était la fin d'après-midi, à présent, et les derniers groupes de touristes commençaient à se frayer un chemin et amorçaient leur retour vers la sortie.

— On va devoir se tirer d'ici et nous tenir à carreau un petit moment, fit-il. Je ferais mieux d'aller sortir la voiture du parking et la cacher quelque part dans les parages. Je ne veux pas que l'on remarque notre présence dans le coin, et je pense que les deux types qui ont tenté de nous abattre à l'hôtel, ce matin, sont encore à nos trousses.

Angela parut préoccupée.

— J'essaie de ne pas trop y penser, avoua-t-elle. Marchons dans le tunnel et allons voir à quoi ressemble la citerne.

Le tunnel, lorsqu'ils l'atteignirent enfin, fut une surprise. Bronson s'attendait à quelque chose qui ressemble au tunnel d'Hezekiah, étroit et en lacet, avec un plafond bas, en espérant qu'ils aient les pieds au sec. Le tunnel de Megiddo était plutôt confortable, large, haut de plafond – jusqu'à trois mètres par endroit – bien éclairé et équipé d'une allée faite de planches qui permettait aux visiteurs de se déplacer facilement d'un bout à l'autre.

Personne d'autre ne se trouvait dans le tunnel lorsqu'ils l'empruntèrent. Tout au bout, des marches menaient directement au fond du puits. Bronson et Angela se tinrent sur la plate-forme inférieure et regardèrent par-dessus bord, en direction de l'eau.

— Ça me paraît profond, dit-il.

— Ça l'est, admit Angela. Comme la plupart des puits.

— Et glacé, ajouta Bronson, en soupirant à l'idée de devoir y descendre. Le problème, ça va être d'en ressortir. Et je ne suis pas mécontent d'avoir acheté cette corde. (Il demeura silencieux pendant quelques secondes, à réfléchir.) OK, nous avons vu l'essentiel. Maintenant, allons-y.

## 72

La soirée était déjà bien entamée, et il faisait quasiment nuit quand Bronson dirigea la Renault sur le côté de la route, à environ une centaine de mètres, au-delà de l'entrée du parking de Har Megiddo. Il la dissimula en marche arrière derrière un buisson, et coupa le moteur.

Ils avaient quitté le site près de quatre heures plus tôt, avaient roulé sur plus de trois kilomètres le long de la route, et s'étaient trouvé un café ouvert où ils avaient pris un repas léger. Puis Bronson avait garé la voiture à l'ombre d'un massif sur une étendue sauvage juste à l'extérieur d'Afoula, et il avait essayé de dormir un peu, en sachant qu'il allait lui falloir toutes ses réserves d'énergie pour la nuit qui s'annonçait. Pendant qu'il dormait, Angela avait de nouveau consulté ses notes afin de s'assurer que rien ne lui avait échappé. Lorsque Bronson s'était réveillé, il jeta un dernier œil à l'équipement acheté à Haïfa, et ils enfilèrent tous les deux des survêtements aux couleurs sombres et des baskets.

Ils avaient roulé jusqu'à Har Megiddo face au soleil couchant, les champs verts de la plaine d'Esdrelon disparaissant rapidement dans l'ombre tandis que le soleil commençait à tomber derrière les cimes de la crête du mont Carmel. Avec à peine plus de cinq cents mètres à son point le plus élevé, la crête s'étendait sur près de vingt kilomètres au sud-est à partir de la côte méditerranéenne près d'Haïfa.

Bronson se tourna vers Angela.

— Tu es prête ? demanda-t-il.

— Plus que jamais, répondit-elle.

Bronson retira le sac à dos du coffre, l'ouvrit et en examina rapidement le contenu, puis il l'enfila. Il ferma la voiture à clé et ils se mirent en route.

La porte principale du site risquait d'être fermée. Aucun problème, songea Bronson. Un site aussi vaste que Har Megiddo était presque impossible à sécuriser complètement, et de nombreuses parties du lieu n'étaient en effet protégées que par des clôtures basses. À plusieurs endroits, la raideur de la pente rendait toute barrière superflue.

— Ça devrait faire l'affaire, fit Bronson, en les menant jusqu'à une pente avec une déclinaison raisonnable à l'extrémité de l'une des clôtures. (Plus tôt dans l'après-midi, il avait remarqué un passage étroit par lequel ils allaient pouvoir se faufiler. Ils atteignirent l'extrémité de la clôture. Angela fut la première à se glisser dans l'ouverture, puis Bronson lui passa le sac à dos avant de l'y suivre.) File jusqu'à l'entrée de la galerie d'eau, fit-il, à voix basse, et fais bien attention où tu mets les pieds. Certains des rochers sont très friables et branlants.

Il l'observa pendant qu'elle se frayait un chemin vers le haut de la pente raide et longue qui menait au sommet de la colline.

Le site était désert. Ils marchèrent d'un bon pas jusqu'à la fosse ouverte qui marquait l'entrée du tunnel d'Ahab et descendirent les marches menant au bas du puits. La porte d'acier était sécurisée par un gros cadenas. Bronson posa son sac à dos sur le sol et l'ouvrit. Il glissa la main à l'intérieur et en ressortit une pince coupante rétractable, il tira sur les poignées et serra les mâchoires de l'outil autour du fermoir du cadenas. Il resserra les poignées, en grimaçant à cause de l'effort, et les muscles de ses bras se gonflèrent. Dans un craquement brusque, l'acier fut sectionné et le cadenas libéré tomba sur le sol.

— Nous y sommes, dit-il.

Il replaça la pince dans son sac à dos et ouvrit la porte.

— Ça fout les jetons, murmura Angela, alors qu'ils s'enfonçaient dans l'obscurité. J'avais oublié combien un lieu aussi ancien que celui-ci pouvait être effrayant de nuit.

— Pas question d'allumer la lumière. Ça risquerait d'attirer un garde. Nous allons devoir nous fier à nos torches.

Les deux fins faisceaux lumineux les aidèrent. Avec les torches, ils pouvaient au moins voir où ils allaient, mais Angela avait raison : cet endroit donnait la chair de poule. Chacun était bien conscient du poids de la roche et de la terre au-dessus de leurs têtes et du poids de l'histoire qui les entourait.

Il était inutile de chercher quoi que ce soit dans le tunnel lui-même : l'inscription qu'ils avaient déchiffrée mentionnait de façon précise un puits ou une citerne. Si la relique se trouvait toujours dans les ruines, ils risquaient de la trouver dans la source elle-même et nulle part ailleurs.

Au bout du tunnel se trouvait une succession de marches et de plates-formes, permettant aux visiteurs de s'approcher du puits. Ils descendirent en direction du plateau le plus bas, située seulement à une cinquantaine de centimètres au-dessus de la surface de l'eau. Bronson rouvrit le sac à dos et en retira un rouleau de corde. Il accrocha promptement l'une des extrémités de la corde autour de la rampe d'acier fixée à la dernière section de l'escalier puis, par précaution, l'enroula autour de la balustrade en bois qui bordait la plate-forme directement au-dessus de l'eau. Ce qui signifiait qu'il allait pouvoir descendre et monter à la corde à partir du plateau lui-même. Avant de jeter la corde sur le côté avant et de la laisser pendre dans les eaux de la source,

Bronson fit une série de nœuds en les espaçant d'environ trente centimètres.

— Pourquoi fais-tu cela ? demanda Angela, en orientant la torche sur les mains de Bronson, afin qu'il y voie un peu plus clair.

— En ressortant de l'eau, je serai frigorifié – je ne plaisantais pas en disant que ça allait probablement geler là-dedans – et mes mains seront engourdies. Les nœuds devraient me permettre de m'accrocher mieux en grimpant à la corde.

Bronson ôta rapidement ses chaussures et ses chaussettes, puis il enleva sa chemise, son survêtement et son caleçon.

Se tenant ainsi nu dans l'obscurité, il sourit brièvement à Angela. Puis il retira un masque de plongée de son sac, fit glisser la bande élastique autour de son crâne et sortit une lourde torche noire et enrobée de caoutchouc, plus grosse que celle utilisée dans le tunnel d'Hezekiah.

— Tu pourras me passer la torche une fois que je serai dans l'eau ? Je n'ose pas plonger. J'ignore la profondeur. Et je ne sais pas si des rochers, ou je ne sais quoi, sont cachés sous la surface.

Angela se pencha brusquement en avant et le serra dans ses bras.

— Sois prudent, Chris, murmura-t-elle.

Bronson passa la jambe au-dessus de la balustrade en bois, agrippa la corde en suspend des deux mains, et descendit sans attendre dans l'entrée de la citerne.

— Seigneur, ce que c'est froid, marmonna-t-il, en s'immergeant, les pieds devant.

En tenant la corde d'une main, il ajusta son masque puis tendit le bras pour attraper la torche.

Bronson dirigea d'abord le faisceau autour de lui, pour examiner les parois de la citerne, mais elles semblaient plutôt lisses et sans aspérités. Puis il releva la tête et regarda. Angela lui fit un sourire rassurant, puis il souleva les jambes pour plonger dans l'eau sombre.

À environ un mètre au-dessous de la surface, Bronson saisit un bout saillant de la roche pour prendre appui et lui éviter de remonter à la surface. L'entrée de la source était vraiment trop étroite pour lui permettre de nager, alors il comprit qu'il allait devoir plonger et s'agripper à quelque chose pour rester sous l'eau, le temps d'examiner les murs.

La bonne nouvelle, c'était que la torche *waterproof* fonctionnait parfaitement, son faisceau illuminant la roche gris-marron qui formait les murs de la source. La mauvaise nouvelle, c'était que ces mêmes murs semblaient plutôt lisses et qu'ils ne comportaient aucune cavité apparente, naturelle ou creusée par l'homme, qui aurait pu dissimuler quoi que ce soit.

Il commença ses recherches méticuleuses, tenant la torche de la main gauche tandis qu'il se déplaçait le long des murs, allant de prise en prise, puis il se détacha de la roche pour remonter à la surface et reprendre son souffle.

— Tu as trouvé quelque chose ? demanda Angela lorsqu'il réapparut.

Bronson secoua la tête, prit une nouvelle inspiration et replongea. Cette fois-ci, il s'immergea plus profondément, à environ deux mètres, mais le résultat fut le même. De rugueux rochers marron-gris l'entouraient.

De retour à la surface, il releva son masque.

— J'ai plongé à près de deux mètres, fit-il, en levant la tête vers Angela, et il n'y a rien. Les types qui ont caché la relique ne peuvent pas avoir plongé plus profondément, tu ne crois pas ?

— Je n'en ai aucune idée, mais tu sembles dire que le niveau d'eau de la source était le même qu'aujourd'hui, et c'est faux. Si le niveau était, disons, trois mètres plus profond lorsqu'ils ont dissimulé la relique, et qu'ils ont plongé à deux mètres, ça ferait aujourd'hui un total de près de cinq mètres sous la surface.

— Je n'y avais pas réfléchi, admit Bronson.

Il hocha la tête, rajusta son masque et disparut à nouveau.

Pendant les vingt minutes qui suivirent, il répéta l'opération, plongeant profondément, s'agrippant à quelque chose pour se tenir en place, et chercha en vain une cavité ou une crevasse dans les murs de roche. Et à chaque fois qu'il remontait à la surface, il était encore plus frigorifié et épuisé.

— Je ne vais pas pouvoir continuer longtemps, finit-il par avouer, en claquant des dents. Encore trois ou quatre plongeons et mon compte est bon.

— Tu as fait le maximum, Chris. Je n'aurais jamais pensé que tu allais devoir plonger aussi profondément pour trouver la relique.

— Moi non plus, dit Bronson, en rajustant son masque.

Si, toutefois, il y a quelque chose à trouver, songea-t-il, alors qu'il s'immergeait à nouveau dans les profondeurs.

Cette fois, il plongea plus loin, près de deux mètres plus bas que précédemment. Il s'agrippa à une nouvelle protubérance de la roche et regarda autour de lui. Loin au-dessus de sa tête, il pouvait distinguer le petit cercle de lumière que dessinait la surface de l'eau de la source, sous le faisceau lumineux de la torche d'Angela. Et autour de lui, la source semblait s'élargir, le mur opposé étant à peine visible sous la lumière de sa lampe torche. On aurait dit que la source était en forme de cloche, avec une gorge étroite au sommet et une base élargie tout au fond, et qui se trouvait selon lui entre six mètres et sept mètres cinquante de profondeur.

Conscient qu'il ne pourrait rester immergé vingt secondes de plus, Bronson concentra son attention sur le mur, à côté de lui. Ce dernier ressemblait fort à toutes les autres sections de mur examinées jusqu'ici. Il changea de position, se déplaçant sur le côté pour étudier une nouvelle partie de la paroi, puis une autre. Toujours rien.

Ses poumons sur le point d'exploser, Bronson relâcha son emprise sur la roche et se laissa remonter à la surface. Le faisceau de sa torche éclaira brièvement quelque chose de différent, quelque chose qu'il n'avait pas encore eu l'occasion d'examiner. Un objet qui semblait de forme régulière, mais qui n'était pas arrondi comme les saillies rocheuses qu'il avait utilisées comme prises. Il sortait horizontalement du mur de pierre de la source.

Mais il le dépassa, remontant droit vers le haut, en direction de la lumière et d'un peu d'oxygène.

— Le cadenas a été sectionné, marmonna Hoxton, en dirigeant sa lampe torche sur la serrure abandonnée au sol, à ses pieds. Ils sont arrivés avant nous.

Ils avaient roulé jusqu'à Har Megiddo en provenance de Tel-Aviv : un trajet plutôt bruyant avec Dexter étendu sur le siège arrière, en train de gémir de douleur à cause de son nez cassé. Baverstock avait mal lu deux panneaux de signalisation à la sortie d'Haïfa, ce qui avait légèrement retardé leur arrivée, mais, à l'instar de Bronson et d'Angela, ils avaient attendu la fermeture du site avant de franchir la clôture. Ils se tenaient désormais à côté de la porte de l'entrée du tunnel.

— Génial, observa Dexter. Bronson a une dette envers moi, pour mon nez cassé.

— S'il s'agit bien de Bronson, dit Hoxton, nous savons tous combien il peut se montrer dangereux. Alors, on y va prudemment et on le prend par surprise. Pas de torches, pas de bavardage, pas de bruit. C'est à trois contre deux, et nous sommes tous armés, alors ça risque d'aller vite. On maquillera les crimes en deux accidents tragiques, ou on laissera juste les cadavres dans la citerne. Pigé ?

Dexter et Baverstock hochèrent la tête.

— Nous avons tous vu les photos du tunnel, leur dit Baverstock. Il y a une allée en planches, avec des barrières de sécurité de chaque côté. Une fois sur place, on pourra mieux s'orienter. Bronson utilise sûrement une torche ou une lanterne, et nous verrons la lumière à distance avant de les atteindre. (Sans prononcer le moindre mot, les trois hommes s'enfoncèrent lentement dans le tunnel souterrain. Lorsqu'ils posèrent le pied sur l'allée en bois, Baverstock leur fit signe de s'arrêter pendant quelques secondes afin que leurs yeux s'habituent à l'obscurité presque totale.) Vous avez vu cette lueur ? murmura-t-il, en pointant le doigt droit devant eux. Ils sont déjà à la citerne. Alors, plus un mot, on se contente de marcher lentement et prudemment, et on s'arrête bien avant les marches, là-bas au bout.

Sans un bruit, les trois hommes se dirigèrent avec prudence vers la faible lueur au bout du tunnel.

Bronson remonta à la surface et agrippa la corde qui pendait.

— Rien trouvé ? demanda Angela, avec une note d'espoir dans la voix.

— Je pense avoir vu un truc. Je vais y jeter un dernier coup d'œil.

Bronson inhala et exhala rapidement, à plusieurs reprises, en s'hyperventilant pour purger le gaz carbonique de ses poumons, avant d'inspirer une grande bouffée d'air et de replonger sous l'eau.

Il se dirigea vers la partie plus large de la source, droit sur la portion qu'il avait examinée lors de son dernier plongeon, essayant de localiser l'objet en question. Mais les murs de pierre se ressemblaient tous comme deux gouttes d'eau, sans aucune différence d'un côté ou de l'autre. Il ressentit la pression et eut du mal à respirer pour nager, alors que le faisceau de sa torche balayait les murs de roche.

Peut-être s'était-il trompé. Peut-être que ses yeux lui avaient joué un tour ou avait-il mal interprété ce qu'il avait vu ? Il était sur le point d'abandonner lorsque sa torche éclaira soudain quelque chose à quelques centimètres au-dessus de sa tête, quelque chose avec des bords carrés qui semblaient dépasser du mur. Il avait plongé trop profondément et avait cherché bien trop bas.

Bronson prit appui sur la roche et se souleva, veillant bien à ne pas faire vaciller sa torche, et il orienta la lumière sur l'objet. Il s'en approcha enfin, les poumons prêts à exploser, mais bien déterminé à découvrir ce dont il s'agissait.

Ça ressemblait fort à une bûche, mais au moment où il posa les doigts sur l'un des bords, il sut de suite ce que c'était du métal. Bronson tira dessus, mais l'objet semblait bien calé dans une fissure naturelle à même la roche. Il changea de prise et tira de nouveau, en prenant appui contre le mur de la citerne avec son autre main libre, tandis que ses doigts enserraient toujours maladroitement la torche.

Cette fois, il sentit l'objet bouger. Il tira à nouveau et, dans un nuage de débris, l'objet se libéra enfin.

Bronson prit appui sur le mur et remonta à la surface. Tandis que sa tête ressortait légèrement de l'eau, il prit une profonde inspiration, puis une autre.

Il passa la torche à Angela et agrippa la corde.

— Qu'as-tu trouvé ? demanda-t-elle d'une voix anxieuse.

— Je ne sais pas, fit Bronson, toujours haletant. C'était calé dans une crevasse dans le mur de la source. Je pense que c'est en métal. Voilà la chose.

Angela s'agenouilla et tendit les bras vers lui. Elle lui prit l'objet des mains, le plaça délicatement sur la plate-forme à côté d'elle pendant qu'il commençait à se hisser à l'aide de la corde à nœuds.

La remontée fut moins éprouvante que Bronson ne l'avait imaginé, car il pouvait à la fois s'aider de ses pieds sur le côté de la citerne et de la corde. Quelques secondes plus tard, il se tenait, frissonnant, aux côtés d'Angela, sur la plate-forme.

Elle farfouilla dans le sac à dos et en ressortit une serviette. Frissonnant toujours et tapant des pieds pour se réchauffer, Bronson se sécha et commença à se rhabiller. Puis elle dirigea le faisceau de sa torche pour éclairer ce qu'il venait de trouver dans la citerne.

— On dirait du métal, roulé dans un cylindre, fit-elle, la voix voilée par l'émotion, et Bronson put remarquer qu'elle commençait à frissonner elle aussi. C'est recouvert d'algues, mais je peux voir des marques dessus. Seigneur, Chris, je crois bien que nous l'avons trouvé. Je pense que nous avons mis la main sur le Rouleau d'argent.

# 73

— Et moi aussi, fit une nouvelle voix, quelque part au-dessus de Bronson et d'Angela.

Soudain, le faisceau lumineux de trois torches emplit l'obscurité en les aveuglant. On se croyait revenu dans le tunnel d'Hezekiah, sauf que cette fois, il n'y avait nul endroit où s'enfuir. Ils étaient piégés dans une impasse, désarmés et impuissants.

Bronson et Angela furent éblouis par la lumière. Ils restèrent debout sur la plate-forme de bois et fixèrent les hommes tenant les torches en haut du dernier escalier.

Hoxton déplaça légèrement sa torche pour éclairer le pistolet qu'il tenait dans sa main droite.

— Comme vous pouvez le constater, nous sommes armés, fit-il, donc ne tentez rien de stupide.

— Que voulez-vous ? demanda Bronson.

— Ça me paraît évident, non ? fit Baverstock. Nous sommes ici pour récupérer ce rouleau. Merci infiniment de l'avoir trouvé pour nous. Nous n'aurons même pas à nous tremper les pieds.

Angela reconnut la voix presque instantanément.

— Tony ? J'aurais dû m'en douter. Qu'est-ce que vous faites là ?

— La même chose que vous, Lewis. Je recherche le trésor que les sicaires ont caché ici il y a deux millénaires. Je suis tellement content que vous l'ayez trouvé. Il va me faire gagner beaucoup d'argent.

— Foutaises! objecta Angela, d'une voix tranchante et pleine de colère. S'il s'agit bien du Rouleau d'argent, il va devoir être soigneusement analysé et conservé. Sa place est dans un musée.

— Oh, mais il finira bien dans un musée, ne vous en faites pas pour ça, lui assura Baverstock. Ce que vous avez entre les mains est probablement la plus célèbre carte au trésor du monde. Et lorsque nous aurons traduit le texte, nous aurons accès au plus grand trésor jamais enfoui au cours de l'histoire. Nous passerons les prochaines années à le déterrer et vendre certaines de ses plus belles pièces au marché noir – Dexter, que vous voyez à mes côtés, est un expert en la matière – et après, tout le monde pourra prendre sa retraite. Après, et seulement après, je me rendrai au British Museum avec le Rouleau. Mon nom sera aussi célèbre que celui de Howard Carter.

— J'ai toujours pensé que vous étiez un universitaire, Tony, fit Angela, la voix pleine de mépris. Mais vous n'êtes qu'un sale petit profanateur de tombes.

— Je suis un universitaire, en effet, mais j'ai toujours apprécié de travailler parallèlement en *free lance*. Un peu comme vous, à ce que je vois.

— Et si nous vous donnons le Rouleau, vous nous laisserez partir? demanda Angela.

— Ne soyez pas si naïve, éructa Hoxton. Si nous vous laissons la vie sauve, vous allez informer quelqu'un au sujet de ce rouleau et le Moyen-Orient sera envahi par des chasseurs de trésors en à peine quelques jours. Votre carrière et votre vie sont sur le point de s'achever, ici et maintenant.

— Je suis un officier de police britannique, l'avertit Bronson. Tuez-moi, et vous aurez tous les flics d'Angleterre au cul.

— Si nous vous avions trouvé dans une cave en Grande-Bretagne, je serais peut-être de votre avis, mais je vous rappelle que nous sommes dans les profondeurs d'une forteresse désertée, en plein milieu d'Israël. Personne ne va être tenu au courant de votre mort ; mieux encore, personne ne saura jamais que vous étiez ici. Vos deux cadavres vont tout simplement se volatiliser. Ce puits derrière vous est assez profond pour conserver vos ossements pour l'éternité. Bon, maintenant, passez-moi ce rouleau. (Hoxton se tourna vers Baverstock.) Allez-y, Tony.

Baverstock posa le pied sur une marche de l'escalier menant au bas de la plate-forme pour s'emparer de la relique, tout en mettant Angela en joue, mais Bronson avait désespérément une dernière carte à jouer. Il attrapa le Rouleau et fit un bond en arrière, en tenant la relique à bout de bras directement au-dessus des eaux noires du puits.

— Un pas de plus et je le lâche, menaça-t-il. J'ignore jusqu'où va cette source, mais je peux vous assurer que c'est profond. Vous aurez besoin d'un équipement de plongée professionnel pour le récupérer. Et encore, si vous y parvenez. Comme vous l'avez dit, ce puits pourrait conserver son secret pour l'éternité.

Pendant de longues secondes, personne ne parla, ni ne bougea, puis il y eut soudain un coup de feu assourdissant dont l'écho se répercuta dans toute la caverne.

Et un homme hurla de douleur.

# 74

Dexter s'effondra sur le côté, son pistolet tombant avec fracas tandis qu'il agrippait sa jambe, momentanément étourdi par le choc provoqué par l'impact de la balle. Puis il se mit à hurler de douleur.

Baverstock plongea au sol, tentant d'opérer une roulade et s'éloigner de la ligne de feu. Hoxton fit volte-face, en pointant sa torche vers le fond du tunnel, tentant désespérément de localiser l'origine du coup de feu, tout en relevant son propre pistolet. La lumière éclaira trois silhouettes immobiles, à près de six mètres de distance.

Au moment où il entendit le coup de feu, Bronson lâcha le rouleau sur la plate-forme en bois et poussa violemment Angela sur le côté. Ils se mirent à couvert derrière les rochers encerclant la chambre.

Avant que Hoxton n'ait pu ajuster son tir, il fut aveuglé par deux faisceaux lumineux et entendit un nouveau coup de feu.

Il ressentit instantanément une intense douleur à la poitrine, et tomba à la renverse sur l'allée en bois. Puis une sensation d'engourdissement et d'écrasement envahit tout son torse, tandis que les lumières autour de lui semblaient s'évanouir dans l'obscurité. Puis, il ne sentit plus rien.

Les faisceaux des torches changèrent de position, les hommes qui les tenaient à la main cherchant de nouvelles cibles. Ils se fixèrent sur Baverstock, recroquevillé sur le côté du passage, et tenant fermement un pistolet. Deux coups de feux se répercutèrent dans l'espace confiné, si proches l'un de l'autre que l'on entendit presque une seule détonation, et Baverstock s'effondra en arrière dans l'allée pour finir par s'écrouler plus bas sur le sol rocheux du tunnel.

Un silence inquiétant emplit les lieux lorsque les échos des coups de feu se dissipèrent. Puis on entendit de nouveaux hurlements.

— Doux Jésus, Chris ! Qu'est-ce qui se passe ? murmura Angela.

— Reste la tête baissée. Personne ne nous tire dessus. Pas encore, du moins.

Bronson attrapa le sac à dos et glissa la main à l'intérieur. Il en retira une pince-monseigneur et se releva, dissimulant l'outil en acier derrière son dos, dans la ceinture de son pantalon. Ce n'était pas vraiment une arme, mais c'était tout ce qu'il avait sous la main. Il s'en était déjà sorti avec des outils bien moins dangereux auparavant, se dit-il à lui-même. Vraiment moins dangereux.

— Vous êtes faits comme des rats.

La voix était douce et à peine audible sous les hurlements de douleur de Dexter.

Les trois hommes s'avancèrent prudemment, les faisceaux de leurs torches dansant sur le sol.

L'un des nouveaux arrivants s'arrêta à côté de Dexter et baissa les yeux vers l'homme au sol, la lumière de sa lampe torche illuminant la mare de sang, qui ne cessait de s'élargir, autour de sa cuisse blessée.

— Aidez-moi, je vous en supplie! sanglota Dexter, souffrant l'agonie. Il me faut une ambulance. Je risque de me vider de mon sang!

— Non, vous ne vous viderez pas de votre sang, lui dit l'homme à la voix douce, et vous n'avez pas non plus besoin d'une ambulance.

D'un air presque détaché, il pointa son pistolet sur la tête de Dexter et pressa sur la détente.

L'un des trois hommes s'avança de l'autre côté du passage, dirigea sa torche sur le corps recroquevillé et taché de sang de Baverstock, et grogna d'un air satisfait. L'autre homme s'approcha du corps immobile de Hoxton. Il fouilla brièvement les vêtements du défunt, trouva quelque chose dans l'une des poches et appela son acolyte.

— Vous aviez raison, fit-il. Il avait bien une tablette, ajouta-t-il en tendant bien haut le morceau d'argile cuit qu'il venait de récupérer dans la poche de Hoxton.

L'autre homme traversa l'allée, le lui prit des mains, et l'étudia attentivement sous la lumière de sa torche.

— C'est une tablette différente, observa-t-il. Mets-la dans ta poche pendant que je finis le boulot.

Sur la plate-forme inférieure, Bronson et Angela pouvaient discerner le murmure des voix, maintenant que les coups de feu avaient cessé. Puis ce fut le silence, suivi par le bruit de pas à l'approche.

Bronson regarda prudemment au-dessus de lui. Il put voir un homme de grande taille descendre l'escalier, un pistolet à la main et le visage dans l'ombre. Derrière lui, deux autres hommes les observaient, leurs propres armes à la main. Bronson ne put rien faire d'autre que de lever les bras en l'air, du moins jusqu'à ce que l'homme s'avance vers lui.

La silhouette atteignit la plate-forme et se tint immobile, fixant intensément Bronson et Angela. Le faisceau de la torche tenue par l'une des silhouettes au-dessus éclaira brièvement son visage, et Bronson sourit en voyant les traits à moitié paralysés et l'œil blanc et vitreux.

— Je ne peux pas dire que je sois surpris, Yacoub, fit-il. Après vous avoir vu à Tel-Aviv, je m'attendais à vous croiser ici. Je suppose que vous nous avez fait suivre depuis notre arrivé en Israël ?

Yacoub hocha la tête et lui adressa un sourire qui faisait froid dans le dos.

— Vous êtes un homme intelligent, Bronson, et c'est d'ailleurs pour cette raison que je vous ai laissé la vie sauve au Maroc. Je savais alors que vous vous mettriez en quête du Rouleau d'argent, et je me suis même dit que vous alliez le trouver. (Il fit un signe en direction du cylindre de métal verdâtre sur la plate-forme.) Ce que vous avez fait. Sauf qu'il m'appartient désormais.

— Sa place est dans un musée, s'offusqua Angela, en se relevant.

Pendant quelques secondes, le Marocain se contenta de la fixer.

— Tout le monde m'appelle Yacoub, fit-il, mais ce n'est pas mon véritable nom. Savez-vous pourquoi on m'appelle ainsi ? (Angela fit non de la tête.) Vous avez dû entendre parler de l'Échelle de Jacob ?

— C'est une sorte d'échelle en corde, utilisée sur les bateaux, proposa Bronson.

— Oui, c'est à peu près ça, admit Yacoub, et c'est également une plante. Mais il y une troisième signification. Dans la Bible chrétienne, Jacob eut la vision d'une échelle montant jusqu'au paradis. C'est pour cela que les gens m'ont baptisé « Yacoub » depuis mes quinze ans, car j'ai montré à un tas de gens le chemin pour le paradis. (Il fit une pause.) Je suis armé, vous vous en doutez bien. Et mes collègues le sont aussi. Contrairement à vous. Donnez-moi le Rouleau maintenant et vous pourrez partir d'ici. Si vous discutez, je n'hésiterai pas à vous abattre. Puis je m'emparerai du Rouleau.

— Vous venez tout juste de tuer trois hommes de sang froid, fit remarquer Bronson, et vos hommes ont tué les O'Connor au Maroc. Si vous êtes prêts à commettre de tels actes rien que pour récupérer une tablette d'argile, comment savoir si vous ne nous tuerez pas, nous aussi ?

— En effet, vous l'ignorez, Bronson. Maintenant, décidez-vous. Je ne suis pas très patient.

Bronson tendit le Rouleau à Yacoub. La pince-monseigneur était toujours inutilement accrochée à son pantalon, mais avec deux pistolets le mettant directement en joue, il comprit qu'il serait mort avant même de pouvoir s'en emparer.

— Que comptez-vous en faire ? demanda-t-il.

— Ce rouleau contient une liste des emplacements du trésor juif. J'ai l'intention de mettre la main sur le maximum de pièces possible mais, contrairement à ces trois ordures – il indiqua la cage d'escalier, où gisaient les dépouilles de Dexter, Hoxton et Baverstock – qui avaient juste l'intention de piller le trésor dans leur propre intérêt, je compte revendre la plupart de mon butin à des musées et des collectionneurs en Israël. Je ne garderai que quelques-unes des meilleures pièces pour ma propre collection. Puis je remettrai l'argent que les juifs m'auront donné aux Palestiniens, afin de les aider à débarrasser le pays de la vermine israélienne qui l'infeste. C'est un acte de justice, je dirais, d'utiliser l'argent juif pour aider les ennemis des juifs.

Il regarda à nouveau Angela, qui se tenait toujours près de Bronson, un air de défi dans le regard, puis il leur tourna le dos, monta l'escalier et fit signe à ses hommes d'avancer dans le tunnel. Derrière eux, Bronson et Angela restèrent seuls dans l'obscurité, à l'écoute du bruit des pas sur l'allée en bois.

# 75

Lorsque le bruit des pas s'estompa, Bronson enfila le reste de ses vêtements. Puis il prit Angela dans ses bras.

— Au moins, nous avons découvert le Rouleau d'argent et nous l'avons tenu dans nos mains, lui dit-il. Peu de gens ont l'occasion de vivre une telle chose. C'est juste dommage d'avoir dû le remettre à Yacoub, mais nous n'avions pas le choix. Au final, nous avons fait tout ça pour rien.

— Peut-être, admit Angela à voix basse, ou peut-être pas.

Elle n'avait pas l'air aussi déçue que Bronson l'aurait pensé.

— Que veux-tu dire ?

— Les sicaires prétendent avoir caché quelque chose d'autre par ici, une chose qui était tout aussi importante à leurs yeux. Peut-être même plus importante encore.

Bronson siffla.

— Mais bien sûr ! Les « tablettes du temple de Jérusalem ». Mais tu sais où chercher ?

Angela lui fit un grand sourire sous la lumière faible de la torche.

— Je pense que oui. Je n'ai pas encore fini le boulot. Et toi ?

Bronson saisit son sac à dos et grimpa en premier en haut de l'escalier. Au sommet, ils s'approchèrent des corps de Dexter et de Hoxton, mais le troisième cadavre s'était tout bonnement volatilisé.

— Où est Baverstock? se demanda tout haut Bronson.

— Peut-être qu'il a réussi à s'enfuir.

— J'en doute. Yacoub a abattu les deux autres sans aucune hésitation, alors pourquoi laisser la vie sauve à Baverstock? (Bronson jeta un œil vers le bout du tunnel, puis se dirigea à grands pas de l'autre côté de la plate-forme, où l'on distinguait un espace entre le bois et le mur. Il orienta sa lampe torche vers le bas.) C'est bon, je peux voir son corps en contrebas. Il a dû tomber de l'allée lorsque les balles l'ont touché.

— Je m'en fiche, Chris. Ils n'ont eu que ce qu'ils méritaient, et je ne compte pas pleurer leur mort, pas même celle de Tony Baverstock. Fichons le camp d'ici.

Tandis que Bronson et Angela marchaient le long du passage vers l'entrée du tunnel, on entendit un bruit faible, quelque chose qui bougeait en provenance du fond de la citerne. Quelques secondes plus tard, Baverstock se hissa sur l'allée. Il fouilla l'obscurité à la recherche du pistolet qu'il avait lâché en tombant et le retrouva rapidement.

L'une des balles l'avait totalement manqué; l'autre lui avait juste éraflé l'épaule, provoquant une blessure plutôt sanguinolente et douloureuse, mais bénigne. En tombant à la renverse, il avait décidé de faire le mort, dans l'espoir qu'aucun des assaillants n'ait l'idée de tirer sur lui une nouvelle fois.

Et la tactique avait fonctionné. Il était en vie et presque entièrement mobile, et il avait maintenant un pistolet dans sa poche. Plus important, il avait entendu chacun des mots qu'Angela avait dits à Bronson au sujet des tablettes du Temple, et il connaissait exactement ce dont elle avait parlé. Il savait même où ils allaient commencer à chercher.

Baverstock se pencha de nouveau et tâtonna sur l'allée en bois jusqu'à ce qu'il trouve une lampe torche, puis il emprunta le tunnel en direction de l'entrée.

Angela et Bronson sortirent du tunnel et émergèrent dans la fraîcheur du soir, au beau milieu de la forteresse de Har Megiddo. Ils gravirent les marches et restèrent immobiles quelques secondes au sommet afin de reprendre leur souffle, puis ils marchèrent à travers les vestiges des temples.

— Si on resonge à la façon dont l'inscription était écrite, fit Angela, se dirigeant vers l'imposant autel circulaire jouxtant les ruines du temple, cela suggère que les sicaires ont caché le Rouleau d'argent et ces tablettes dans un seul et même lieu, le rouleau dans la citerne et les tablettes dans un autel. Et lorsqu'ils se trouvaient ici à Har Megiddo, le seul autel du site était celui que nous fouillons en ce moment même. (Elle s'arrêta, glissa la main dans sa poche et en retira le bout de papier qu'elle avait étudié dans l'après-midi pendant que Bronson dormait à ses côtés dans la voiture. Elle dirigea sa torche sur les inscriptions.) Jette à nouveau un œil à l'inscription. Elle dit : « les tablettes d' – – – – temple de Jérusalem », ce qui se traduit logiquement par « les tablettes du temple de Jérusalem ». La phrase suivante qui est pertinente est « – – – – – – – – autel de – – – – – – – – décrit un – – – – ». Il y a plusieurs blancs dans cette phrase, mais selon moi, on devait probablement lire à l'origine quelque chose comme « dans l'autel de pierre qui décrit un cercle ». La section suivante est un peu plus facile à deviner. Nous l'avons traduite par : « – – – – quatre pierres – – – – le côté sud – – – – une largeur de – – – – – – – – et hauteur – – – – – – – – coudée de – – – – – – – – cavité à l'intérieur ». Je pense que ça signifie : « en retirant quatre pierres du côté sud d'une largeur de quelques coudées et d'une coudée en hauteur pour explorer la cavité à l'intérieur ».

— Quelques coudées ? demanda Bronson. Je peux m'imaginer à quoi correspond une hauteur d'une coudée, mais la largeur proposée me semble un petit peu plus vague, non ?

— Oui, mais je ne pense pas que ce soit important. Le plus important, c'est que l'inscription sur les tablettes d'argile laisse supposer l'existence d'une cavité à l'intérieur de cet autel, et qu'on y a accès par le côté sud, en retirant plusieurs pierres. Et c'est exactement ce que nous allons faire.

Ils s'approchèrent de l'autel, en se servant de leurs torches afin de s'assurer de ne pas trébucher sur quelque chose, car la zone était traîtresse, entrecroisée de murs bas et d'une succession de puits carrés assez profonds et dont Bronson ignorait l'utilité.

Choisir la partie de l'autel qui se trouvait sur le « côté sud » fut chose assez facile. Bronson leva juste la tête vers le ciel, identifia la constellation de la Grande Ourse, et guida Angela vers le côté opposé à la structure circulaire.

— Le nord est au-dessus, fit-il, en indiquant le ciel nocturne, la face sud de l'autel se trouve donc ici. (Il se pencha en avant et se servit de sa torche pour étudier les pierres qui formaient le côté de la structure.) On dirait qu'elles n'ont pas été touchées depuis des siècles. (Il eut un rire bref.) Et c'est sûrement la vérité. Bon, par où on commence ?

— La seule dimension fournie par l'inscription quant à la hauteur des pierres retirées par les sicaires était d'une coudée, en assumant que ma traduction du mot araméen était correcte et signifiait bien « coudée » plutôt que « coudées ».

— Rafraîchis-moi la mémoire. Quelle est la longueur d'une coudée ? demanda Bronson.

— Quarante-cinq centimètres, *grosso modo*, l'informa Angela. Mais ils retiraient des pierres pour avoir accès à une cavité à l'intérieur de l'autel, et je pense qu'ils se fiaient à la taille de l'ouverture qu'ils avaient ainsi créée. Si l'on étudie ces pierres, en retirer deux laisserait une ouverture avec une hauteur verticale d'environ quarante-cinq centimètres, ce n'est donc pas vraiment un indice.

Bronson étudia de nouveau le côté de l'ancien autel.

— Eh bien, je suppose qu'il va simplement nous falloir commencer plus ou moins par le milieu et voir ce qu'on trouve.

— Il doit y avoir une méthode plus simple, observa Angela. Il n'y a pas de mortier entre les pierres, et j'ai glissé un cintre en fil de fer dans ton sac à dos. Si tu le déplies, nous obtiendrons une sonde fine et solide d'environ un mètre de long. Glisse-la entre les pierres et vois si tu peux localiser la cavité de cette manière.

— Génial !

Bronson retira le cintre et une paire de pinces, et il commença à désentortiller l'acier. Au bout de deux minutes, l'objet était droit à l'exception d'une extrémité en forme de « T » qu'il pouvait utiliser comme poignée.

— Commence par là, fit Angela, en indiquant un grand espace entre deux pierres.

Bronson inséra la sonde dans l'interstice, mais il dut la glisser sur environ vingt et vingt-cinq centimètres avant de toucher un objet solide, probablement une nouvelle rangée de pierres derrière celles apparentes. Il retira le cintre et essaya de nouveau, mais toujours avec le même résultat.

— Ça risque de prendre pas mal de temps, fit-il, en enfonçant la sonde dans un autre espace, mais ce sera toujours plus rapide que de retirer les pierres au hasard. (Au bout de presque dix minutes, il n'avait trouvé aucune trace de cavité derrière les pierres. Puis, avec une facilité qui le surprit, la sonde de fortune disparut plus profondément, beaucoup plus profondément. Il la retira et essaya de nouveau, toujours avec le même résultat. Au lieu d'être bloquée à environ vingt-cinq centimètres, la tige d'acier s'enfonçait sur plus de cinquante centimètres.) Il y a bien un espace vide derrière ces pierres, dit-il. Allez... Commençons à y jeter un coup d'œil.

Il rouvrit son sac à dos et en retira la pince-monseigneur en acier. Il glissa la pointe de l'outil entre deux des pierres et fit levier. Rien ne se produisit, il passa du côté opposé et souleva l'autre extrémité. Cette fois-ci, la pierre bougea un peu. Bronson répéta le procédé, sur le haut et le bas, et lentement la pierre commença à céder. Après deux minutes, il l'avait libérée, ce qui lui permettait maintenant de glisser la pince-monseigneur plus profondément dans le trou au sommet de la pierre et faire levier pour la retirer du mur. La pierre s'écrasa sur le sol, dans un bruit sourd. Bronson la déplaça sur le côté et avec Angela ils scrutèrent à travers l'ouverture qu'il venait de créer.

Fort malheureusement, il y avait une autre pierre située juste derrière celle que Bronson avait tout juste retirée.

— Voila pourquoi le cintre s'est glissé directement dans le trou, fit-il, en indiquant l'espace vide. Ce coin de la pierre que je viens de retirer est aligné sur le coin de la pierre qui se trouve juste derrière. Dès que j'ai inséré le cintre ailleurs, il a dû heurter la face de l'une des pierres dans la rangée de derrière.

— Essaie encore avec le cintre, suggéra Angela.

Cette fois, Bronson glissa la fine sonde d'acier entre les espaces autour des pierres de la rangée intérieure. Elle ne rencontra aucune résistance et pénétra dans une sorte de vide.

— Je vais retirer une nouvelle pierre de la première rangée, fit-il, juste pour me laisser plus d'espace, puis j'en retirerai deux de la deuxième rangée.

Après avoir retiré une pierre, en retirer une deuxième fut tâche facile. Bronson était préoccupé par la stabilité des pierres au-dessus de l'ouverture qu'il avait créée sur le côté de l'autel. Mais celles-ci n'avaient pas l'air de s'ébranler. Les couches intérieures de pierres furent plus faciles à libérer : elles étaient légèrement plus petites, et Bronson en enleva rapidement trois autres, pour révéler ainsi un petit espace ouvert.

— Passe-moi la lampe torche, s'il te plaît, murmura-t-il, en se mettant à quatre pattes pour fixer l'intérieur de la cavité.

— Qu'est-ce que tu vois ? demanda Angela, la voix tremblante d'excitation. Qu'y a-t-il là-dedans ?

— Ça m'a l'air vide. Non, attends… il y a quelque chose disposé à plat sur le sol de la cavité. File-moi un coup de main. Ça m'a l'air plutôt lourd.

Bronson retira l'épaisse tablette de pierre de l'ouverture qu'il venait de faire et, aidé d'Angela, il la déposa sur le côté de l'autel. Ils reculèrent tous les deux, et pendant quelques secondes, ils se contentèrent de la regarder.

— Qu'est-ce que c'est que ce truc ? demanda Bronson. Et je crois bien qu'il y en a une autre à l'intérieur. (En moins d'une minute, ils avaient retiré la seconde tablette et l'avait délicatement déposée à côté de la première.) Voilà, fit-il, avant de retourner à l'ouverture pour y jeter un dernier coup d'œil, en l'inspectant à l'aide de sa torche. Il n'y a rien d'autre, l'informa-t-il, à part des décombres et beaucoup de poussière.

Ils étudièrent attentivement les deux tablettes de pierre. Elles étaient grossières et de forme oblongue, la base carrée et le sommet arrondi, et faisaient quelques centimètres d'épaisseur et peut-être quarante centimètres de haut et entre vingt et vingt-cinq centimètres de large. La surface de chaque tablette était recouverte d'inscriptions, et de l'avis de Bronson, elles étaient écrites en araméen – il connaissait désormais assez bien la langue pour pouvoir l'identifier – et semblaient identiques.

— De la poussière, tu dis ? demanda Angela au bout d'un moment, en se tournant vers lui.

— Oui. La poussière de deux millénaires, je présume.

Angela pointa les tablettes du doigt.

— Mais il n'y a pas une once de poussière sur ces deux tablettes.

Bronson les examina plus attentivement.

— Je l'ai peut-être balayée en les retirant, suggéra-t-il. De quoi s'agit-il ? Le texte araméen pourrait presque être une sorte de liste. On dirait une série de lignes d'écriture individuelles plutôt qu'un bloc de texte compact.

Pendant quelques secondes, Angela ne répondit pas. Elle resta à genoux et fixa les deux tablettes, effleurant les caractères araméens du bout des doigts. Puis elle releva la tête et le regarda. Son visage était bien pâle.

— Je n'aurais jamais pensé mettre un jour la main sur de telles choses, dit-elle doucement. Selon moi, elles pourraient être décrites comme « les tablettes du Temple de Jérusalem et de Moïse ». On dirait de très anciennes, mais alors très anciennes, copies du Décalogue.

— Le quoi ?

Bronson remarqua qu'Angela avait du mal à respirer.

— Je veux dire les dix commandements, l'Alliance Mosaïque. Les tablettes que Dieu a données à Moïse sur le mont Sinaï. L'alliance entre Dieu et l'homme, les tablettes établissant les règles de la foi. (Elle fit une pause de quelques secondes, puis regarda Bronson, les yeux grands ouverts, presque effrayé.) Oublie l'Arche d'Alliance. Nous avons peut-être sous les yeux deux copies de l'Alliance elle-même.

— Qui vous dit qu'il s'agit de copies ? demanda Baverstock, surgissant juste derrière eux, un pistolet à la main.

# 76

Angela et Bronson se retournèrent, incrédules, et fixèrent Baverstock. La lumière jaillissant de leurs torches fit étinceler le canon du pistolet automatique qu'il pointait directement sur eux.

— Je vous croyais mort, marmonna Bronson.

— C'était l'idée, en effet. Désolé de vous décevoir, fit Baverstock, d'une voix fausse. Vous auriez mieux fait de mourir dans le tunnel. N'essayez pas de m'éblouir. Dirigez vos torches sur les tablettes, ou je vous abats comme des chiens.

Bronson et Angela s'exécutèrent : ils baissèrent les mains et pointèrent les torches vers le bas afin d'éclairer les tablettes qu'ils venaient tout juste de découvrir. Les deux pierres anciennes semblaient resplendir sous la lumière de leurs torches.

— Vous plaisantez, j'espère, fit Angela. Vous êtes vraiment en train de suggérer qu'il pourrait s'agir de l'Alliance originelle passée avec Dieu, et que Moïse a descendue du mont Sinaï ? Vous croyez réellement que ces tablettes ont été gravées par la main de Dieu ?

— Bien sûr que non. Les mains qui les ont travaillées étaient des mains de chair et sang, mais à part ça, je suis tout à fait sérieux. Il n'y a aucun doute quant à l'existence de l'Alliance Mosaïque, car les israélites ont construit l'Arche servant à la transporter. L'Arche a disparu dans les alentours de 600 avant Jésus-Christ, lorsque le premier Temple de Jérusalem fut détruit par les Babyloniens, mais il n'y a aucune tradition faisant référence aux tables elles-mêmes. La plupart des archéologues prétendent que lorsque les Babyloniens ont pillé le Temple, ils ont également dérobé l'Arche et l'Alliance, mais il n'y a rien dans les pages d'histoire pour confirmer cette théorie.

Baverstock s'arrêta de parler et fixa avidement les deux tablettes de pierre qui reposaient sur le côté de l'ancien autel circulaire.

— Que comptez-vous en faire à présent? demanda Angela. Nous devrions les emmener dans un musée et les faire examiner et authentifier.

Le gloussement de Baverstock, dans l'obscurité, leur fit froid dans le dos.

— Je ne crois pas, Angela. Je n'ai aucunement l'intention de partager mes heures de gloire. Le Rouleau d'argent m'a échappé. Ces tablettes ne m'échapperont pas. Je vais les prendre et vous allez mourir.

— Vous êtes donc prêt à nous tuer tous les deux pour un pathétique quart d'heure de gloire? C'est vraiment triste, Tony.

— Cela durera plus longtemps qu'un petit quart d'heure, ma chère Angela. Ce sera toute une vie de gloire. Et vos morts ne feront qu'ajouter un petit peu plus de sang aux milliers de litres déjà déversés en ces lieux au cours du millénaire.

Le brusque faisceau lumineux jaillissant de la torche de Baverstock les éblouit tous les deux, et Bronson aperçut le pistolet dans la main de l'homme alors qu'il les mettait en joue.

Bronson réagit instantanément. Il jeta sa propre torche directement sur Baverstock, le faisceau illuminant le sol rocheux. Une distraction momentanée. Puis il se mit en mouvement. Il se déplaça sur le côté, poussa Angela sur le sol et chargea en direction de Baverstock.

Baverstock fit un écart, évitant le missile volant, et pointa à nouveau son arme sur sa cible : Angela.

Bronson le frappa au bras droit au moment même où Baverstock appuyait sur la détente. La balle siffla de façon inoffensive dans l'ancien fort au sommet de la colline, et disparut au loin dans la nuit. Bronson fit volte-face, presque déséquilibré. Il tendit le bras pour attraper l'autre main de son assaillant, mais Baverstock s'esquiva à nouveau, recula de quelques pas et dirigea son pistolet et sa torche vers lui.

Pendant moins d'un dixième de seconde, Bronson eut un regard perdu, baissant directement la tête vers le canon de l'automatique, puis il se jeta sur le côté et s'étala douloureusement sur les rochers aux arêtes aiguisées.

Baverstock était sur le point de se retourner, pour le mettre en joue et ouvrir le feu à nouveau, mais il s'arrêta brusquement. Sa tête tomba en avant et les bras ballants, il lâcha le pistolet et la torche qui s'écrasèrent avec fracas sur le sol. Puis il porta fermement la main à l'estomac, releva la tête et se mit à hurler. Un gémissement strident, un hurlement d'agonie et de désespoir qui se répercuta sur les rochers et les pierres alentour.

Bronson s'empara de sa propre torche, qui était tombée et fonctionnait encore, et la dirigea sur Baverstock. La pointe acérée d'une fine lame d'acier dépassait de façon grotesque de l'estomac de la victime. Tandis que Bronson contemplait la scène, horrifié, la lame remonta et le sang jaillit de la plaie ouverte. Les doigts de Baverstock tentèrent en vain d'agripper l'acier, le sang coulait abondamment sur ses mains tandis que la chair était découpée. Et ses hurlements d'agonie redoublèrent.

Pendant quelques secondes, Bronson ne parvint pas à comprendre ce qui se passait. Il resta bouche bée. Puis il courut vers l'homme à l'agonie. Mais il s'arrêta en chemin.

Avant même qu'il ait pu fait deux pas de plus, le couteau remonta brusquement. Les hurlements de Baverstock cessèrent subitement et il s'écroula mollement sur le sol. Il eut un dernier soubresaut, puis demeura immobile. Derrière lui, la silhouette de Yacoub apparut, un couteau à longue lame, encore dégoulinant de sang, fermement agrippé dans sa main droite. Et surgissant de l'obscurité derrière lui, se tenaient ses deux hommes de main, pointant chacun un pistolet sur Bronson.

— Nous n'avions pas terminé le boulot, fit brièvement Yacoub, en s'agenouillant pour essuyer sa lame sur le pantalon de Baverstock. (Le couteau disparut dans sa veste et il prit le pistolet de la main droite.) Je pensais l'avoir tué dans le tunnel. Chopez-le-moi, ordonna-t-il, en pointant Bronson du doigt.

— Reste derrière moi, Angela, fit Bronson, alors qu'il s'immobilisait à ses côtés et se retournait pour faire face à Yacoub.

— C'est très noble de votre part, gloussa Yacoub. Vous avez l'intention de prendre une balle à sa place ? Ça ne devrait pas poser de problèmes. Des balles, j'en ai plein.

— Vous aviez dit que vous nous laisseriez partir, dit Bronson. Le Rouleau d'argent ne vous suffit pas ?

— Ça, c'était avant que vous trouviez ces pierres. J'ai entendu ce que ce pauvre Baverstock a dit à leur sujet. Si ces deux tablettes de roche sont vraiment l'Alliance Mosaïque d'origine, elles pourraient profondément modifier le cours du conflit, ici en Israël. Mes camarades à Gaza sauront parfaitement en tirer profit.

— Leur place est dans un musée, éructa Angela, d'une voix pleine de colère. Vous ne devriez pas faire de politique avec des reliques aussi anciennes et importantes que celles-ci.

Yacoub eut un geste d'irritation avec son pistolet automatique.

— Tout dans ce pays est affaire de politique, que ça vous plaise ou non. Passé ou présent, cela a peu d'importance. Nous utiliserons toutes les armes que nous avons sous la main. Et maintenant, vous pouvez voir à quel point nous pouvons nous passer de vous. Personne ne doit jamais savoir que ces tablettes de pierre ont été découvertes ici en Israël. Mais nous serons charitables. Vous allez mourir rapidement.

Il tendit son pistolet et mit Bronson en joue.

Mais avant qu'il puisse presser la détente, l'on entendit une détonation étouffée, provenant des environs, et un objet faiblement lumineux fit son apparition dans le ciel. Il s'enflamma au bout de quelques secondes, grâce à l'éclat blanc, brillant et chaud du magnésium, et l'obscurité fit soudain place à la lumière.

Pendant un petit moment, Yacoub et ses deux tireurs restèrent de marbre, comme transformés en statues, les yeux levés au ciel.

À cet instant, dans la lumière blanche diffusée par la fusée éclairante, et telles des créatures spectrales émergeant de la terre, une demi-douzaine de silhouettes vêtues de noir, et le visage noirci par de la peinture de camouflage, apparurent à moins de vingt mètres, jaillissant de derrière les murs bas se dressant sur l'un des côtés de l'autel. Chacun des soldats tenait fermement un fusil d'assaut compact Galil SAR.

Yacoub hurla quelques mots en arabe, et ses deux hommes plongèrent pour se mettre à couvert, avant d'ouvrir le feu sur leurs assaillants. Le silence momentané fut déchiré par une rafale de coups de feu, tandis que ses deux sbires tiraient sur les hommes armés, le son violent de leurs pistolets semi-automatiques contrastant de manière discordante avec les craquements des balles de 5,56 millimètres tirées par les Galil.

Au moment ou la fusée éclairante explosa, Bronson passa à l'action. Il attrapa Angela par le bras et la tira sur le côté de l'ancien autel de pierre. Ils baissèrent la tête, les pierres faisant office de bouclier contre les balles sifflant dans leur direction.

— Garde la tête baissée, siffla Bronson, alors qu'une balle venait finir sa course dans l'un des blocs de pierre situés juste au-dessus d'eux, les recouvrant d'une cascade de débris et de poussière.

Il risqua un bref coup d'œil sur le côté de l'autel. Les deux hommes de Yacoub étaient immobilisés derrière un des murs de pierre peu élevés, qui formaient la caractéristique dominante de cette partie du vieux fort. Ils échangeaient des coups de feu avec leurs assaillants, mais ils étaient en sous-nombre et moins armés, et Bronson devina rapidement quelle allait être l'issue de cet affrontement.

Tandis qu'il continuait d'observer la scène, l'une des silhouettes vêtues de noir déborda sur le flanc, opérant un mouvement rapide vers l'extérieur du vieux temple en ruine, tirant avantage de chacune des couvertures naturelles qu'il pouvait trouver. En moins de vingt secondes, il avait atteint une position d'où il pouvait voir très clairement les deux hommes de Yacoub, et il les mit instantanément en joue avec son Galil.

Mais il n'ouvrit pas le feu. Au lieu de tirer, il prononça quelques mots en arabe.

Les hommes de Yacoub réagirent au son de sa voix, et ils dirigèrent tous deux leurs pistolets vers lui. Ce fut leur dernière erreur. Son Galil éructa, envoyant une rafale d'une demi-douzaine de balles en moins d'une seconde, et les deux Marocains tombèrent en arrière. Ils s'effondrèrent sur le sol rocheux et demeurèrent étendus et immobiles.

La silhouette courut en avant, s'accroupit pour examiner les deux corps gisant, puis il se releva et regarda autour de lui.

— Yacoub ? fit soudain Angela. Où est ce salaud de Yacoub ?

— Je ne sais pas. Je n'ai pas vu où il est parti.

Bronson regarda prudemment par-dessus l'autel circulaire et scruta la zone d'où les hommes vêtus de noir étaient apparus. Puis il jeta un œil sur les côtés. Mais aucun signe du grand Marocain au visage figé.

Puis il y eut un coup de feu à quelques centimètres, directement derrière Bronson.

L'homme tenant le Galil, à une cinquantaine de centimètres de distance, porta la main à son buste et tomba à la renverse, en lâchant le fusil d'assaut. Presque immédiatement, une silhouette sombre et de grande taille se matérialisa à ses côtés et s'empara de son arme, juste au moment où la fusée éclairante s'illuminait une dernière fois avant de s'éteindre, plongeant le sommet de la colline dans une soudaine obscurité.

Bronson se leva, et tira Angela près de lui.

— C'était Yacoub, murmura-t-il, et il a un fusil d'assaut, à présent. Il faut qu'on se tire d'ici.

Mais alors qu'il se relevait, il y eut un bruit semblable au tonnerre, suivi d'un crépitement sourd et d'un vent violent. Et la noirceur de la nuit fut brusquement effacée par un faisceau de lumière, bleu et brillant, jaillissant directement au-dessus de leurs têtes.

Bronson et Angela firent volte-face, prêts à courir, mais ils se retrouvèrent face à Yacoub, son œil laiteux et sa bouche distordue se distinguant très nettement sous la lumière brillante d'une lampe Nightsun provenant de l'hélicoptère, qui faisait du surplace plus haut dans le ciel.

— Restez tranquilles, grogna Yacoub, en enfonçant le canon de son pistolet dans l'estomac de Bronson. Vous êtes tous les deux mes tickets de sortie. (Il pointa le canon du Galil vers la zone proche de l'autel circulaire.) Levez les mains en l'air et allez par là-bas. Tous les deux.

— Reste sur ma gauche, Angela, murmura Bronson, alors qu'il se tournait pour obéir, et marche un peu devant moi.

Obéissante, Angela s'avança, terrifiée.

— Plus vite que ça, siffla Yacoub, enfonçant violemment son coude dans le dos de Bronson, le canon de son pistolet pressé contre sa colonne vertébrale.

C'était exactement ce que Bronson avait espéré et c'était la raison pour laquelle il avait dit à Angela de marcher devant lui.

Il fit quelques pas vers l'avant, prit une profonde inspiration, puis il balança son bras gauche, les doigts tendus pour former une sorte de lame, en haut et en bas, aussi fort qu'il put. Le bord de sa main frappa l'avant-bras gauche de Yacoub, la force du coup déviant la main du Marocain, et le pistolet qu'il tenait fut orienté loin d'Angela.

Ce ne fut ensuite qu'une question de vitesse. Bronson se retourna, son bras gauche levé pour tenir le pistolet de Yacoub à distance, et il frappa le Marocain au visage, avec le poing. Yacoub tituba en arrière, tentant désespérément de reprendre le contrôle de son arme.

Mais Bronson n'en avait pas terminé. Il s'approcha d'un demi-pas de Yacoub et assena de toutes ses forces un uppercut de la main gauche. Son poing vint s'écraser à la base du nez de Yacoub, brisant les os nasaux fragiles et les enfonçant profondément dans la cervelle de Yacoub. Ce fut un coup mortel. Yacoub tomba en arrière, chacun de ses membres tremblant et son corps pris de convulsions, tandis que son cerveau commençait à mourir.

Bronson saisit le pistolet lâché par le Marocain lors de sa chute, le mit en joue et tira deux coups de feu, directement dans la poitrine de sa victime. Les spasmes cessèrent. Yacoub eut un dernier soubresaut, puis il demeura étendu, absolument immobile.

Pendant quelques secondes, Bronson et Angela restèrent à fixer la dépouille de l'homme qui leur avait causé tant de soucis.

Puis ils firent demi-tour. Trois des silhouettes vêtues de noir se tenaient à environ trois mètres, leurs Galil tendus directement vers eux. L'une d'entre elles fit un geste à Bronson. Il regarda le pistolet qu'il tenait toujours et jeta l'arme au loin. Puis Angela et lui levèrent les mains. Bronson ignorait qui étaient ces hommes, même s'il se doutait tout de même un peu qu'il ne s'agissait aucunement d'amateurs, et encore moins d'amis de Yacoub, il était donc possible qu'ils soient du même camp. De toute façon, avec trois fusils d'assaut pointés directement vers eux, il n'avait guère le choix.

L'une des silhouettes prononça un ordre dans une langue que Bronson identifia comme de l'hébreu, et un autre homme s'avança de quelques pas, leur passa brusquement les menottes, puis vérifia qu'ils ne cachaient pas d'armes. Dès qu'il eut terminé, l'atmosphère plus que tendue se détendit considérablement.

Dans un rugissement assourdissant, provoquant un tremblement immédiatement identifiable, l'hélicoptère se posa sur une zone aplanie à environ cinquante mètres, les rotors de l'appareil faisant jaillir un immense nuage de poussière et de débris qui tourbillonna tout autour du site. Bronson et Angela s'esquivèrent sur le côté et fermèrent les yeux.

Dès que l'hélicoptère de combat eut touché le sol, le rugissement des rotors s'atténua et le nuage de poussière se dissipa. Bronson se retourna pour observer l'appareil, formant une épaisse masse noire à peine visible dans la profonde obscurité du ciel nocturne et ses capteurs de navigation et d'anticollision étant désormais allumés. À la lumière des torches tenues par les hommes autour d'eux, il put voir deux silhouettes qui avançaient lentement vers eux.

Les hommes s'immobilisèrent face à eux et, dès l'instant où ils purent distinguer leurs visages, Angela eut le souffle coupé par la surprise.

— Yosef! s'étonna-t-elle. Pourquoi es-tu ici?

Yosef Ben Halevi eut un léger sourire.

— Je pourrais te poser la même question, répondit-il. Qu'est-ce que toi et ton ex-mari faites dans l'un des sites anciens les plus importants d'Israël au beau milieu de la nuit? (Il sourit de nouveau.) Mais je crois déjà connaître la réponse à cette question.

Il se tourna vers son acolyte et murmura quelque chose. L'autre homme acquiesça, et fit signe à l'un de ses soldats de leur retirer les menottes.

— Qui êtes-vous? demanda Bronson à l'autre homme. Vous êtes du Shin Bet? Du Mossad, peut-être?

Il n'y eut aucune réponse, et deux secondes plus tard, Yosef Ben Halevi se tourna de nouveau vers son compagnon.

— Nous venons de voir Bronson exécuter un homme devant une douzaine de témoins. Qu'il connaisse votre nom, ou pas, et pour qui vous travaillez, tout cela n'a plus d'importance.

— Oui, je suppose que vous avez raison. OK, Bronson, mon nom est Levi Barak, et je suis un officier de commandement du Mossad.

Bronson pointa du doigt les silhouettes vêtues de noir qui se tenaient à deux pas d'eux.

— Ils font partie des Forces de défense israéliennes ?

Barak fit non de la tête.

— Pas exactement. Ce sont des membres de l'unité Sayeret Matkal, une unité d'opérations spéciales qui travaille pour le service de renseignements des Forces de défense israéliennes. C'est une unité de reconnaissance spécialisée dans le contre-terrorisme, un peu comme vos SAS britanniques.

— J'en ai déjà entendu parler, observa Bronson. Ce ne sont pas les types responsables du sauvetage d'Entebbe ? Lorsque les terroristes de l'OLP ont détourné un avion Air France et sont partis pour l'Ouganda ?

Barak hocha la tête.

— C'était du très beau boulot. Mais nous ne sommes pas là pour discuter d'opérations militaires passées. Il nous faut décider de ce que nous allons faire de vous et d'Angela Lewis.

— Et de ce que vous avez découvert, intervint Ben Halevi. Où sont les reliques ?

— Les tablettes de pierre se trouvent à côté de l'autel, par là, fit Angela, en pointant l'emplacement du doigt, mais j'ignore où se trouve le Rouleau d'argent. L'homme que Chris a tué nous l'a dérobé dans le tunnel.

Barak donna un ordre, et deux des hommes marchèrent autour de l'autel circulaire, ramassèrent les tablettes de pierre et les emmenèrent jusqu'à Ben Halevi. Ils les déposèrent délicatement contre un petit muret.

L'universitaire s'accroupit devant les tablettes et, tandis que Barak les éclairait avec sa torche, il fit prudemment, et presque avec amour, courir ses doigts sur la surface des tablettes, en caressant l'écriture antique.

— De l'araméen ancien, murmura-t-il, avant de se relever.

— Elles correspondent à ce que vous attendiez ? demanda Levi Barak.

Ben Halevi fit non de la tête.

— Il est encore trop tôt pour le dire, mais, pour moi, elles sont correctes.

— Et pour moi, aussi, fit Angela. Tu veux bien parler du Décalogue, n'est-ce pas ? L'Alliance originelle ? Le second lot de tables que Moïse en personne a descendu du mont Sinaï ?

Yosef Ben Halevi acquiesça lentement, peinant à quitter des yeux les reliques anciennes.

— Bon, déclara brusquement Barak. (Il se tourna vers Bronson.) Vous venez d'exécuter un homme, ajouta-t-il catégoriquement, et en tant qu'officier de police, vous connaissez les conséquences d'un tel acte.

— C'était de l'autodéfense, intervint rapidement Angela. Si vous aviez vu ce qui s'est passé, vous pourriez comprendre.

— J'ai assisté à l'exécution, mais il y a un problème. Les officiers de l'unité Sayeret Matkal sont des membres agréés des forces armées israéliennes, autorisés à porter des armes et à s'en servir. Cet homme – il pointa du doigt le cadavre de Yacoub – a été tué par un pistolet, et pas de la même catégorie que ceux que nous utilisons. (Barak se tourna et fit signe à l'un des officiers de s'approcher.) Donnez-moi votre arme, ordonna-t-il.

L'officier hésita le temps d'une seconde, mais il finit par détacher le Velcro de son holster et tendit le pistolet.

— Cette arme, déclara Barak, est un pistolet SP-21, neuf millimètres, des Industries des armes israéliennes. L'une des ses caractéristiques est la cannelure polygonale dans le canon. Ce pistolet – il indiqua l'arme que Bronson avait laissée tomber sur le sol – est un CZ-75 tchécoslovaque, doté d'une cannelure conventionnelle. Lorsque nous entamerons une autopsie du corps, nous trouverons un ou deux impacts de balles, du neuf millimètres, dans le torse, et les marques de cannelure démontreront clairement la conception et le modèle de pistolet qui les a tirées. Cela informera le médecin légiste que cet homme n'a pas été abattu par l'un des soldats sous mon commandement. Voilà notre problème.

Barak marcha au-dessus de la dépouille gisante de Yacoub, et dans un mouvement rapide, il tendit son propre pistolet et tira à bout portant dans le torse de la dépouille. Le corps tressauta sous l'impact.

Puis il retourna vers le groupe et rendit le pistolet à l'officier de l'unité Sayeret Matkal.

— Maintenant, reprit-il, le médecin légiste va trouver une balle tirée d'un SP-21 dans le corps de cet homme et il en viendra à la conclusion appropriée.

— Et que fait-on des deux autres impacts de balle ? demanda Bronson.

— Je pense que l'autopsie révélera que les balles ont transpercé son corps et n'ont pas été retrouvées. Et à présent, ajouta Barak, il est temps pour vous de partir. Nous devons nettoyer ce lieu avant le retour des touristes demain matin, et il nous faut encore découvrir où ce salopard de borgne a caché le Rouleau d'argent.

Trois minutes plus tard, Bronson et Angela observèrent le sol à travers le côté ouvert de l'hélicoptère, tandis qu'il décollait et quittait Har Megiddo. Sous leurs yeux, des rampes de projecteurs étaient assemblées pour faciliter la recherche du Rouleau d'argent, et le sommet de la vieille forteresse semblait grouiller d'hommes vêtus de noir.

## 77

Les rayons du soleil matinal venaient tout juste d'iriser les toits et les étages supérieurs des bâtiments autour d'eux, donnant à la pierre blanche des nuances argentées, lorsque Bronson immobilisa la voiture de location sur une place de parking, à deux pas de Sultan Suleiman, près de la gare des bus et en bordure du quartier musulman de la vieille ville de Jérusalem.

Ils quittèrent le véhicule et commencèrent à marcher vers le sud-ouest, en direction de la porte de Damas. Trois jours étaient passés, et ils s'étaient réservé un vol pour Londres, en partance de Ben-Gourion, plus tard dans l'après-midi, et aux frais du Mossad. Il avaient passé la plupart de leur temps depuis l'épreuve de force à Har Megiddo dans une salle d'interrogatoire d'un bâtiment ministériel anonyme de Jérusalem, expliquant en détail ce qui s'était passé depuis que Bronson avait été sommé de quitter le Maroc, il y avait de cela plusieurs semaines. Au final, Levi Barak et Yosef Ben Halevi avaient décidé que l'interrogatoire était clos, et Barak avait suggéré qu'il serait préférable pour les personnes concernées de quitter Israël le plus tôt possible.

C'est pourquoi, pour leur dernière journée dans le pays, ils avaient décidé d'aller faire un tour du côté de la vieille ville. Tandis qu'ils traversaient la rue pour marcher le long de l'imposante enceinte de la ville, Bronson jeta un coup d'œil derrière lui.

— Ils sont toujours là ? demanda Angela, en lui prenant la main.

— Oui. Deux hommes gris dans des costumes gris.

Levi Barak leur avaient affirmé qu'ils pourraient se rendre où bon leur semblerait avant leur vol, mais il avait également insisté sur le fait qu'ils seraient surveillés tout du long, et ils s'habituèrent rapidement à la vue des deux ombres silencieuses.

Il n'y avait aucune trace de touristes nulle part, et peu de ces précieux autochtones. Quant à la journée, elle était agréablement chaude, même si le ciel rose-turquoise laissait présager de grosses chaleurs à venir.

— C'est comme si on avait la vieille ville rien que pour nous, observa Angela.

L'impression de paix et de calme dura jusqu'à ce qu'ils atteignent la zone ouverte devant la porte de Damas.

Malgré l'heure matinale, il y avait déjà une foule agglutinée autour des stands provisoires – dont la plupart étaient des chariots à roulettes équipés d'une ombrelle pour protéger à la fois les produits et le vendeur – qui avaient été disposés au pied des majestueux palmiers. Angela et Bronson passèrent devant des femmes âgées vêtues de robes aux broderies traditionnelles et vendant des pois cassés dans des sachets ouverts, et l'air était parfumé par les senteurs de menthe fraîche. À plusieurs endroits, Bronson put distinguer des affiches colorées, représentant toutes des hommes, jeunes et beaux, étalées sur le sol, presque comme des tapis de prière.

— Des *pop stars* arabes, fit Angela, en réponse à la question qu'il n'avait pas eu le temps de poser.

Ils descendirent les marches de pierre, érodées par le passage d'innombrables pieds au cours d'innombrables années, sous une arche impressionnante surplombée par des tourelles et pénétrèrent au cœur du petit monde bruyant, tourbillonnant et vibrant du souk de Khan ez-Zeit. Un dédale d'étroites allées pavées ; de cafés dans lesquels des hommes jouaient aux cartes et discutaient en fumant les narguilés ; un petit monde de cordonniers, de tailleurs, de vendeurs d'épices et d'échoppes proposant des tissus aux couleurs chatoyantes ; de caisses de légumes et de bouchers entourés de viande pendue à des crocs ; d'hommes déversant des bolées de pois chiches dans d'énormes chaudrons remplis d'huile bouillante destinés à préparer les *fallafels*. De la musique arabe – plutôt discordante pour les oreilles occidentales de Bronson – sortait de minuscules transistors et de radiocassettes occasionnels, atténuant presque les cris des vendeurs à la sauvette, colportant leurs marchandises et le bourdonnement constant des conversations, faites de marchandage et de palabres quant aux prix et à la qualité des biens proposés.

Ils tournèrent à gauche sur la Via Dolorosa, laissant derrière eux le brouhaha du souk. Bronson prit Angela par la main pendant qu'ils marchaient.

— Eh bien, on peut dire qu'on a accompli quelque chose, fit-il.

— Absolument, répondit Angela. Ça a été une sacrée bonne semaine pour l'archéologie en général, et pour l'archéologie juive en particulier. Sans lever un doigt, si on oublie qu'ils ont mis sur le coup grand nombre de soldats des forces spéciales et quelques officiers de surveillance, les Israéliens ont remis la main sur le légendaire Rouleau d'argent, ce qui signifie que s'il existe bien des trésors juifs enterrés quelque part dans le désert, ils vont désormais être retrouvés par des archéologues juifs. Et c'est la meilleure chose qui pouvait arriver. Figure-toi qu'il va leur falloir des années à cause du temps nécessaire à sa conservation et surtout pour trouver la meilleure façon de l'ouvrir pour lire l'inscription.

— Espérons qu'ils ne l'envoient pas aux types de Manchester qui ont scié le Rouleau de cuivre en deux.

— Ça me paraît peu probable. L'argent, et en supposant que le rouleau est bien en argent, est beaucoup plus résistant que le cuivre, et sachant qu'il est resté immergé dans l'eau douce pendant les deux derniers millénaires, il n'a dû que se ternir. Ils vont peut-être même pouvoir le dérouler et le lire de la façon dont il a été écrit. Enfin, je suis peut-être un peu trop optimiste, là.

Puis Bronson posa la question qui le taraudait le plus.

— Ces tablettes de pierre, Angela. Tu penses réellement qu'il s'agissait de l'Alliance Mosaïque ? Tu crois que Baverstock avait raison ?

Angela secoua la tête.

— Je suis une universitaire, ce qui signifie que je suis payée pour être cynique dès qu'il s'agit de trucs comme ça. Mais je ne sais pas, admit-elle, je ne sais vraiment pas. D'après ce que j'ai lu des descriptions bibliques du Décalogue, elles étaient plutôt similaires, mais cela ne prouve rien du tout. Certains savants croient que les passages de la Bible décrivent précisément les tablettes de pierre, mais ça peut juste fonctionner dans le sens inverse. Les pierres ont peut-être été conçues pour correspondre aux descriptions bibliques. En d'autres termes, elles ont peut-être été conçues spécialement afin de valider les traditions orales de la Bible, pour offrir aux Israélites errants quelque chose de solide auquel ils puissent croire. Mais une partie de moi-même, une toute petite partie, pense que Baverstock avait peut-être raison. Il y avait quelque chose qui donnait la chair de poule, quelque chose d'indéfinissable, au sujet des deux pierres. Bien qu'il n'y ait eu aucune trace de poussière les recouvrant, la cavité dont nous les avons tirées en était couverte. De poussière, je veux dire. Et la manière dont elles semblaient s'illuminer lorsqu'on les a éclairées avec nos torches. (Elle fut parcourue d'un léger frisson.) Je n'ai pas l'impression que c'est moi qui te parle, Chris, tu ne trouves pas ?

— Que vont en faire les Israéliens selon toi ? demanda Bronson, tandis qu'ils prirent à gauche pour se diriger vers la Plaza Kotel et le mur des Lamentations.

— Ils vont les mettre en sécurité, de toute évidence, répondit Angela. J'ai un peu discuté avec Yosef Ben Halevi à la fin de l'interrogatoire. Je lui ai posé la même question, et sa réponse a été intéressante. Il m'a dit qu'ils s'étaient mis tout de suite au boulot et qu'ils avaient déjà pris des centaines de photos des tablettes, et mis en œuvre une foultitude d'autres tests pour examiner la patine des pierres, la manière dont les lettres araméennes étaient formées, ce genre de choses, afin de tenter d'établir leur âge. Mais il m'a aussi appris qu'il avait reçu l'ordre — et à l'entendre, cela suggérait que cet ordre provenait des hautes sphères de la Knesset — de ne pas exposer les tablettes, ou de faire connaître leur existence, à cause des répercussions politiques possibles.

— Mais alors, que vont-ils en faire ? demanda de nouveau Bronson.

— Yosef m'a dit qu'elles allaient retourner dans leur emplacement d'origine.

— Comment ça ? Tu veux dire à l'autel de Har Megiddo ?

Angela fit non de la tête, puis indiqua la zone devant eux, vers la Plaza Kotel.

— C'est le mur des Lamentations, lui apprit-elle. Tu sais pourquoi on l'appelle ainsi ?

— Je n'en ai pas la moindre idée.

— L'origine du nom est assez simple. Après la destruction du second Temple par les Romains, aucun juif ne fut autorisé à visiter Jérusalem jusqu'à la première période byzantine.

À ce moment, ils furent autorisés à visiter le mur occidental, juste une fois par an, le jour de l'anniversaire de la destruction du Temple. Tous les juifs qui s'y rendaient s'appuyaient contre le mur et versaient des pleurs, en se remémorant la perte de leur temple sacré. C'est de là que provient le terme « mur des Lamentations ».

Bronson observa à nouveau la structure massive de l'autre côté de la place.

— Mais ce mur n'a jamais fait partie du Temple, si? demanda-t-il. C'était seulement un mur porteur émergeant du sol sur lequel le Temple s'était autrefois dressé. Alors pourquoi les juifs le révèrent-ils autant?

— Ce que tu dis a du sens: il n'avait rien à voir avec le second Temple. Mais les juifs orthodoxes croient que la présence divine, ce qu'ils appellent la Shechinah, continue de résider à l'endroit où le Temple se dressait. Lorsque le Temple fut construit, le Saint des Saints, la chambre intérieure où ils auraient conservé l'Arche d'Alliance, se trouvait sur le côté occidental de l'édifice, et c'est ici que la Shechinah aurait continué de hanter les lieux. Tous les juifs ont l'interdiction – d'après leurs lois – de se rendre sur le Temple lui-même, sur le site originel du Temple, c'est pourquoi ce mur – elle le pointa du doigt – est le point le plus proche auquel ils peuvent accéder sur cet emplacement. Et c'est la raison pour laquelle il est aussi important à leurs yeux.

— Et donc?

— Donc, je pense que si l'Arche d'Alliance était censée être conservée quelque part de l'autre côté de ce mur, ce serait l'endroit logique où entreposer l'Alliance elle-même. (Ils marchèrent vers le côté nord du Kotel, à l'entrée de l'héritage du mur occidental, où les visites des tunnels qui se déployaient derrière le mur des Lamentations débutaient.) C'est bizarre, reprit Angela.

La porte était de toute évidence fermée, et il y avait un grand panneau au-dessus de l'entrée indiquant que l'exposition et le tunnel étaient fermés, en raison d'un possible affaissement.

Elle s'avança et scruta l'obscurité au-delà de la porte. Puis elle fit demi-tour et marcha vers Bronson, avec un petit sourire satisfait.

— Que se passe-t-il?

— Il y a des lumières allumées à l'intérieur, et j'ai pu voir plusieurs personnes en mouvement. Je ne crois pas trop à cette histoire d'affaissement dans le tunnel Kotel. Les pierres qui s'y trouvent sont particulièrement imposantes – la plus grosse pèse dans les six cents tonnes – et elles reposent sur un soubassement solide. J'ai eu des doutes en apprenant que cet endroit était fermé, mais le fait de voir des gens à l'intérieur constitue une preuve. Les Israéliens vont remettre les pierres de Moïse à l'endroit auquel elles appartiennent, dans une sorte de tombeau, un lieu saint, caché derrière le mur des Lamentations, et aussi proche que possible du site du Saint des Saints du second Temple. Et maintenant, lorsque les juifs pieux viendront prier au pied du mur, ils seront plus près de l'Alliance Mosaïque que personne ne l'a jamais été pendant les deux derniers millénaires.

Bronson fixa l'entrée de l'héritage du mur occidental pendant quelques secondes, puis il hocha la tête.

— Oui, fit-il. Ça me semble logique.

Ils firent demi-tour pour retourner à la voiture, Bronson jetant parfois un œil derrière lui, pour vérifier que leurs deux escortes les suivaient toujours.

— Tu n'as jamais répondu à ma question, tu sais, dit-il.

— Laquelle?

— Celle que je t'ai posée dans l'hélicoptère alors qu'on quittait Har Megiddo. J'ai dit que nous devrions former un partenariat. Une équipe, quoi. On commence à devenir vraiment bons dans la chasse aux reliques perdues.

Angela hocha la tête, avant d'éclater de rire.

— Mais n'as-tu pas remarqué qu'à chaque fois que quelqu'un sortait un flingue, il le pointait directement vers nous ?

— Oui, fit lentement Bronson, mais on a survécu, non ? (Il fit une pause et la regarda.) Supposons que je mette un terme à ma carrière de flic et que tu arrêtes de bosser au musée, et que nous passons le reste de notre temps à traquer des trésors enfouis ? Qu'en dis-tu ?

— Tu es sérieux, là ? lui demanda Angela.

— Oui, je le suis. On bosse vraiment bien tous les deux.

— Et est-ce que notre équipe de choc ira au-delà du partenariat de boulot ?

Bronson prit une profonde inspiration.

— Tu connais déjà ma réponse à cette question, fit-il. Je le souhaiterais plus que tout.

Angela le regarda pendant quelques secondes avant de répondre en souriant :

— Pourquoi ne pas en parler autour d'un bon déjeuner ? J'ai repéré un petit restau sympa sur la Via Dolorosa.

— Excellente idée, déclara Bronson, en mettant son bras autour des épaules d'Angela alors qu'ils descendaient la rue Chain vers l'église Saint-Jean-Baptiste et le cœur antique et torturé de la plus ancienne des cités.